확률과 통계

TOP OF THE TOP

book.chunjae.co.kr

Top of the Top

1등급 비밀!!

최강 TOT

확률과 통계

차례 >>

Top of the Top

개념 정리 예제와 참고 자료, 일부 단축키(문제 풀이 시간을 줄여주는 내용 소개)를 통해 학습

단계 구성

STEP 1 1등급 준비하기

1등급 준비를 위해 꼭 확인해야 할 필수 유형을 학습하는 단계. 자칫하면 놓치기 쉬운 개념과 풀이 스킬을 확인합니다.

STEP 2 1등급 굳히기

각 학교에서 실제 시험에 다뤄진 최신 출제 경향을 반영하는 문제를 푸는 단계.
1등급을 목표로 공부한다면 반드시 알아야 할 풀이 스킬을 확인하고 각 문항별로 주어진 목표 시간 안에 1등급 문제 유형을 확실하게 익힙니다.

STEP 3 1등급 뛰어넘기

창의력, 융합형, 신경향, 서술형 문제 등을 경험하고 익히는 단계. 풀기 어렵거나 풀기 까다로운 문제보다는 '이렇게 풀면 되구나!' 하는 경험을 할 수 있는 문제를 포함하고 있으므로 더 다양한 풀이 스킬을 익히면서 적용해 볼 수 있습니다.

정답과 풀이 주로 문제 풀이를 위한 GUIDE 와 해설로 이루어져 있습니다.
그리고 다음 요소도 포함하고 있습니다.

주의	자칫하면 실수하기 쉬운 내용을 알려줍니다.
참고	풀이 과정에서 추가 설명이 필요한 경우, 이해를 돕거나 이해해야 하는 내용을 알려줍니다.
LECTURE	풀이 과정에서 등장한 개념을 알려줍니다.
1등급 NOTE	문제 풀이에 필요한 스킬을 알려줍니다.
다른 풀이	말 그대로 소개된 해설과 다른 풀이를 담고 있습니다.

1 여러 가지 순열

1 순열의 수

서로 다른 n개에서 중복되지 않게 r $(r \le n)$개를 택하여 일렬로 배열하는

순열의 수는 $_{n}\mathrm{P}_{r}=n(n-1)(n-2)\cdots(n-r+1)=\dfrac{n!}{(n-r)!}$

보기 남학생 5명과 여학생 3명이 일렬로 설 때, 양 끝에는 남학생이 서고 여학생끼리는 서로 이웃하게 서는 경우의 수를 구하여라.

풀이 양 끝에 남학생 2명을 세우는 경우의 수는 $_{5}\mathrm{P}_{2}=5\times4=20$
여학생 3명을 한 묶음으로 생각하고 양 끝에 서지 않은 남학생 3명을 포함해서 4명을 일렬로 세우는 경우의 수는 $4!=4\times3\times2\times1=24$
이때 한 묶음인 여학생 3명을 일렬로 세우는 경우의 수는 $3!=6$이므로
구하려는 경우의 수는 $20\times24\times6=$ **2880**

참고

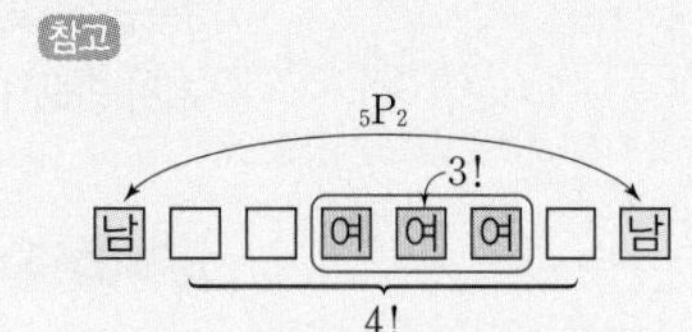

2 원순열

회전해서 일치하는 경우는 모두 같은 것으로 정할 때, 서로 다른 n개를 원 모양으로 배열하는 순열을 **원순열**이라 한다.

이때 서로 다른 n개를 배열하는 원순열의 수는 $\dfrac{_{n}\mathrm{P}_{n}}{n}=\dfrac{n!}{n}=(n-1)!$

서로 다른 n개에서 r개를 택하여 배열하는 원순열의 수는 $\dfrac{_{n}\mathrm{P}_{r}}{r}$

Tip

① 둥글게 배열할 때 어느 하나를 고정시키면 나머지를 배열하는 것은 원순열이 아님을 이용할 수 있다.

② 배열에서 빈 자리가 생기는 경우, 빈 자리를 채우는 투명한 존재를 이용하면 좀 더 쉽게 문제를 풀 수 있다.

⇨ 8쪽 **04**, 9쪽 **05**

보기 어른 2명과 어린이 5명이 둥글게 앉을 때, 어른끼리 이웃하지 않도록 앉는 경우의 수를 구하여라. (단, 회전해서 일치하는 경우는 한 가지로 계산한다.)

풀이 어른 2명과 어린이 5명, 즉 7명이 둥근 탁자에 둘러앉는 경우의 수는
$(7-1)!=6!=720$
어른 2명이 이웃하여 어린이 5명과 둥근 탁자에 둘러앉는 경우의 수는
$(6-1)!\times2=5!\times2=240$
따라서 구하려는 경우의 수는 $720-240=$ **480**

3 중복순열

서로 다른 n개에서 중복을 허락하여 r개를 택하는 순열을 **중복순열**이라 하고, $_{n}\Pi_{r}$로 나타낸다. 이때 중복순열의 수 $_{n}\Pi_{r}=n^{r}$

보기 모스 부호 •, −에서 4개를 뽑아 만들 수 있는 신호 개수를 구하여라.

풀이 각 자리마다 2가지 부호가 올 수 있으므로 서로 다른 2개에서 중복을 허락하여 4개를 택하는 중복순열의 수와 같다. 즉 $_{2}\Pi_{4}=2^{4}=$ **16**(가지)

4 같은 것이 있는 순열

n개 중에서 서로 같은 것이 각각 p개, q개, $\cdots$, r개씩 있을 때, 이 n개를 한 줄로 배열하는 순열의 수는 $\dfrac{n!}{p!q!\cdots r!}$ (단, $p+q+\cdots+r=n$)

참고

같은 것을 포함한 순열은 조합의 곱과 같다. 예를 들어, a는 3개, b는 4개, c는 2개일 때, 이 9개를 일렬로 나열하는 경우의 수는 $\dfrac{9!}{3!4!2!}=1260$이다. 이것은 아홉 자리 중 a가 들어갈 세 자리를 뽑고, 남은 여섯 자리 중 b가 들어갈 네 자리를 뽑으면 되므로 ${}_9C_3\times{}_6C_4=1260$과 같다.

보기 A, B, C 세 종류의 자동차 중 4대를 일렬로 나열하여 전시하려고 한다. A는 1대, B는 3대, C는 2대가 있고, A는 반드시 전시한다고 할 때, 전시하는 경우의 수를 구하여라. (단, 같은 종류의 자동차끼리는 구별하지 않는다.)

풀이 (i) A, B, B, B일 때 $\dfrac{4!}{3!}=4$

(ii) A, B, B, C일 때 $\dfrac{4!}{2!}=12$

(iii) A, B, C, C일 때 $\dfrac{4!}{2!}=12$

(i), (ii), (iii)에서 $4+12+12=\mathbf{28}$

5 완전순열 (교육과정 외)

자기 자신의 것과는 짝을 이루지 않도록 모든 원소의 위치를 배열하는 것을 **완전순열** 또는 **교란순열**이라 한다. 예를 들어 학생 3명이 시험지를 채점하는데 자기 시험지는 자기가 채점하지 않도록 시험지를 배열하는 경우가 대표적인 완전순열이다. 완전순열의 수는 일대일함수 $f: X \to X$에서 모든 $x\in X$에 대하여 $f(x)\neq x$인 함수의 개수와 같다.

n개를 배열하는 완전순열의 수를 p_n이라 하면 $\boldsymbol{p_{n+2}=(n+1)(p_{n+1}+p_n)}$이 성립함을 이용해 완전순열의 수를 구한다.

※ $p_{n+2}=(n+1)(p_{n+1}+p_n)$에서 $p_1=0$, $p_2=1$, $p_3=2$임을 이용한다.
특히 $p_4=9$, $p_5=44$는 기억하고 활용하면 편리하다.
$p_n=n!\left(\dfrac{1}{0!}-\dfrac{1}{1!}+\dfrac{1}{2!}-\dfrac{1}{3!}+\cdots+\dfrac{(-1)^n}{n!}\right)$을 이용해도 된다.

참고

"학생 5명에게 수험표를 하나씩 나누어줄 때, 자기 것을 받은 수험생이 한 명도 존재하지 않는 경우의 수를 구하라"는 것과 같은 완전순열 문제는 교과서에서는 다루지 않지만 모의고사나 수능에서 출제되고 있다. p_5까지는 수형도를 이용하면 풀 수 있기 때문이다. 이 문제에서 구하려는 경우의 수는 p_5이므로 답은 44이다.

※ 일반항 $p_n=n!\left(\dfrac{1}{0!}-\dfrac{1}{1!}+\cdots+\dfrac{(-1)^n}{n!}\right)$은 포함과 배제의 원리에서 얻을 수 있다.

단축키 | 원순열의 수 구하기

❶ 다각형에서 n개를 배열하는 경우 (원순열의 수)$=\boldsymbol{n!}\div$(길이가 같은 변의 개수)

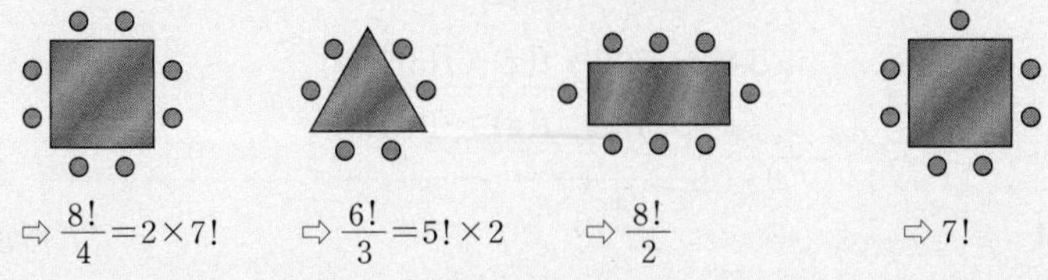

$\Rightarrow \dfrac{8!}{4}=2\times7!$ $\Rightarrow \dfrac{6!}{3}=5!\times2$ $\Rightarrow \dfrac{8!}{2}$ $\Rightarrow 7!$

❷ 정n면체의 각 면을 서로 다른 n가지 색으로 색칠하거나 각 면에 1부터 n까지의 수를 하나씩 적는 경우의 수는 $\boldsymbol{(n-1)!}\div$(면의 변 개수)

예 정십이면체의 면은 오각형이므로 정십이면체의 각 면을 1부터 12까지 적는 경우의 수는 $\dfrac{(12-1)!}{5}$

원순열

01

그림과 같은 탁자에 7명을 앉히려고 한다. 표시한 부분에 특정한 2명이 앉고, 나머지 부분에 남은 5명이 앉도록 하는 경우의 수를 구하여라.

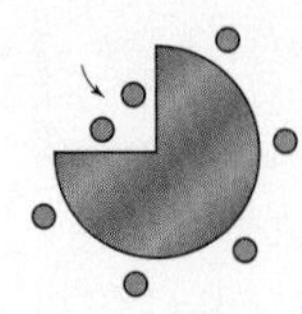

02*

토론회에 참석한 남학생 4명과 여학생 4명을 그림과 같이 정사각형 모양으로 배열된 의자 8개에 앉히려 한다. 붙어 있는 의자에는 반드시 남녀가 1명씩 앉도록 할 때, 이들 8명이 앉을 수 있는 모든 경우의 수를 구하시오.

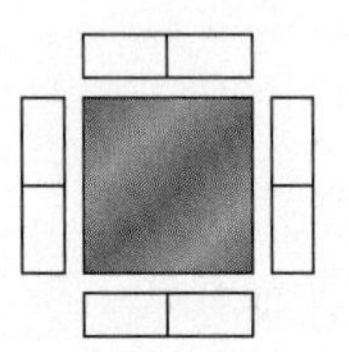

03*

정육면체의 각 면에 1부터 6까지 수를 하나씩 적는다. 아무런 조건 없이 한 면에 하나의 수를 적는 경우의 수를 a, 마주보는 면에 적힌 수의 합이 7이 되도록 적는 경우의 수를 b라 할 때, $a+b$의 값을 구하시오.

04

그림과 같이 서로 접하고 크기가 같은 원 3개와 이 세 원의 중심이 꼭짓점인 정삼각형이 있다. 원의 내부 또는 정삼각형의 내부에 만들어지는 영역 7곳에 서로 다른 7가지 색을 모두 사용하여 칠하려고 한다. 한 영역에 한 가지 색만 칠할 때, 색칠한 결과로 나올 수 있는 경우의 수를 구하시오. (단, 회전해서 같은 경우는 한 가지로 계산한다.)

[모의평가 기출]

중복순열

05

전체집합 $S=\{1, 2, 3, 4, 5\}$의 두 부분집합 A, B에 대해 다음을 구하시오.

(1) $A \subset B$인 두 집합 A, B의 순서쌍 개수

(2) $n(A \cap B)=3$인 두 집합 A, B의 순서쌍 개수

06

집합 $X=\{1, 2, 3, 4, 5, 6\}$에 대하여 $f: X \rightarrow X$가 다음 조건을 만족시킬 때, 함수 f의 개수를 구하시오.

> (가) $f(3)$은 짝수이다.
> (나) $x<3$이면 $f(x)<f(3)$이다.
> (다) $x>3$이면 $f(x)>f(3)$이다.

[학력평가 기출]

07*

1, 2, 3 중에서 중복을 허락하여 네 개를 뽑아 네 자리 수를 만든다고 할 때 다음을 구하시오.

(1) 가능한 네 자리 수의 총 개수

(2) 가능한 네 자리 수의 총합

같은 것이 있는 순열

08*

검은 바둑돌 5개와 흰 바둑돌 4개를 일렬로 나열할 때, 양 끝의 바둑돌 색을 서로 다르게 나열하는 경우의 수는?

① 50 ② 60 ③ 70
④ 80 ⑤ 90

09*

1부터 6까지의 숫자가 하나씩 적힌 카드 여섯 장을 일렬로 나열하려고 한다. 이때 1은 3보다 왼쪽에 있고, 2, 4, 6은 이 순서대로 놓여 있는 경우의 수는?

① 40 ② 50 ③ 60
④ 70 ⑤ 80

10*

그림과 같은 도로망에서 A지점을 출발해 B지점까지 가는 경로의 수를 구하시오. (단, 왼쪽에서 오른쪽, 아래에서 위, 왼쪽 아래에서 오른쪽 위로만 가야 한다.)

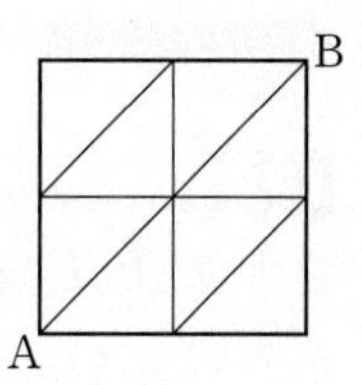

11

그림은 원둘레를 십이등분하는 점을 A부터 L까지 나타낸 것이다. 점 A를 출발한 점 P는 주사위를 던져 나온 눈의 수만큼 시계방향으로 움직인다. 주사위를 네 번 던진다고 할 때 점 P가 원둘레를 한 바퀴 돈 다음 두 바퀴째에 점 I에 있는 경우의 수를 구하시오.

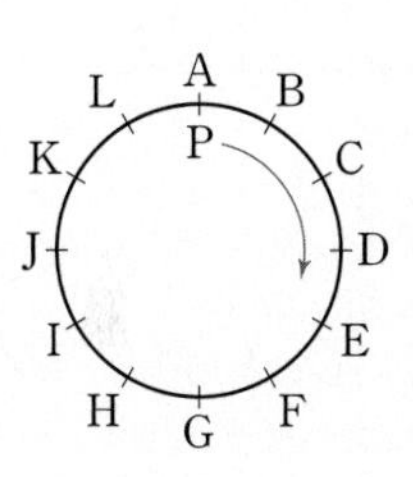

12

어느 행사장에는 현수막을 1개씩 설치할 수 있는 장소가 5곳이 있다. 현수막은 A, B, C 세 종류이고, A는 1개, B는 4개, C는 2개 있다. 다음 조건을 만족시키도록 현수막 5개를 택하여 5곳에 설치할 때, 그 결과로 나타날 수 있는 경우의 수를 구하시오. (단, 같은 종류의 현수막끼리는 구분하지 않는다.)

> (가) A는 반드시 설치한다.
> (나) B는 2곳 이상 설치한다.

[수능 기출]

완전순열

01*

| 제한시간 1분 |

학생 A, B, C, D, E, F가 있다. 이 여섯 명의 이름표를 섞은 다음 임의로 하나씩 가졌더니, 자기 이름표를 받은 사람이 아무도 없었고, A는 어느 한 학생과 서로 이름표가 바뀌었다고 한다. 이러한 경우의 수를 구하시오.

02

| 제한시간 1.5분 |

남자 5명과 여자 4명이 있는 모임에서 남자의 성은 각각 김, 이, 박, 최, 정이고, 여자의 성은 각각 김, 이, 박, 최다. 같은 성씨끼리는 짝이 되지 않고, 여자 4명은 모두 짝을 이룬다고 할 때, 짝을 이루는 모든 경우의 수는?

① 44 ② 47 ③ 50
④ 53 ⑤ 57

원순열

03

| 제한시간 1.5분 |

가로 길이, 세로 길이, 높이가 각각 a, b, c인 직육면체가 있다. 직육면체의 모양이 다음과 같을 때 직육면체의 각 면에 1부터 6까지의 수를 적는 경우의 수를 구하시오.

(단, 회전해서 일치하는 경우는 한 가지로 계산한다.)

(1) $a=b\neq c$인 정사각기둥

(2) a, b, c가 모두 다른 직육면체

04*

| 제한시간 2분 |

그림과 같이 정사각형과 서로 합동인 5개의 원으로 이루어진 놀이판이 있다. 각 원의 중심은 정사각형의 네 꼭짓점과 두 대각선이 만나는 점이다.

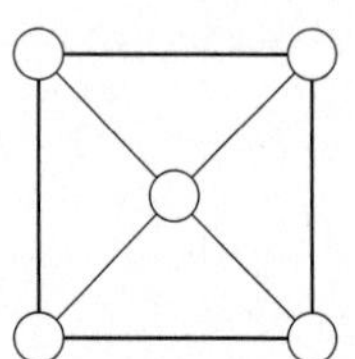

서로 다른 돌 5개 중에서 3개를 뽑아 3개의 원 안에 각각 1개씩 올려놓는 경우의 수는? (단, 회전해서 일치하는 경우는 한 가지로 계산한다.)

① 150 ② 160 ③ 170
④ 190 ⑤ 200

[사관학교 기출]

05*

| 제한시간 1.5분 |

원탁에 의자 8개가 놓여 있다. 7명이 원탁에 둘러앉는 경우의 수를 a, 6명이 원탁에 둘러앉는 경우의 수를 b라 하자. 이때 $a \div b$의 값을 구하시오. (단, 회전해서 일치하는 경우는 한 가지로 계산한다.)

06

| 제한시간 1.5분 |

여학생 3명과 남학생 6명이 원탁에 같은 간격으로 둘러앉으려고 한다. 각 여학생 사이에는 1명 이상의 남학생이 앉고, 각 여학생 사이에 앉은 남학생 수는 모두 다르다. 9명의 학생이 모두 앉는 경우의 수가 $n \times 6!$일 때, 자연수 n의 값은? (단, 회전해서 일치하는 경우는 한 가지로 계산한다.)

① 10 ② 12 ③ 14
④ 16 ⑤ 18

07*

| 제한시간 2분 |

세 쌍의 부부 여섯 명이 원탁에 앉는다. 부부끼리는 이웃하여 앉지 않는다고 할 때, 앉는 경우의 수를 구하시오. (단, 회전해서 일치하는 경우는 한 가지로 계산한다.)

08

| 제한시간 2분 |

여덟 자리가 있는 원탁에 부부 네 쌍이 앉으려고 한다. 이때 다음 경우의 수를 구하시오. (단, 회전해서 일치하는 경우는 한 가지로 계산한다.)

(1) 부부끼리는 반드시 이웃해서 앉는 경우의 수

(2) 부부끼리는 이웃하지 않고 앉는 경우의 수

중복순열

09

| 제한시간 1.5분 |

0부터 5까지의 숫자가 하나씩 적혀 있는 주사위가 있다. 이 주사위를 네 번 던져 나온 수를 차례대로 나열해 만든 네 자리 정수 중에서 1과 2를 모두 포함하는 것의 개수는?

① 270 ② 272 ③ 274
④ 276 ⑤ 278

10*

| 제한시간 1.5분 |

1부터 9999까지의 자연수 중에서 0을 한 개 포함하는 것이 a개, 0을 하나도 포함하지 않는 것이 b개일 때 $a+b$의 값은?

① 9338 ② 9438 ③ 9538
④ 9638 ⑤ 9738

11*

| 제한시간 1.5분 |

1부터 999까지의 자연수에 대하여 다음을 구하시오.

(1) 숫자 7을 포함하는 자연수의 개수

(2) 숫자 7을 포함한 수들을 모두 나열할 때, 숫자 7이 쓰인 횟수

12

| 제한시간 1.5분 |

그림에서 빨간색 세로 방향 선분 12개는 각각 건물 각 층을 연결하는 에스컬레이터이다. 건물 입구에서 목적지까지 가는데, 한번 지나간 지점은 다시 지나가지 않고, 에스컬레이터는 올라가는 것만 탄다고 할 때, 가능한 경로의 수를 구하시오. (단, 가로 방향 선분은 모두 통행할 수 있다.)

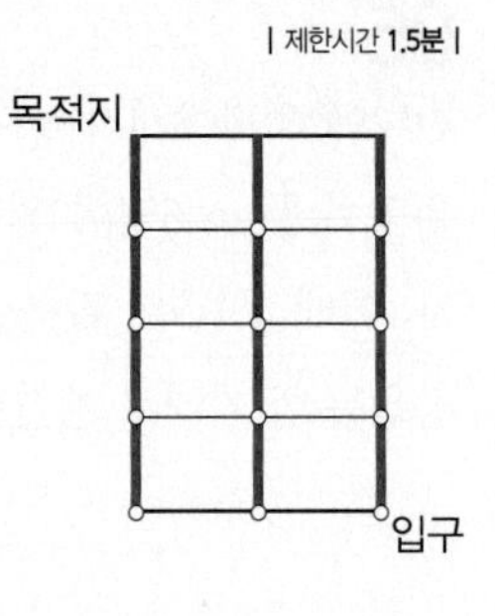

13

| 제한시간 2분 |

전체집합 $U=\{1, 2, 3, 4, 5, 6\}$의 세 부분집합 A, B, C에 대하여 다음 조건을 만족시키는 집합 A, B, C의 순서쌍 (A, B, C)의 개수는?

(가) $n(A\cup B\cup C)=5$
(나) $n(A\cap B)=n(B\cap C)=n(C\cap A)=1$

① 5650 ② 5660 ③ 5670
④ 5680 ⑤ 5690

같은 것이 있는 순열

14*

| 제한시간 1.5분 |

1과 2만 써서 나열한 숫자의 합이 10이 되는 경우의 수를 구하시오. (단, 1만 사용하거나 2만 사용하는 경우도 포함한다.)

15

| 제한시간 1.5분 |

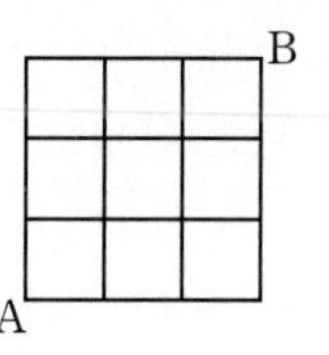

그림과 같이 한 변의 길이가 1인 정사각형으로 이뤄진 도로에서 A는 B가 있는 곳으로, B는 A가 있는 곳으로 각각 최단경로를 따라 이동한다. 두 사람이 동시에 출발하였을 때, 두 사람이 만나는 경우의 수는? (단, 두 사람의 이동 속도는 같고, 만나고 난 후 이동하는 경로의 수까지 생각한다.)

① 160　　② 161　　③ 162
④ 163　　⑤ 164

16

| 제한시간 1.5분 |

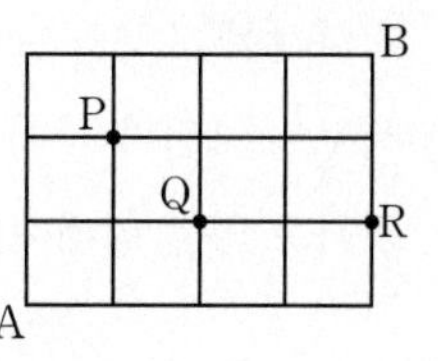

그림과 같은 도로에서 A를 출발하여 P, Q, R 중 적어도 한 지점을 지나 B까지 가는 최단 경로의 수를 구하시오.

17

| 제한시간 1.5분 |

그림과 같이 주머니에 숫자 1이 적힌 흰 공과 검은 공이 각각 2개, 숫자 2가 적힌 흰 공과 검은 공이 각각 2개가 들어 있고, 비어 있는 8개의 칸에 1부터 8까지의 자연수가 하나씩 적혀 있는 진열장이 있다.

숫자가 적힌 8개의 칸에 주머니 안의 공을 한 칸에 한 개씩 모두 넣을 때, 숫자 4, 5, 6이 적힌 칸에 넣는 세 개의 공이 적힌 수의 합이 5이고 모두 같은 색이 되도록 하는 경우의 수를 구하시오. (단, 모든 공은 크기와 모양이 같다.)

[2017학년도 4월 학력평가]

18*

| 제한시간 2분 |

직사각형 모양의 잔디밭에 산책로가 만들어져 있다. 이 산책로는 그림과 같이 반지름 길이가 같은 원 8개가 서로 외접하고 있는 형태이다.

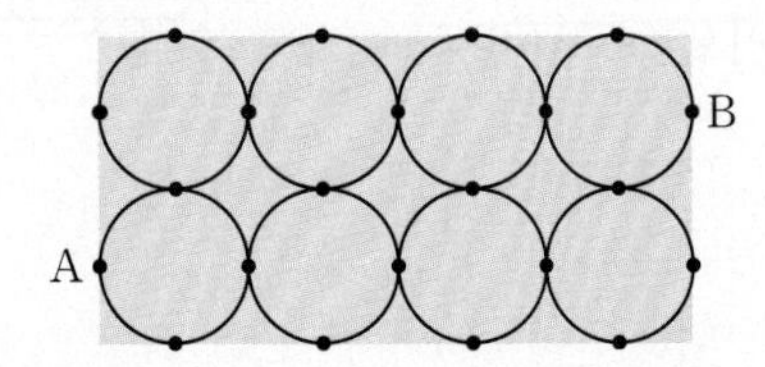

A지점에서 출발하여 산책로를 따라 최단 거리로 B지점에 도착하는 경우의 수를 구하시오. (단, 원 위에 표시된 점은 원과 직사각형 또는 원과 원의 접점을 나타낸다.)

[학력평가 기출]

19

| 제한시간 2분 |

그림과 같이 세 개의 통 A, B, C에 서로 다른 공이 각각 3개, 3개, 4개 들어 있다. 각 통에서 오른쪽 끝이나 왼쪽 끝에 있는 공만 꺼낼 수 있다고 한다.

통에 든 공 10개를 모두 꺼내는 경우의 수가 $2^a(2b+1)$일 때, $a+b$의 값을 구하시오.

20*

| 제한시간 2분 |

그림과 같은 도로망에서 점 A를 출발해 점 B까지 간다고 할 때, $\overline{\mathrm{CD}}$ 위의 한 점을 반드시 지나 최단 거리로 가는 경로의 수를 구하시오.
(단, 한번 지나간 경로는 다시 지나가지 않는다.)

21*

| 제한시간 3.5분 |

좌표평면 위에서 집합 $S=\{(x,\ y)\,|\,x,\ y\text{는 정수}\}$인 점을 원소로 가진다. 집합 S에 속하는 한 점 P에서 S에 속하는 다른 점 Q로 이동하는 '점프' 규칙은 다음과 같다.

> 점 P에서 한 번의 '점프'로 점 Q로 이동할 때, 선분 PQ의 길이는 1 또는 $\sqrt{2}$이다.

이때 점 $\mathrm{A}(-2,\ 0)$에서 점 $\mathrm{B}(2,\ 0)$까지 5번만 '점프'하여 이동하는 경우의 수를 구하시오. (단, 이동하는 과정에서 지나는 점이 다르면 다른 경우이다.)

01

창의력

집합 $A=\{1, 2, 3, 4, 5\}$의 원소 다섯 개를 나열하여 만든 순열 $(a_1, a_2, a_3, a_4, a_5)$에 대하여 b_i를 다음과 같이 정의한다.

$$b_1=a_1,\ b_i=\begin{cases} a_i & (a_i=\min\{a_1, a_2, \cdots, a_i\}\text{일 때}) \\ 0 & (\text{그 이외의 경우}) \end{cases}$$

(단, $i=2, 3, 4, 5$)

이때 $S=\sum_{i=1}^{5} b_i$라 하자. 예를 들어, 순열 $(4, 5, 2, 3, 1)$에 대해 $S=4+0+2+0+1=7$이다. A의 원소를 나열한 순열 120개에 대하여 S의 총합을 구하시오.

02

융합형

x에 대한 다항식 $P(x)=a_5x^5+a_4x^4+\cdots+a_1x+a_0$에서 복소수 계수 a_n (단, $0\le n\le 5$)은 $1, i$ 중 하나이다. 이때 $P(i)=0$을 만족시키는 a_n의 순서쌍 $(a_0, a_1, \cdots, a_5)$의 개수를 구하시오.

03

그림과 같이 원판을 n개의 영역으로 나누었다. m개의 색으로 원판을 칠하는데, 이웃한 영역은 다른 색으로 칠해야 할 때, 색칠하는 경우의 수를 $f(n, m)$이라 하자. 다음은 $f(n, m)$을 구하는 과정이다.

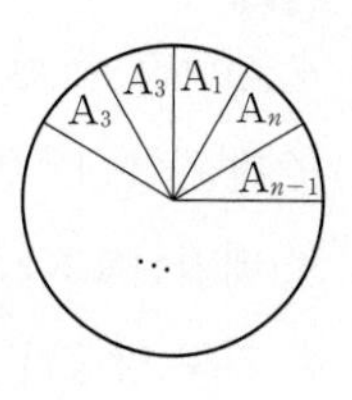

(단, $n\ge 4$이고, 원판을 돌리거나 뒤집지 않는다.)

> A_1 영역부터 시작해 반시계 방향으로 색칠한다고 하자.
>
> (i) A_{n-1}이 A_1과 같은 색일 때
>
> 영역 A_{n-1}, A_n, A_1을 하나의 영역 B_1으로 생각하면 남은 영역을 칠하는 경우의 수는 B_1, A_2, $\cdots$, A_{n-2}에 색칠하고 영역 B_1의 가운데 부분을 A_1과 다른 색으로 칠하는 경우의 수와 같다.
>
> 즉 [(가)] $\times f(n-2, m)$이다.
>
> (ii) A_{n-1}이 A_1과 다른 색일 때
>
> 원판을 $(n-1)$개의 영역으로 나누어 주어진 조건에 맞게 영역 A_1, A_2, $\cdots$, A_{n-1}을 색칠하고 두 영역 A_1, A_{n-1} 사이에 새로운 영역 A_n을 끼워 넣는 경우의 수와 같다.
>
> 즉 [(나)] $\times f(n-1, m)$이다.

(가), (나)에 알맞은 식을 차례로 $g(m)$, $h(m)$이라 할 때, $g(6)\times h(7)$의 값을 구하시오.

04*

서로 다른 네 종류의 모자 A, B, C, D가 각각 3개씩 모두 12개 있다. 12개의 모자를 [그림 1]과 같이 일정한 간격으로 배열된 12개의 모자걸이에 각각 걸려고 한다. 이때, 모든 가로 방향과 모든 세로 방향에 서로 다른 종류의 모자가 걸리도록 하려고 한다. [그림 2]는 이와 같은 방법으로 모자를 건 예이다. 이와 같은 방법으로 12개의 모자를 모자걸이에 걸 수 있는 경우의 수를 모두 구하시오. (단, 같은 종류의 모자끼리는 서로 구별하지 않는다.)

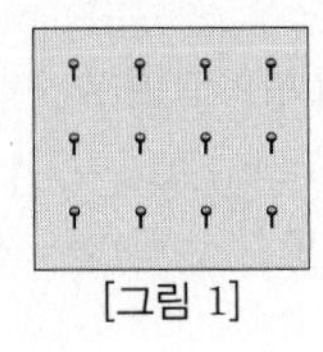
[그림 1]

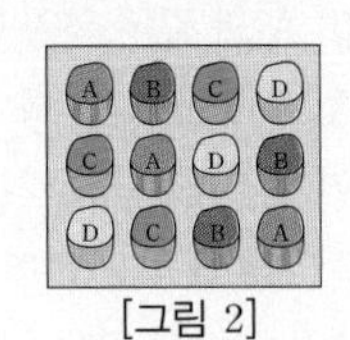

[그림 2]

[학력평가 기출]

05

정육면체의 각 면을 다섯 가지 색으로 칠하려고 한다. 이웃한 면은 서로 다른 색으로 칠한다고 할 때, 다음 각 조건에 대하여 칠하는 경우의 수를 구하시오.

(1) 다섯 가지 색을 모두 사용한다.

(2) 사용하지 않는 색이 있어도 좋다.

06

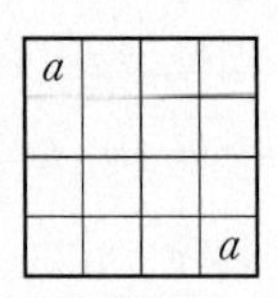

한 변의 길이가 4인 정사각형을 한 변의 길이가 1인 정사각형 16개로 나누었다. 이때 문자 a를 그림과 같이 정사각형의 대각선 방향 양 끝에 고정하고, 문자 a, b, c, d를 다음 규칙에 따라 배열하려고 한다.

> (가) 각 행과 각 열에 문자가 중복되지 않게 배열한다.
> (나) 사등분한 정사각형 내부에 문자가 중복되지 않게 배열한다.

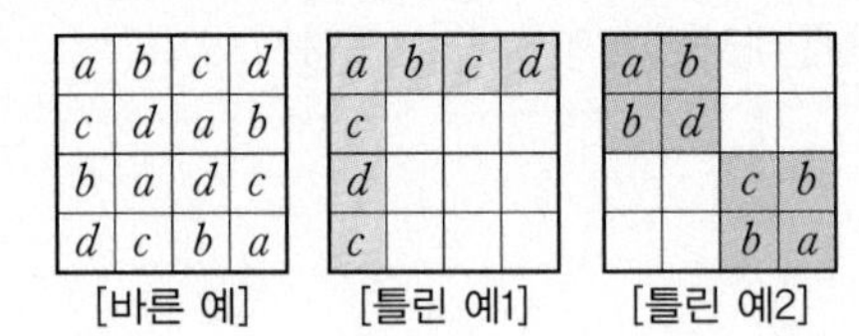

[바른 예] [틀린 예1] [틀린 예2]

이때 배열할 수 있는 모든 경우의 수를 구하시오.

[학력평가 기출]

07

서술형

검정 구슬 1개, 노랑 구슬 2개, 파랑 구슬 4개를 줄에 꿰어 장식물을 만들려고 한다. 다음 각 경우에 대하여 만드는 경우의 수를 구하시오. (단, 회전하거나 뒤집어서 일치하는 것은 한 가지로 계산한다.)

(1) 고정된 판에 구슬을 한 줄로 놓을 경우

(2) 원주 위에 구슬을 놓을 경우

(3) 목걸이로 만들 경우

08

그림과 같은 $3\times3\times3$ 큐빅 겉면 위에서 개미 한 마리가 선으로 나타낸 홈을 따라 이동한다. A에서 G까지 가는 최단 경로의 수를 구하시오. (단, 개미는 큐빅의 바닥 면도 지날 수 있다.)

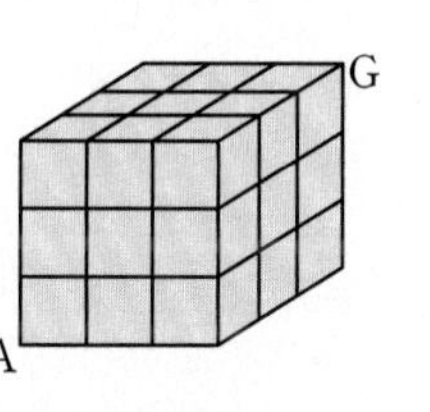

09

좌표평면 위에 그림처럼 격자점을 지나는 선을 그었다. 원점을 출발해 점 A(10, 10)까지 가는 최단 경로 중 $y>x$인 영역을 지나지 않는 경로의 수를 다음을 참고해서 구하면

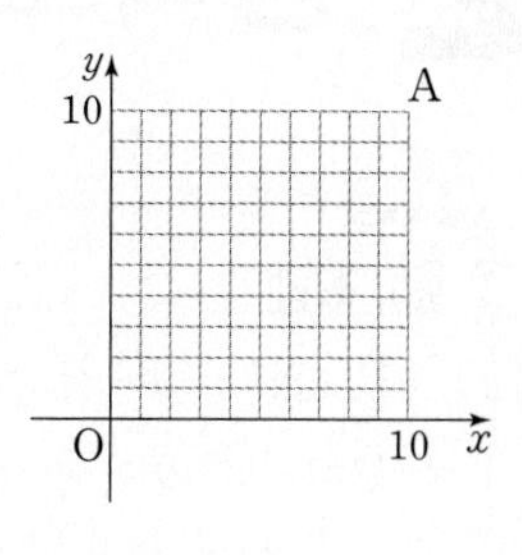

$\frac{1}{a}\times\frac{20!}{10!10!}$이 된다. 이때 자연수 a값을 구하시오.

원점을 출발하여 A(10, 10)까지 가는 전체 최단 경로의 수는 $\frac{20!}{10!\times10!}$이다. 이중에서 $y>x$인 영역을 지나는 경로의 수를 구해보자.

(i) 원점을 출발하여 $y>x$인 영역과 처음 만나는 점을 $\mathrm{P}(k, k+1)$이라 하자. $\mathrm{P}(k, k+1)$ 이후의 경로를 직선 $y=x+1$에 대하여 대칭이동시키면, B(9, 11)에 도착한다.

(ii) 원점을 출발하여 B(9, 11)에 도착하는 최단 경로에 대해 $y>x$인 영역과 처음 만나는 점을 $\mathrm{P}(k, k+1)$이라 하자. $\mathrm{P}(k, k+1)$ 이후의 경로를 직선 $y=x+1$에 대하여 대칭이동시키면 A(10, 10)에 도착한다.

2 중복조합과 이항정리

1 조합

서로 다른 n개에서 순서를 생각하지 않고 $r\,(0\le r\le n)$개를 뽑을 때, r개로 이루어진 각각의 집합을 'n개에서 r개를 택하는 **조합**'이라 하며 이 조합의 수는 ${}_n\mathrm{C}_r=\dfrac{n(n-1)(n-2)\cdots(n-r+1)}{r!}$ (단, $(0\le r\le n$)

보기 그림에서 찾을 수 있는 사각형 중 정사각형이 아닌 직사각형은 모두 몇 개인지 구하여라. (단, 가로줄과 세로줄의 간격은 각각 1이고, 모든 가로줄과 세로줄은 수직으로 만난다.)

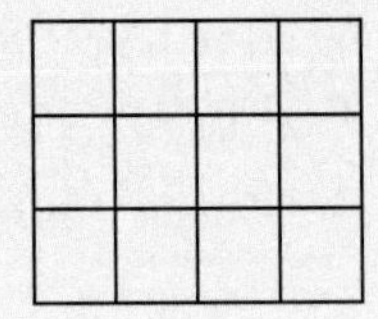

풀이 가로줄 4개 중에서 2개를 택하고, 세로줄 5개 중에서 2개를 택하면 직사각형이 만들어진다. 즉 전체 직사각형의 개수는 ${}_4\mathrm{C}_2\times{}_5\mathrm{C}_2=6\times10=60$
이때 한 변의 길이가 1, 2, 3인 정사각형 개수는 차례로 12, 6, 2이므로 정사각형이 아닌 직사각형 개수는 $60-(12+6+2)=\mathbf{40}$

참고

${}_n\mathrm{C}_r$에 대한 여러 가지 공식

① ${}_n\mathrm{C}_r\times r!={}_n\mathrm{P}_r$이므로
${}_n\mathrm{C}_r=\dfrac{{}_n\mathrm{P}_r}{r!}$ (단, $0\le r\le n$)

② ${}_n\mathrm{C}_r=\dfrac{n!}{r!(n-r)!}$ (단, $0\le r\le n$)

③ ${}_n\mathrm{C}_0=1$, ${}_n\mathrm{C}_n=1$

④ ${}_n\mathrm{C}_r={}_n\mathrm{C}_{n-r}$ (단, $0\le r\le n$)
${}_n\mathrm{C}_r={}_{n-1}\mathrm{C}_r+{}_{n-1}\mathrm{C}_{r-1}$ (단, $1\le r\le n$)

2 중복조합

서로 다른 n개에서 중복을 허락하여 r개를 택하는 조합을 **중복조합**이라 하고, 이 중복조합의 수를 기호 ${}_n\mathrm{H}_r$로 나타낸다. 이때 ${}_n\mathrm{H}_r$는 서로 다른 $(n+r-1)$개 중에서 r개를 택하는 조합의 수 ${}_{n+r-1}\mathrm{C}_r$와 같다.
즉 ${}_n\mathbf{H}_r={}_{n+r-1}\mathbf{C}_r$

보기 같은 구슬 8개를 서로 다른 3개의 주머니에 중복을 허락하여 나누어 담는 경우의 수를 구하여라.

풀이 중복 선택되는 것은 주머니 3개, 주머니를 선택하는 횟수는 구슬 개수와 같은 8개이므로 구하려는 경우의 수는 ${}_3\mathrm{H}_8={}_{3+8-1}\mathrm{C}_8={}_{10}\mathrm{C}_8=\mathbf{45}$

참고

중복조합의 활용

- 다항식 $(a_1+a_2+\cdots+a_n)^r$의 전개식에서 동류항을 하나로 묶었을 때 항의 개수는 ${}_n\mathrm{H}_r$이다.
- 원소 개수가 각각 m, n $(m\le n)$인 두 집합 A, B에 대하여 A에서 B로의 함수 f 중에 $a>b$이면 $f(a)\ge f(b)$를 만족시키는 함수 f의 개수는 ${}_n\mathrm{H}_m$이다.

3 부정방정식의 해

부정방정식 $x_1+x_2+\cdots+x_n=r$ (r는 자연수이고, $r\ge n$)에서
① 음이 아닌 정수해의 개수는 ${}_n\mathrm{H}_r$(쌍)
② 양의 정수해의 개수는 ${}_n\mathrm{H}_{r-n}$(쌍)

보기 방정식 $x+y+z+w^2=10$을 만족시키는 음이 아닌 정수 x, y, z, w의 순서쌍 (x, y, z, w)의 개수를 구하여라.

풀이 $w=0$일 때 $x+y+z=10$에서 음이 아닌 정수해는 ${}_3\mathrm{H}_{10}={}_{12}\mathrm{C}_{10}=66$
마찬가지로 $w=1$, $w=2$, $w=3$일 때 음이 아닌 정수해를 구하면 차례로 ${}_3\mathrm{H}_9={}_{11}\mathrm{C}_9=55$, ${}_3\mathrm{H}_6={}_8\mathrm{C}_6=28$, ${}_3\mathrm{H}_1={}_3\mathrm{C}_1=3$이므로
순서쌍 (x, y, z, w)의 개수는 모두 $66+55+28+3=\mathbf{152}$

참고

범위가 제한된 부정방정식 풀기

예를 들어 $a+b+c=22$가 되는 음이 아닌 정수해의 개수는 ${}_3\mathrm{H}_{22}={}_{24}\mathrm{C}_2=276$이다. 그런데 a, b, c 모두 10보다 작은 음이 아닌 정수라는 조건이 있다면 276개의 해 중에서 a, b, c가 10 이상인 경우를 제외해야 한다.
이와 같은 경우 $9-a=a'$, $9-b=b'$, $9-c=c'$으로 놓고, $a'+b'+c'=5$인 음이 아닌 정수해를 생각하면 된다. 이 경우 구하려는 음이 아닌 정수해의 개수는 ${}_3\mathrm{H}_5={}_7\mathrm{C}_2=21$이고, 제외해야 할 것은 없다.
(단, $0\le a'$, b', $c'\le9$)

4 이항정리

n이 자연수일 때 $(a+b)^n$을 전개하면 다음과 같다.

$$(a+b)^n = {}_nC_0\,a^n + {}_nC_1\,a^{n-1}b^1 + \cdots + {}_nC_r\,a^{n-r}b^r + \cdots + {}_nC_n\,b^n$$

$$= \sum_{r=0}^{n} {}_nC_r\,a^{n-r}b^r$$

이것을 $(a+b)^n$에 대한 **이항정리**라 하고, ${}_nC_r\,a^{n-r}b^r$를 **일반항**, 전개식에서 각 항의 계수 ${}_nC_0$, ${}_nC_1$, $\cdots$, ${}_nC_r$, $\cdots$, ${}_nC_n$을 **이항계수**라 한다.

※ $(a+b)^n=(a+b)(a+b)(a+b)\cdots(a+b)$의 전개식은 n개의 $(a+b)$ 묶음에서 a 또는 b를 하나씩만 뽑아 곱해서 나온 결과이므로 $a^{n-r}b^r$의 계수는 $(n-r)$개의 묶음에서는 a를 뽑고 r개의 묶음에서 b를 뽑아서 곱하는 경우의 수와 같다. 즉 $a^{n-r}b^r$의 계수는 ${}_nC_{n-r}={}_nC_r$

보기 $(2x+1)^n$의 전개식에서 x^2의 계수가 84일 때, x^3의 계수를 구하여라.

풀이 $(2x+1)^n$의 전개식의 일반항은 ${}_nC_r(2x)^r={}_nC_r\,2^r x^r$

이때 x^2은 $r=2$일 때이므로 ${}_nC_2\,2^2x^2=2n(n-1)x^2$

x^2의 계수가 84인 조건에서 $2n(n-1)=84$ $\quad\therefore n=7$

따라서 x^3항의 계수는 ${}_7C_3\times 2^3=\mathbf{280}$

참고

다항정리

$(a+b+c)^n$의 일반항은 $\dfrac{n!}{p!q!r!}a^pb^qc^r$

(단, $p+q+r=n$이고, p, q, r는 음이 아닌 정수)

예 $(x^2+x+1)^6$의 전개식에서 x^3의 계수

$(x^2+x+1)^6$의 전개식의 일반항은

$\dfrac{6!}{p!q!r!}(x^2)^px^q=\dfrac{6!}{p!q!r!}x^{2p+q}$

(단, $p+q+r=6$이고, p, q, r는 음이 아닌 정수)

이때 x^3의 계수는 $2p+q=3$일 때 $\dfrac{6!}{p!q!r!}$

(i) $p=0$, $q=3$, $r=3$일 때 $\dfrac{6!}{0!3!3!}=20$

(ii) $p=1$, $q=1$, $r=4$일 때 $\dfrac{6!}{1!1!4!}=30$

(i), (ii)에서 x^3의 계수는 $20+30=50$

5 이항계수의 성질

① ${}_nC_0+{}_nC_1+{}_nC_2+{}_nC_3+\cdots+{}_nC_n=2^n$

② ${}_nC_0-{}_nC_1+{}_nC_2-{}_nC_3+\cdots+(-1)^n{}_nC_n=0$

③ ${}_nC_0+{}_nC_2+{}_nC_4+{}_nC_6+\cdots=2^{n-1}$

④ ${}_nC_1+{}_nC_3+{}_nC_5+{}_nC_7+\cdots=2^{n-1}$

⑤ ${}_rC_r+{}_{r+1}C_r+{}_{r+2}C_r+\cdots+{}_nC_r=\sum_{k=r}^{n}{}_kC_r={}_{n+1}C_{r+1}$

⑥ ${}_nC_0+{}_{n+1}C_1+{}_{n+2}C_2+\cdots+{}_{n+m}C_m={}_{n+m+1}C_m$

⑦ ${}_{n-1}C_{r-1}+{}_{n-1}C_r={}_nC_r$

⑧ $\sum_{r=0}^{n}({}_nC_r\times{}_nC_{n-r})=({}_nC_0)^2+({}_nC_1)^2+\cdots+({}_nC_n)^2={}_{2n}C_n$

※ 이항계수의 성질 ①~④는 $(1+x)^n$의 전개식을 이용하여 증명할 수 있다.
즉 $(1+x)^n={}_nC_0+{}_nC_1x+{}_nC_2x^2+{}_nC_3x^3+\cdots+{}_nC_nx^n$에 $x=1$, $x=-1$을 대입해서 각각 ①, ②를 얻는다. $(1+x)^n$의 전개식을 미분하거나 적분한 것을 이용할 수 있다.

보기 $\log_4\left(\sum_{k=0}^{20}(-1)^k\times{}_{21}C_k\right)$의 값을 구하여라.

풀이 $(1+x)^n={}_nC_0+{}_nC_1x+\cdots+{}_nC_nx^n$의 양변에

$x=-1$, $n=21$을 대입하면

$0={}_{21}C_0-{}_{21}C_1+{}_{21}C_2-{}_{21}C_3+{}_{21}C_4-\cdots+{}_{21}C_{20}-{}_{21}C_{21}$이므로

${}_{21}C_0-{}_{21}C_1+{}_{21}C_2-{}_{21}C_3+\cdots+{}_{21}C_{20}={}_{21}C_{21}$

즉 $\sum_{k=0}^{20}(-1)^k{}_{21}C_k={}_{21}C_{21}=1$

$\therefore \log_4\left(\sum_{k=0}^{20}(-1)^k{}_{21}C_k\right)=\log_4 1=\mathbf{0}$

참고

⑤번, ⑧번은 다음과 같이 생각할 수도 있다.

⑤번 공식

1번부터 $(n+1)$번까지의 학생 중 $(r+1)$명의 청소당번을 뽑는 경우의 수는

${}_{n+1}C_{r+1}$ $\quad\cdots\cdots$ ㉠

청소당번 번호 중 가장 큰 번호를 $(k+1)$이라 하면 $(k+1)$은 $(r+1)$번부터 $(n+1)$번까지 가능하고, 가장 큰 번호가 $(k+1)$인 경우의 수는 1번부터 k번까지의 학생 중 나머지 청소당번 r명을 뽑는 경우의 수 ${}_kC_r$와 같다.

이 경우를 합하면 $\sum_{k=r}^{n}{}_kC_r$ $\quad\cdots\cdots$ ㉡

㉠, ㉡에서 $\sum_{k=r}^{n}{}_kC_r={}_{n+1}C_{r+1}$

⑧번 공식

남학생 n명과 여학생 n명으로 이루어진 반에서 n명의 청소당번을 뽑는 방법은 ${}_{2n}C_n$

이것을 남학생 수로 분류해보면

$\sum_{r=0}^{n}$ {(남학생이 r명 뽑히는 경우의 수)

×(여학생이 $(n-r)$명 뽑히는 경우의 수)}

와 같으므로

$\sum_{r=0}^{n}({}_nC_r\times{}_nC_{n-r})=\sum_{r=0}^{n}({}_nC_r)^2={}_{2n}C_n$

부정방정식의 정수해의 개수

01*

다음과 같은 경우에서 방정식 $x+y+z=13$의 음이 아닌 정수해 (x, y, z)의 개수를 구하시오.

(1) x, y, z가 모두 홀수일 때

(2) x, y, z 중 홀수가 하나뿐일 때

02

방정식 $x+y+z=4$를 만족시키는 -1 이상의 정수 x, y, z의 모든 순서쌍 (x, y, z)의 개수는?

① 21 ② 28 ③ 36
④ 45 ⑤ 56

[2014학년도 9월 모의평가]

중복조합의 수

03

다음 조건을 만족시키는 자연수 a, b, c의 모든 순서쌍 (a, b, c)의 개수를 구하시오.

(가) $a\times b\times c$는 홀수이다.
(나) $a\le b\le c\le 20$

[2015학년도 수능]

04*

회원 20명이 있는 동아리에서 회장 선거를 하는데, 후보 세 명이 출마하였다. 모든 회원은 자신이 지지하는 후보 한 명의 이름을 반드시 적어낸다고 할 때, 가능한 모든 경우의 수는? (단, 투표자가 누구인지 알 수 없는 무기명 투표 방식이다.)

① 231 ② 233 ③ 234
④ 235 ⑤ 236

05

자연수 1, 2, 3, 4, 5, 6에서 중복을 허락하여 3개를 선택할 때, 선택한 세 수의 합이 홀수인 경우의 수는? (단, 선택하는 순서는 고려하지 않는다.)

① 22 ② 24 ③ 26
④ 28 ⑤ 30

06

다음 조건을 만족시키는 자연수 N의 개수를 구하시오.

(가) N은 10 이상 9999 이하의 홀수이다.
(나) N의 각 자리 수의 합은 7이다.

[2016학년도 3월 학력평가]

07

집합 $A=\{1, 2, 3, 4\}$, $B=\{1, 2, 3, 4, 5\}$에 대해 $A \rightarrow B$인 함수 f 중 다음 조건을 만족시키는 함수는 몇 개인지 구하시오.

(1) $a>b$이면 $f(a)>f(b)$

(2) $a>b$이면 $f(a) \geq f(b)$

08

7개의 반지 a, b, c, d, e, f, g가 있다. 이 반지 7개를 엄지를 제외한 왼손의 네 손가락에 끼운다고 할 때, 반지를 낀 모양은 모두 $a \times 7!$(가지)가 있다. 이때 a값을 구하시오. (단, 반지 7개를 모두 끼며, 한 손가락에 반지 여러 개를 낄 때 끼는 순서도 구별한다.)

09

검은 바둑돌과 흰 바둑돌이 각각 8개, 6개 있다. 이 바둑돌을 일렬로 나열할 때, 색깔 변화가 3번 생기도록 나열하는 경우의 수를 구하시오.

이항정리

10

n이 3 이상의 자연수일 때, x에 대한 다항식 $\left(1+\frac{x}{n}\right)^n$의 전개식에서 x^3의 계수를 a_n이라 하자. 이때 $25a_5$의 값을 구하시오.

11

등비수열 $\{a_n\}$의 일반항이 $a_n=\sum_{r=0}^{n} \frac{{}_n\mathrm{C}_r}{5^r}$일 때,

$a_1+a_2+\cdots+a_{10}=\frac{6^m}{5^l}-n$이다. $l+m+n$의 값을 구하시오.

12*

$(4x+1)^{13}$의 전개식에서 x^k의 계수를 a_k라 하자. $a_0, a_1, \cdots, a_{13}$ 중에서 값이 가장 큰 것은 a_M일 때, M값을 구하시오.

이항계수의 성질

13

$\log_2({}_{19}C_1+{}_{19}C_3+{}_{19}C_5+\cdots+{}_{19}C_{19})$의 값은?

① 15 ② 16 ③ 17
④ 18 ⑤ 19

14

$a=\sum_{n=0}^{8}{}_{n+3}C_n$, $b=\sum_{n=2}^{10}{}_nC_2$일 때 $\frac{a}{b}$의 값을 구하시오.

15*

$(1-x+x^2)\left(x+\frac{1}{x}\right)^{10}$의 전개식에서 x^{-2}, x^0, x^2처럼 x의 지수가 2의 배수인 항의 계수 총합은?

① 2^{10} ② 2^{11} ③ 2^{12}
④ 2^{13} ⑤ 2^{14}

16*

다음을 이용하여 $({}_{12}C_0)^2+({}_{12}C_1)^2+\cdots+({}_{12}C_{12})^2$을 ${}_aC_b$ 꼴로 나타낼 때, $a-b$의 값은?

> (가) $(1+x)^{24}=(1+x)^{12}(1+x)^{12}$
> (나) ${}_nC_r={}_nC_{n-r}$ (단, n은 자연수, r는 정수이고, $0\le r\le n$)

① 8 ② 9 ③ 10
④ 11 ⑤ 12

17

$(1+x)^{17}=(1+x)^{10}(1+x)^7$임을 이용하여 $\sum_{k=0}^{7}({}_{10}C_k\times{}_7C_k)$의 값을 이항계수로 나타내면?

① ${}_{16}C_7$ ② ${}_{16}C_8$ ③ ${}_{17}C_6$
④ ${}_{17}C_7$ ⑤ ${}_{17}C_8$

중복조합의 수

01
| 제한시간 1분 |

모양과 크기가 같은 과일 17개를 서로 다른 세 바구니에 나누어 담는다. 각 바구니에 들어가는 과일 개수가 홀수가 되도록 담는 경우의 수는?

① 30 ② 36 ③ 42 ④ 48 ⑤ 54

02*
| 제한시간 1.5분 |

△ABC에서 각 변의 길이를 a, b, c라 하면 둘레 길이가 20이 되도록 하는 순서쌍 (a, b, c)의 개수를 구하시오.

(단, a, b, c는 정수이다.)

03
| 제한시간 1.5분 |

다음 조건을 만족시키는 자연수 x, y, z, w의 모든 순서쌍 (x, y, z, w)의 개수를 구하시오.

> (가) $x+y+z+w=18$
> (나) x, y, z, w 중에서 2개는 3으로 나눈 나머지가 1이고, 2개는 3으로 나눈 나머지가 2이다.

[2016학년도 4월 학력평가]

04*
| 제한시간 2분 |

1부터 10000까지의 자연수 중 다음 물음과 같은 자연수는 몇 개인지 각각 구하시오.

(1) 자릿수의 합이 14인 자연수

(2) 자릿수의 합이 31인 자연수

05*
| 제한시간 2분 |

다음 두 조건을 만족시키는 세 자연수 a, b, c에 대하여 자연수 (a, b, c)의 순서쌍의 개수를 구하시오.

> (가) $a+b+c=11$
> (나) $a \le b \le c$

06*
| 제한시간 1.5분 |

$(1+x+\cdots+x^7)^5$의 전개식에서 x^8의 계수를 구하시오.

07
| 제한시간 1.5분 |

똑같은 사과 10개를 남자 3명, 여자 3명에게 나누어 주는데 남자가 받은 사과 개수의 합이 여자가 받은 사과 개수의 합보다 많도록 나누어주는 경우의 수는? (단, 사과를 하나도 받지 못하는 사람이 생길 수도 있다.)

① 1281 ② 1282 ③ 1283
④ 1284 ⑤ 1285

08*
| 제한시간 1.5분 |

빨간색, 파란색, 노란색 색연필이 있다. 각 색의 색연필을 적어도 하나씩 포함하여 15개 이하의 색연필을 선택하는 경우의 수를 구하시오. (단, 각 색의 색연필은 15개 이상씩 있고, 같은 색의 색연필은 서로 구별이 되지 않는다.)

[모의평가 기출]

09
| 제한시간 1.5분 |

똑같은 사탕 16개를 네 학생 A, B, C, D에게 나누어 주었더니 사탕이 남았다. 이때 남은 사탕이 8개 이하가 되도록 나누어 주는 경우의 수는? (단, 사탕을 하나도 받지 못하는 학생이 생길 수도 있다.)

① 4511 ② 4512 ③ 4513
④ 4514 ⑤ 4515

중복조합과 함수의 개수

10
| 제한시간 1.5분 |

$A=\{1, 2, 3, 4, 5, 6\}$

$B=\{11, 12, 13, 14, 15, 21, 22, 23, 24, 25\}$

에서 $A \to B$의 함수 f에 대하여 다음 조건이 성립한다.

> (가) $a<b$이면 $f(a) \le f(b)$
> (나) $a<b$이면 ($f(a)$의 일의 자리 수)$\le$($f(b)$의 일의 자리 수)

이때 가능한 함수 f의 개수는?

① 1450 ② 1460 ③ 1470
④ 1470 ⑤ 1480

11*

| 제한시간 1.5분 |

$A=\{1, 2, 3, 4, 5\}$에서 $B=\{3, 4, 5, 6, 7, 8\}$로의 함수 f 중에서 다음을 만족시키는 함수 f의 개수를 구하시오.

$$f(1)<f(2)\le f(3)<f(4)\le f(5)$$

12

| 제한시간 1.5분 |

$A=\{1, 2, 3, 4, 5, 6\}$일 때 $A \to A$의 함수 f에 대하여 다음 조건이 성립한다.

(가) f의 치역의 원소는 3개이다.
(나) $a<b$이면 $f(a)$는 $f(b)$의 약수이다.

이때 가능한 함수 f는 모두 몇 개인지 구하시오.

13

| 제한시간 2분 |

$A=\{1, 2, 3, 4\}$에서 $B=\{1, 2, \cdots, 14\}$로의 함수 중 $a<b$이면 $f(a)+a<f(b)$를 만족시키는 함수 f의 개수를 구하시오.

14*

| 제한시간 2.5분 |

$A=\{1, 2, 3, \cdots, 7\}$일 때, $A \to A$의 함수 f에 대하여 다음 조건이 성립한다.

(가) $a\neq4$인 모든 a에 대해 $f(4)\ge f(a)$이다.
(나) $a=1, 2, 3$일 때 $f(a)<f(a+1)$이고, $a=4, 5, 6$일 때 $f(a)\ge f(a+1)$이다.
(다) $1\le a\le3$, $4\le b\le7$인 모든 a, b에 대해 $f(a)\neq f(b)$

이때 가능한 함수 f는 모두 몇 개인지 구하시오.

중복조합의 활용

15

| 제한시간 1.5분 |

그림과 같이 두 평행선 l, m 위에 각각 점이 4개, 6개 놓여 있다. 직선 l 위의 네 점 각각을 직선 m 위의 점 하나씩과 이어 선분 4개를 만들 때, 다음 경우의 수를 구하시오.

(1) 네 선분이 만나지 않는 경우

(2) 네 선분의 교점이 두 직선 l, m 사이에 생기지 않는 경우 (두 직선 l, m 위에 생기는 것은 상관없다)

16

| 제한시간 2분 |

빨간 공 5개와 파란 공 4개를 학생 3명에게 모두 나누어 주려고 한다. 세 학생이 적어도 하나의 공을 받도록 나누어 주는 경우의 수를 구하시오.

(단, 같은 색의 공끼리는 구별되지 않는다.)

17

| 제한시간 2.5분 |

그림과 같은 바둑판 모양의 도로망이 있다. P지점을 출발하여 Q지점까지 도로를 따라 최단 거리로 갈 때, 도중에 방향을 바꾸는 횟수가 x번인 경로의 수를 $f(x)$라 하자. **보기**에서 옳은 것을 모두 고른 것은?

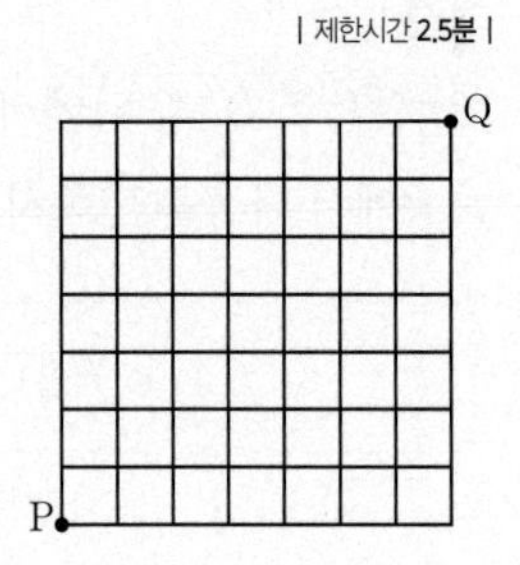

| 보기 |

ㄱ. $f(1)=2$

ㄴ. $f(2)=f(12)$

ㄷ. $f(x)$의 최댓값은 $f(7)$이다.

① ㄱ　② ㄷ　③ ㄱ, ㄴ　④ ㄴ, ㄷ　⑤ ㄱ, ㄴ, ㄷ

[학력평가 기출]

이항정리

18

| 제한시간 1.5분 |

$(x^2+2x+1)\left(x+\frac{1}{x}\right)^6$의 전개식에서 상수항은?

① 25 ② 30 ③ 35
④ 40 ⑤ 45

19*

| 제한시간 1.5분 |

$\sum_{k=0}^{12} k\,{}_{12}C_k 3^{12-k}$의 값을 $p\times 2^q$이라 할 때, $p+q$의 값은?

(단, p는 홀수, q는 자연수)

① 21 ② 23 ③ 25
④ 27 ⑤ 29

20*

| 제한시간 1.5분 |

$\sum_{k=0}^{7} \frac{1}{k+1}\,{}_7C_k 2^k$의 값은?

① $\frac{1}{8}(3^7-1)$ ② $\frac{1}{8}(3^8-1)$ ③ $\frac{1}{8}(3^9-1)$
④ $\frac{1}{16}(3^7-1)$ ⑤ $\frac{1}{16}(3^8-1)$

21

| 제한시간 1.5분 |

$4^{17}+6^{17}$을 25로 나눈 나머지는?

① 16 ② 17 ③ 18
④ 19 ⑤ 20

22*

| 제한시간 1.5분 |

$2(1+x)+3(1+x)^2+4(1+x)^3+\cdots+100(1+x)^{99}$의 전개식에서 x^2의 계수는?

① ${}_{100}C_3$ ② $3\times{}_{100}C_3$ ③ ${}_{100}C_4$
④ $3\times{}_{100}C_4$ ⑤ $3\times{}_{101}C_4$

23*
| 제한시간 2.5분 |

$\sum_{k=0}^{18} k^2 {}_{18}C_k \left(\frac{1}{3}\right)^k \left(\frac{2}{3}\right)^{18-k}$의 값을 구하시오.

24
| 제한시간 2.5분 |

$(x^2+3x+1)^5$의 전개식에서 x^3의 계수를 a, x^4의 계수를 b라 할 때 $b-a$의 값을 구하시오.

이항계수의 성질

25
| 제한시간 1분 |

$\sum_{k=2}^{8} k(k-1)=2^a \times 3^b \times p$일 때, $a+b+p$의 값은?

(단, a, b는 자연수이고 p는 소수이다.)

① 11　② 12　③ 13　④ 14　⑤ 15

26
| 제한시간 1.5분 |

$\sum_{k=0}^{9} \frac{9!(12-k)!}{12!(9-k)!}=\frac{q}{p}$일 때, $p+q$의 값을 구하시오.

(단, p, q는 서로소인 자연수이다.)

27
| 제한시간 1.5분 |

$\sum_{k=r}^{n} {}_kC_r = {}_{n+1}C_{r+1}$과 ${}_nC_r=\frac{n}{r}\,{}_{n-1}C_{r-1}$을 이용하여

$\sum_{k=4}^{10} (10-k)\,{}_{k-1}C_3$의 값을 구하시오.

28

| 제한시간 1.5분 |

9개의 숫자 1, 2, 3, 4, 5, 6, 7, 8, 9를 배열할 때 136987542처럼 점점 증가하다가 감소하는 배열은 모두 몇 개인지 구하시오. (단, 증가하다 감소하는 순간이 오직 한 번 있는 경우만 생각하며, 중복해서 사용하는 숫자는 없다.)

29

| 제한시간 2분 |

그림과 같이 $n\times n$개의 칸으로 이루어진 도로망이 있다. A를 출발하여 B_k로 가는 최단 경로의 수를 $f(n, k)$라 하자. 이때 **보기**에서 옳은 것을 모두 고른 것은? (단, $k=0, 1, 2, \cdots, n$)

보기

ㄱ. $f(10, 6)=f(9, 6)+f(9, 5)$

ㄴ. $f(20, 9)=f(20, 10)$

ㄷ. $\sum_{n=1}^{20}\left(\sum_{k=0}^{n} f(n, k)\right)=2^{21}-1$

① ㄱ　② ㄴ　③ ㄱ, ㄴ　④ ㄱ, ㄷ　⑤ ㄱ, ㄴ, ㄷ

30

| 제한시간 3분 |

다음은 n이 2 이상의 자연수일 때 $\sum_{k=1}^{n} k({}_n\mathrm{C}_k)^2$의 값을 구하는 과정이다. (가), (나), (다)에 알맞은 것은?

> 두 다항식의 곱
> $(a_0+a_1x+\cdots+a_{n-1}x^{n-1})(b_0+b_1x+\cdots+b_nx^n)$에서
> x^{n-1}의 계수는 $a_0b_{n-1}+a_1b_{n-2}+\cdots+a_{n-1}b_0$ …… (*)
> 이다.
> 등식 $(1+x)^{2n-1}=(1+x)^{n-1}(1+x)^n$의 좌변에서
> x^{n-1}의 계수는 $\boxed{(가)}$이고, (*)을 이용하여 우변에서
> x^{n-1}의 계수를 구하면 $\sum_{k=1}^{n}({}_{n-1}\mathrm{C}_{k-1}\times\boxed{(나)})$이다.
> 따라서 $\boxed{(가)}=\sum_{k=1}^{n}({}_{n-1}\mathrm{C}_{k-1}\times\boxed{(나)})$이다.
> 한편 $1\le k\le n$일 때, $k\times{}_n\mathrm{C}_k=n\times{}_{n-1}\mathrm{C}_{k-1}$이므로
> $\sum_{k=1}^{n}k({}_n\mathrm{C}_k)^2=\sum_{k=1}^{n}(n\times{}_{n-1}\mathrm{C}_{k-1}\times\boxed{(나)})$
> $=n\sum_{k=1}^{n}({}_{n-1}\mathrm{C}_{k-1}\times\boxed{(나)})=\boxed{(다)}$

	(가)	(나)	(다)
①	${}_{2n}\mathrm{C}_n$	${}_n\mathrm{C}_{n-k+1}$	$\frac{n}{2}\times{}_{2n}\mathrm{C}_{n+1}$
②	${}_{2n-1}\mathrm{C}_{n-1}$	${}_n\mathrm{C}_{n-k+1}$	$\frac{n}{2}\times{}_{2n}\mathrm{C}_n$
③	${}_{2n-1}\mathrm{C}_{n-1}$	${}_n\mathrm{C}_{n-k}$	$\frac{n}{2}\times{}_{2n}\mathrm{C}_n$
④	${}_{2n}\mathrm{C}_n$	${}_n\mathrm{C}_{n-k+1}$	$n\times{}_{2n}\mathrm{C}_{n+1}$
⑤	${}_{2n-1}\mathrm{C}_{n-1}$	${}_n\mathrm{C}_{n-k}$	$n\times{}_{2n}\mathrm{C}_n$

[모의평가 기출]

31*

| 제한시간 1.5분 |

$\sum_{k=0}^{4} ({}_{8}C_{k} \times {}_{8-k}C_{4-k}) = 2^{a}(2b+1)$일 때, $a+b$의 값을 구하시오. (단, a, b는 자연수이다.)

32*

| 제한시간 1.5분 |

$\sum_{k=0}^{4} ({}_{5}H_{4-k} \times {}_{6}H_{k})$의 값을 구하시오.

33

| 제한시간 1.5분 |

항등식 $(1+x)^{10}(1-x)^{10}=(1-x^{2})^{10}$을 이용하여 구한 $({}_{10}C_{0})^{2}-({}_{10}C_{1})^{2}+({}_{10}C_{2})^{2}-\cdots-({}_{10}C_{9})^{2}+({}_{10}C_{10})^{2}$의 값은?

① -252 ② -210 ③ 0
④ 210 ⑤ 252

34

| 제한시간 2분 |

$A={}_{40}C_{0}+{}_{40}C_{4}+\cdots+{}_{40}C_{40}$
$B={}_{40}C_{2}+{}_{40}C_{6}+\cdots+{}_{40}C_{38}$
일 때, $A-B$의 값은?

① 2^{18} ② 2^{19} ③ 2^{20}
④ 2^{21} ⑤ 2^{22}

35*

| 제한시간 3분 |

집합 $S=\{1, 2, \cdots, 8\}$의 공집합이 아닌 세 부분집합 A, B, C에 대하여 다음 조건이 동시에 성립하도록 하는 세 집합의 순서쌍 (A, B, C)의 개수를 구하시오.

(가) 집합 B의 최소 원소가 집합 A의 최대 원소보다 크다.
(나) 집합 C의 최소 원소가 집합 B의 최대 원소보다 크다.

01

다섯 명의 학생 A, B, C, D, E가 똑같은 연필 19자루를 나누어 가진다. 이때 A, B, C 세 명이 가져간 연필 개수가 모두 짝수가 되도록 나누어 가지는 경우의 수를 구하여라. (단, 연필을 하나도 가져가지 않는 경우도 생각한다.)

02

융합형

${}_{30}C_0+{}_{30}C_3+\cdots+{}_{30}C_{30}=\sum_{k=0}^{10}{}_{30}C_{3k}$의 값은?

① $\frac{1}{3}(2^{30}-2)$
② $\frac{1}{3}(2^{30}-1)$
③ $\frac{1}{3}\times2^{30}$
④ $\frac{1}{3}(2^{30}+1)$
⑤ $\frac{1}{3}(2^{30}+2)$

03

세 자연수 a, b, c의 곱 $a\times b\times c=2^4\times3^4$다. 다음 각 경우에 대해 가능한 자연수의 순서쌍 (a, b, c)의 개수를 구하시오.

(1) 모든 경우의 수

(2) a, b, c가 모두 다른 자연수일 때의 경우의 수

(3) $a<b<c$인 경우의 수

04

창의력

칸 24개가 한 줄에 있고, 첫칸에는 1이 적혀 있다. 남은 빈 칸 23곳 중에서 네 곳을 골라 1, 2, 3, 4를 나열한다. 이때 두 수 a, b 사이에는 적어도 $a+b$개의 빈칸이 있도록 나열하는 경우의 수를 구하시오.

05

$k^4=24\,{}_kC_4+36\,{}_kC_3+14\,{}_kC_2+{}_kC_1$임을 이용하여 $\sum_{k=1}^{n} k^4$을 계산하면 $\sum_{k=1}^{n} k^4=\frac{1}{30}n(n+1)(2n+1)f(n)$이다. 이때 $f'(10)$의 값을 구하시오. (단, $f(n)$은 n에 대한 이차식이다.)

06

동전 하나를 던지는 시행을 9번 반복한다. 각 시행에서 나온 결과에 대하여 다음 규칙에 따라 표를 작성한다.

> (가) 첫 번째 시행에서 앞면이 나오면 △, 뒷면이 나오면 ○를 표시한다.
> (나) 두 번째 시행부터
> • 뒷면이 나오면 ○를 표시한다.
> • 앞면이 나왔을 때는 바로 전 시행의 결과가 앞면이면 ○, 뒷면이면 △를 표시한다.

예를 들어 동전을 9번 던져 '앞면, 뒷면, 앞면, 앞면, 뒷면, 뒷면, 뒷면, 앞면, 앞면'이 나오면 다음과 같이 표가 작성된다.

시행	1	2	3	4	5	6	7	8	9
표시	△	○	△	○	○	○	○	△	○

동전 하나를 9번 던질 때, 표에 표시된 △가 3개인 경우의 수를 구하시오.

07

원둘레를 n등분하는 원 위에 있는 n개의 점 중에서 3개를 택해 둔각삼각형을 만든다고 한다. $n=2m$일 때 만들 수 있는 둔각삼각형 개수를 $f(m)$, $n=2m-1$일 때, 만들 수 있는 둔각삼각형 개수를 $g(m)$이라 하자. 이때 $f(8)+g(9)$의 값을 구하시오. (단, 원주는 회전시키지 않는다.)

08

집합 $S=\{1, 2, \cdots, 14\}$가 있다. S의 부분집합 중 원소가 4개인 집합의 개수를 a라 하고, 이 a개의 집합 각각에서 가장 작은 원소를 $m_1, m_2, \cdots, m_a$라 하자.

이때 $\frac{m_1+m_2+\cdots+m_a}{a}$의 값을 구하시오.

3 확률의 뜻과 활용

1 시행, 표본공간, 사건

- 같은 조건에서 여러 번 반복할 수 있고 그 결과가 우연에 의해서 결정되는 실험이나 관찰을 **시행**이라 한다.
- 어떤 시행에서 일어날 수 있는 모든 결과들의 집합을 **표본공간**이라 하고 기호 S로 나타낸다.
- 표본공간의 부분집합을 **사건**이라 한다. 특히, 한 개의 원소로 이루어진 사건을 **근원사건**이라 하고, 반드시 일어나는 사건은 **전사건**, 절대로 일어나지 않는 사건은 **공사건**이라 한다. (공사건은 기호 $\varnothing$으로 나타낸다)

참고
- 사건은 집합의 개념이지 원소의 개념이 아님을 주의한다.
- 근원사건은 더 이상 쪼갤 수 없는 사건으로 생각한다. 예를 들어 주사위 하나를 던질 때, 표본공간은 $S=\{1, 2, 3, 4, 5, 6\}$이고, 근원사건은 $\{1\}$, $\{2\}$, $\{3\}$, $\{4\}$, $\{5\}$, $\{6\}$이다.

2 배반사건과 여사건

표본공간 S의 두 사건 A, B에 대하여

- A 또는 B가 일어나는 사건(합사건)을 $\boldsymbol{A \cup B}$로 나타내고, A와 B가 동시에 일어나는 사건(곱사건)을 $\boldsymbol{A \cap B}$로 나타낸다.
- A와 B가 동시에 일어나지 않을 때, 즉 $A \cap B=\varnothing$일 때 두 사건 A와 B는 서로 **배반사건**이라 한다.
- 어떤 사건 A에 대하여 A가 일어나지 않는 사건을 A의 **여사건**이라 하고, 기호 $\boldsymbol{A^C}$로 나타낸다.

참고
사건 A의 배반사건 개수는 A^C의 부분집합 개수와 같다.

3 수학적 확률과 통계적 확률

- 어떤 시행에서 사건 A가 일어날 가능성을 수로 나타낸 것을 사건 A의 확률이라 하고, 기호 $\mathbf{P}(\boldsymbol{A})$로 나타낸다. 이때 표본공간 S에서 사건 A의 **수학적 확률**을 $\mathrm{P}(A)=\dfrac{n(A)}{n(S)}$ 로 정의한다.
- 같은 시행을 n번 반복해서 사건 A가 일어난 횟수를 r_n이라 할 때, n이 한없이 커짐에 따라 상대도수 $\dfrac{r_n}{n}$이 일정한 값 p에 가까워지면 p를 사건 A의 **통계적 확률**이라 한다.

보기 흰 공 5개와 검은 공 2개가 들어 있는 주머니에서 공 2개를 꺼낼 때, 두 공 모두 흰 공일 확률을 구하여라. (단, 같은 색깔의 공은 구별되지 않는다.)

풀이 흰 공 5개를 w_1, w_2, w_3, w_4, w_5라 하고 검은 공 2개를 b_1, b_2라 하면, 근원사건의 개수는 ${}_7C_2=21$이고, 이중에서 흰 공 2개가 나오는 근원사건의 개수는 ${}_5C_2=10$이므로, 구하려는 확률은 $\mathbf{\dfrac{10}{21}}$

주의
보기의 문제에서 두 개의 공을 뽑을 때 흰 공 2개를 뽑는 경우, 검은 공 2개를 뽑는 경우, 흰 공 1개와 검은 공 1개를 뽑는 경우로 나눌 수 있으므로 구하려는 확률은 $\frac{1}{3}$이라 하면 안 된다.
수학적 확률 $\mathrm{P}(A)=\dfrac{n(A)}{n(S)}$가 성립할 전제조건 중 하나는 '근원사건이 일어날 가능성이 같은 정도로 기대된다.'이다. 하지만 보기의 경우에는 흰 공 2개가 나오는 경우와 검은 공 2개가 나오는 경우는 같은 정도로 기대되지 않는다.

4 기하학적 확률 (교육과정 외)

전체 영역 U가 연속적인 변량이고, 이 영역 안에서 각각의 점을 택할 가능성이 같은 정도로 기대될 때, 영역 U에서 임의로 택한 점 P가 영역 A에 속할 확률 $\mathrm{P}(A)=\dfrac{(\text{영역 } A\text{의 크기})}{(\text{영역 } U\text{의 크기})}$이고, 이것을 **기하학적 확률**이라 한다.

참고 연속적인 변량이라 함은 길이, 무게, 넓이, 각과 같이 범위 안에 들어간 실수 전체의 집합을 값으로 가지는 것들을 말한다.

보기 중심이 O이고, 반지름 길이가 5인 원의 둘레 또는 내부에 임의로 한 점 A를 택할 때, $2\le\overline{\mathrm{OA}}\le3$일 확률을 구하여라.

풀이 점 A에 대하여 $2\le\overline{\mathrm{OA}}\le3$을 만족시키는 부분은 그림에서 색칠한 부분과 같으므로 그 넓이는 $9\pi-4\pi=5\pi$이다.

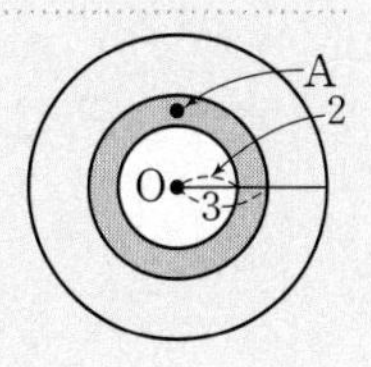

따라서 구하려는 확률은 $\dfrac{5\pi}{25\pi}=\mathbf{\dfrac{1}{5}}$

5 확률의 기본 성질

① $\mathbf{P(\varnothing)=0,\ P(S)=1}$

② 표본공간 S의 임의의 사건 A에 대하여 $\mathbf{0\le P(A)\le 1}$

6 확률의 덧셈정리

표본공간 S의 두 사건 A, B에 대하여

① $\mathbf{P(A\cup B)=P(A)+P(B)-P(A\cap B)}$

② 특히, 두 사건 A, B가 배반사건일 때, 즉 $A\cap B=\varnothing$이면
$\mathrm{P}(A\cup B)=\mathrm{P}(A)+\mathrm{P}(B)$

③ 사건 A의 여사건 A^C에 대하여 $\mathbf{P(A^C)=1-P(A)}$

참고
$\mathrm{P}(A\cup B\cup C)$
$=\mathrm{P}(A)+\mathrm{P}(B)+\mathrm{P}(C)$
$-\mathrm{P}(A\cap B)-\mathrm{P}(B\cap C)-\mathrm{P}(C\cap A)$
$+\mathrm{P}(A\cap B\cap C)$

보기 다음 확률을 구하여라.

(1) 흰 공 2개와 검은 공 3개가 들어 있는 주머니에서 공 2개를 꺼낼 때, 꺼낸 공이 모두 같은 색일 확률

(2) 1부터 20까지의 수가 하나씩 적혀 있는 카드 20장 중에서 1장을 꺼낼 때, 카드에 적힌 수가 2의 배수도 아니고 3의 배수도 아닐 확률

풀이 (1) 꺼낸 공 2개가 모두 흰 공일 사건을 A, 모두 검은 공일 사건을 B라 하면

$\mathrm{P}(A)=\dfrac{{}_2\mathrm{C}_2}{{}_5\mathrm{C}_2}=\dfrac{1}{10}$, $\mathrm{P}(B)=\dfrac{{}_3\mathrm{C}_2}{{}_5\mathrm{C}_2}=\dfrac{3}{10}$

$\therefore \mathrm{P}(A\cup B)=\mathrm{P}(A)+\mathrm{P}(B)=\mathbf{\dfrac{2}{5}}$

(2) 카드에 적힌 수가 2의 배수일 사건을 A, 3의 배수일 사건을 B라 하면

$\mathrm{P}(A)=\dfrac{10}{20}$, $\mathrm{P}(B)=\dfrac{6}{20}$, $\mathrm{P}(A\cap B)=\dfrac{3}{20}$

이때 $\mathrm{P}(A\cup B)=\mathrm{P}(A)+\mathrm{P}(B)-\mathrm{P}(A\cap B)=\dfrac{13}{20}$이므로

카드에 적힌 수가 2의 배수도 아니고 3의 배수도 아닐 확률은

$1-\mathrm{P}(A\cup B)=\mathbf{\dfrac{7}{20}}$

배반사건과 여사건

01

1부터 6까지 적혀 있는 정육면체 주사위를 한번 던질 때, 3의 배수가 나오는 사건과 배반인 사건의 개수는?

① 4　② 8　③ 16　④ 32　⑤ 64

02

보기에서 사건 A, B, C에 대한 설명으로 옳은 것을 모두 고른 것은? (단, A, B, C는 공사건도 아니고 전사건도 아니다.)

보기

ㄱ. A, B가 배반사건이면 $P(A\cup B)=P(A)+P(B)$

ㄴ. A, B가 배반사건이고 A, C가 배반사건이면 A와 $(B\cup C)$도 배반사건이다.

ㄷ. $A\supset B$이면 $P(A-B)=P(A)-P(B)$

① ㄱ　② ㄱ, ㄴ　③ ㄱ, ㄷ　④ ㄴ, ㄷ　⑤ ㄱ, ㄴ, ㄷ

수학적 확률

03

1부터 9까지의 수가 적힌 표에서 다음과 같이 ○ 4개와 × 3개를 무작위로 표시한다고 할 때, 5가 적힌 칸에 ○가 표시될 확률을 p라 하자. $36p$의 값을 구하시오.

1	2	3	4	5	6	7	8	9
	○	×	×	○	×		○	○

04

6명이 앉을 수 있는 원탁에 A, B, C, D, E, F가 앉는다. 이때 A, B가 이웃하여 앉을 확률은 p_1이고, A, B가 마주 보며 앉을 확률은 p_2이다. $p_1-p_2=\frac{b}{a}$일 때, a^2+b^2의 값을 구하시오. (단, a, b는 서로소인 자연수이다.)

05

572의 양의 약수 중 서로 다른 두 수를 고를 때, 두 수의 합이 짝수일 확률은?

① $\frac{15}{33}$　② $\frac{16}{33}$　③ $\frac{17}{33}$　④ $\frac{18}{33}$　⑤ $\frac{19}{33}$

06

어느 여객선에 A구역 2자리, B구역 1자리, C구역 1자리가 남아 있다. 남은 좌석을 남자 승객 2명과 여자 승객 2명에게 임의로 배정할 때, 남자 승객 2명이 모두 A구역에 배정될 확률을 p라 하자. $120p$의 값을 구하시오.

[모의평가 기출]

07

모임에 참가한 10명이 나눈 악수 횟수는 모두 20번이었다. 이때 임의의 두 사람 A, B가 악수했을 확률은?

(단, 한 번 악수한 사람과 다시 악수하는 경우는 없다.)

① $\frac{5}{8}$　② $\frac{4}{9}$　③ $\frac{3}{10}$　④ $\frac{5}{12}$　⑤ $\frac{2}{15}$

08*

A, B를 포함한 6명을 3명씩 두 조로 나눈다고 할 때, A, B가 다른 조에 들어갈 확률은?

① $\frac{3}{10}$ ② $\frac{2}{5}$ ③ $\frac{1}{2}$ ④ $\frac{3}{5}$ ⑤ $\frac{7}{10}$

09

흰 구슬 6개, 검은 구슬 2개, 빨간 구슬 2개를 일렬로 나열할 때, 나열된 모양이 좌우 대칭일 확률은 $\frac{1}{a}$이다. 자연수 a값을 구하시오.

기하학적 확률

10

좌표평면 위에 곡선 $y=x^2+\frac{1}{4}$이 있다. 원점을 지나는 직선 $y=\tan\theta x$가 이 곡선과 만날 확률은 $\frac{q}{p}$일 때, $p+q$의 값을 구하시오. $\left(\text{단, } p, q\text{는 서로소이고, } 0\le\theta\le\pi\text{이며 } \alpha\le\theta\le\beta\text{일 확률은 } \frac{\beta-\alpha}{\pi}\text{이다.}\right)$

11

그림과 같은 반원에서 원주 위에 있는 두 점 P, Q에 대하여 POQ가 예각일 확률은? (단, O는 반원의 중심이다.)

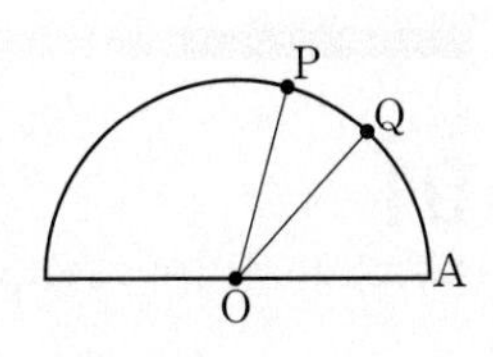

① $\frac{1}{5}$ ② $\frac{1}{4}$ ③ $\frac{1}{3}$ ④ $\frac{1}{2}$ ⑤ $\frac{3}{4}$

확률의 덧셈정리

12

검은 양말 2켤레, 흰 양말 3켤레, 파란 양말 3켤레가 있다. 이 8켤레의 양말을 짝을 모두 풀어 놓아 16개의 낱개로 만든 다음, 임의로 3개를 뽑는다. 이때 색깔이 같은 양말이 나올 확률은? (단, 같은 색 양말끼리는 구별되지 않는다.)

① $\frac{20}{35}$ ② $\frac{23}{35}$ ③ $\frac{26}{35}$ ④ $\frac{59}{70}$ ⑤ $\frac{61}{70}$

13*

'chocolate'에 사용된 알파벳 9개를 일렬로 나열할 때, 같은 문자끼리 이웃하지 않을 확률은?

① $\frac{13}{16}$ ② $\frac{12}{17}$ ③ $\frac{11}{18}$ ④ $\frac{10}{19}$ ⑤ $\frac{9}{20}$

수학적 확률

01

| 제한시간 1분 |

1부터 20까지의 자연수가 하나씩 적힌 카드 20장을 잘 섞은 다음 한 장씩 뽑아 왼쪽에서 오른쪽으로 배열한다. 이때 뽑은 카드에 적힌 수가 배열된 카드의 맨 오른쪽 끝에 있는 카드보다 작을 경우에는 뽑은 카드를 버린다. 예를 들어 뽑은 카드가 순서대로 7, 3, 2, 9, 6, 1, 13, 11, …이었다면 배열한 카드는 7, 9, 13, …이다. 카드 배열이 끝난 후 11이 적힌 카드가 배열에 남아 있을 확률은?

① $\frac{1}{5}$ ② $\frac{1}{10}$ ③ $\frac{1}{15}$ ④ $\frac{1}{20}$ ⑤ $\frac{1}{25}$

02*

| 제한시간 1분 |

주머니에 들어 있는 제비 10개 중에서 당첨 제비는 3개다. A, B, C 세 사람이 이 순서대로 제비를 한 개씩만 뽑을 때, C가 당첨될 확률은 $\frac{b}{a}$이다. $a+b$의 값을 구하시오.
(단, 뽑은 제비는 주머니에 다시 넣지 않으며 a, b는 서로소인 자연수이다.)

03

| 제한시간 2분 |

A와 B가 주사위를 한 번씩 던져 큰 수가 나오는 쪽이 이기는 게임을 한다. A는 보통 주사위를 사용하지만 B가 사용하는 주사위의 각 면에는 1부터 6까지의 자연수 중 하나의 수가 중복을 허락하여 적혀 있고 각 면에 적힌 수의 합이 22라 한다. 이때 A가 B를 이길 확률을 p_{A}, B가 A를 이길 확률을 p_{B}라 할 때, $p_{\mathrm{B}}-p_{\mathrm{A}}=\frac{n}{m}$이다. $m+n$의 값을 구하시오. (단, m, n은 서로소인 자연수이다.)

순열과 수학적 확률

04*

| 제한시간 1.5분 |

주사위를 세 번 던져 나온 눈의 수의 곱이 8의 배수가 될 확률은?

① $\frac{1}{2}$ ② $\frac{1}{3}$ ③ $\frac{1}{4}$ ④ $\frac{1}{5}$ ⑤ $\frac{1}{6}$

05

| 제한시간 1.5분 |

1부터 6까지의 자연수가 하나씩 적혀 있는 카드 6장을 원형으로 배열할 때, 이웃한 두 수가 항상 서로소가 될 확률은?

① $\frac{1}{6}$ ② $\frac{1}{12}$ ③ $\frac{1}{18}$ ④ $\frac{1}{24}$ ⑤ $\frac{1}{30}$

06

| 제한시간 1.5분 |

다섯 개의 자리가 있는 컴퓨터실이 있다. 네 명의 학생 A, B, C, D가 이틀 연속 컴퓨터실을 방문하여 컴퓨터 작업을 하는데, 이틀 연속 같은 자리에 앉은 학생이 아무도 없을 확률이 p일 때, $120p$의 값을 구하시오.

07*

| 제한시간 1.5분 |

똑같은 사탕 5개를 A, B, C 세 사람에게 나누어 줄 때, 각각 적어도 하나의 사탕을 받을 확률을 구하면 $\frac{a}{b}$이다. $a+b$의 값을 구하시오. (단, a, b는 서로소인 자연수이다.)

08*

| 제한시간 2분 |

집합 $X=\{1, 2, 3\}$, $Y=\{1, 2, 3, 4\}$, $Z=\{0, 1\}$에 대하여 조건 (가)를 만족시키는 모든 $f: X \rightarrow Y$ 중에서 임의로 하나를 선택하고, 조건 (나)를 만족시키는 모든 $g: Y \rightarrow Z$ 중에서 임의로 하나를 선택하여 합성함수 $g \circ f: X \rightarrow Z$를 만들 때, 이 합성함수의 치역이 Z일 확률은 $\frac{q}{p}$이다. $p+q$의 값을 구하시오. (단, p, q는 서로소인 자연수이다.)

(가) X의 임의의 두 원소 x_1, x_2에 대하여 $x_1 \neq x_2$이면 $f(x_1) \neq f(x_2)$이다.
(나) g의 치역은 Z이다.

[모의평가 기출]

조합과 수학적 확률

09

| 제한시간 1분 |

주사위를 네 번 던져 나온 눈의 수를 차례대로 a, b, c, d라 할 때, $a<b\leq c<d$일 확률을 p라 하자. 이때 $6^4 \times p$의 값을 구하시오.

10

| 제한시간 1.5분 |

재석이는 0부터 9까지의 정수 중 네 개로 이루어진 $abcd$ 꼴 현금카드 비밀번호를 잊어버렸는데, $a<b<c<d$이고, $d=7$이라는 것만 기억났다. 현금지급기에서는 비밀번호 오류를 세 번까지만 허용하며 비밀번호를 네 번 이상 틀리게 입력하면 더 이상 현금카드를 사용할 수 없다. 재석이가 임의로 비밀번호를 입력하여 현금을 찾을 수 있는 확률이 $\frac{q}{p}$일 때, $p+q$의 값을 구하시오. (단, 틀리게 입력한 번호는 다시 입력하지 않으며, p, q는 서로소인 자연수이다.)

11

| 제한시간 1.5분 |

2^1, 2^2, 2^3, $\cdots$, 2^9이 표와 같이 배열되어 있다. 각 가로줄에서 한 개씩 임의로 선택한 세 수의 곱을 3으로 나눈 나머지가 1이 될 확률은?

2^1	2^2	2^3
2^4	2^5	2^6
2^7	2^8	2^9

① $\frac{10}{27}$　② $\frac{4}{9}$　③ $\frac{14}{27}$　④ $\frac{16}{27}$　⑤ $\frac{2}{3}$

[학력평가 기출]

12*

| 제한시간 1.5분 |

검은 공 5개, 흰 공 2개가 들어 있는 주머니가 있다. 이 주머니에서 공을 한 개 꺼내 색을 확인한 후 다시 넣지 않는다. 이와 같은 시행을 반복할 때, 흰 공 2개가 나올 때까지 시행 횟수를 X라 하면 $\mathrm{P}(X\le 5)=\frac{q}{p}$이다. $p+q$의 값을 구하시오. (단, p, q는 서로소인 자연수이다.)

13

| 제한시간 1.5분 |

1부터 10까지의 자연수가 하나씩 적혀 있는 카드 10장이 있다. 이중에서 3장을 고를 때, 연속한 수가 나오지 않을 확률은?

① $\frac{2}{5}$　② $\frac{7}{15}$　③ $\frac{8}{15}$　④ $\frac{3}{5}$　⑤ $\frac{2}{3}$

14

| 제한시간 2분 |

1부터 10까지의 자연수 10개 중에서 서로 다른 수 3개를 선택할 때, 3개의 수 중에서 두 번째로 작은 수가 k일 확률을 p_k라 하자. 예를 들어, p_9은 선택된 3개의 수 중에서 9보다 작은 수가 한 개이고 9보다 큰 수가 1개일 확률이므로 $p_9=\frac{{}_8\mathrm{C}_1\times{}_1\mathrm{C}_1}{{}_{10}\mathrm{C}_3}=\frac{8}{120}=\frac{1}{15}$이다. **보기**에서 옳은 것을 모두 고른 것은?

보기

ㄱ. $p_3=\frac{7}{60}$　　ㄴ. $p_4=p_6$

ㄷ. $p_2+p_3+p_4+p_5=\frac{1}{2}$

① ㄱ　② ㄴ　③ ㄱ, ㄷ

④ ㄴ, ㄷ　⑤ ㄱ, ㄴ, ㄷ

15

| 제한시간 1.5분 |

A, B, C, D, E, F, G 일곱 팀이 이기는 팀만 올라가는 방식(토너먼트)으로 그림과 같은 대진표에 팀을 배정해 경기를 벌인다. 이 일곱 팀의 실력은 모두 동등하여 모든 경기마다 각각의 팀이 이길 확률은 $\frac{1}{2}$로 같다. 이때 A, B 두 팀 모두 결승에 오르지 못할 확률을 p_1, A, B 두 팀 모두 결승에 오를 확률을 p_2라 하자. $210(p_1-p_2)$의 값을 구하시오.

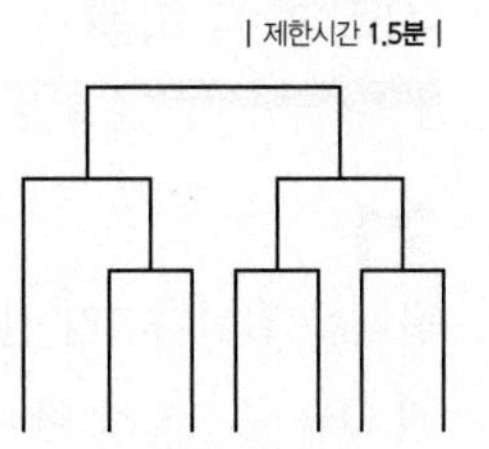

16*

| 제한시간 2분 |

다음과 같은 카드 6장이 있다. 이 카드 6장을 세 사람에게 각각 2장씩 나누어줄 때, 다음 값을 구하시오.

(1) 두 장 모두 같은 번호인 카드를 아무도 받지 않을 확률이 p_1일 때 $60p_1$의 값

(2) 두 장 모두 같은 무늬인 카드를 아무도 받지 않을 확률이 p_2일 때 $60p_2$의 값

17*

| 제한시간 2분 |

A, B, C, D, E, F가 각각 적힌 상자 6개가 있다. 이들 상자에 서로 다른 공 10개를 임의로 넣을 때, A, B, C 세 상자에 들어간 공 개수의 합이 4일 확률은? (단, 각 상자에 들어가는 공 개수에는 제한이 없다.)

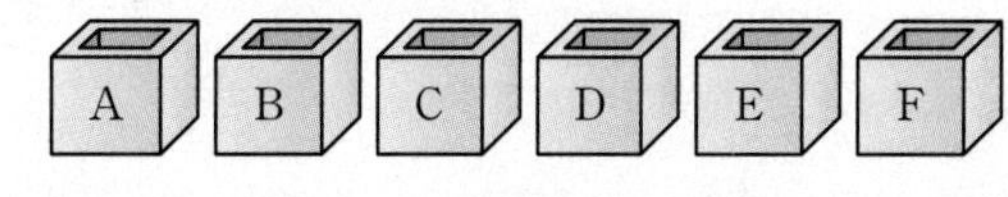

① $\frac{101}{512}$ ② $\frac{51}{256}$ ③ $\frac{103}{512}$ ④ $\frac{13}{64}$ ⑤ $\frac{105}{512}$

[학력평가 기출]

18

| 제한시간 2분 |

검은 바둑돌 6개와 흰 바둑돌 4개를 일렬로 나열할 때, 색깔 변화가 짝수 번 생길 확률은?

① $\frac{4}{15}$ ② $\frac{1}{3}$ ③ $\frac{2}{5}$ ④ $\frac{7}{15}$ ⑤ $\frac{8}{15}$

19* | 제한시간 2분 |

주머니에 1, 1, 1, 2, 4, 5가 하나씩 적힌 공 6개가 들어 있다. 이 주머니에서 임의로 공 4개를 동시에 꺼내 일렬로 나열하고, 나열된 순서대로 공에 적힌 수를 a, b, c, d라 할 때, $a\le b\le c\le d$일 확률은?

① $\frac{11}{100}$ ② $\frac{11}{120}$ ③ $\frac{13}{100}$ ④ $\frac{13}{120}$ ⑤ $\frac{11}{150}$

20 | 제한시간 2.5분 |

그림처럼 정십일각형의 각 꼭짓점을 P_1, P_2, $\cdots$, P_{11}이라 할 때, 이 중에서 임의로 3개의 점을 택하여 삼각형을 만든다. 이 삼각형 내부에 정십일각형의 외접원의 중심이 포함될 확률은? (삼각형의 변 위에 외접원의 중심이 있는 경우는 제외한다.)

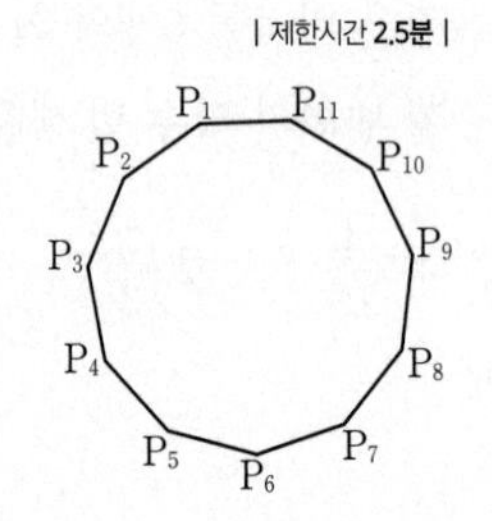

① $\frac{1}{2}$ ② $\frac{1}{3}$ ③ $\frac{1}{4}$ ④ $\frac{1}{5}$ ⑤ $\frac{1}{6}$

기하학적 확률

21 | 제한시간 1.5분 |

반지름 길이가 5인 원 C_1과 반지름 길이가 1인 원 C_2 모두 점 O를 중심으로 한다. 원 C_1의 내부에 임의의 점 P를 잡을 때, 점 P를 중심으로 하고 반지름 길이가 1인 원 C_3이 원 C_1, 원 C_2 어느 두 원과도 만나지 않을 확률은 $\frac{b}{a}$이다. $a+b$의 값을 구하시오. (단, a, b는 서로소인 자연수이다.)

22 | 제한시간 1.5분 |

두 양수 a, b를 각각 반올림하면 차례로 1, 2가 된다. $a+b$를 반올림할 때 3이 될 확률은?

① $\frac{1}{2}$ ② $\frac{2}{3}$ ③ $\frac{3}{4}$ ④ $\frac{4}{5}$ ⑤ $\frac{5}{6}$

23 | 제한시간 2.5분 |

그림과 같은 삼각형 모양의 운동장에 가은, 나은, 다은이가 각각 세 꼭짓점 A, B, C에 위치하고 있다. 운동장 내부에 한 점 P를 잡아 깃발을 이곳에 먼저 꽂는 경기를 한다. 세 사람의 달리기 속력이 같다고 할 때 나은이가 1등, 다은이가 2등, 가은이가 3등이 될 확률이 p이다. $64p$의 값을 구하시오. (단, 점 P가 특정 영역에 포함될 확률은 영역의 넓이에 비례한다.)

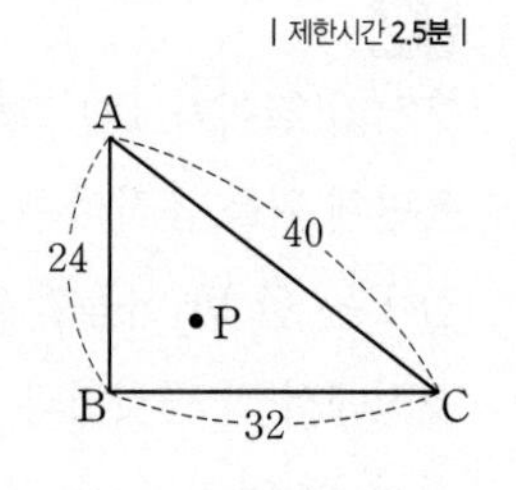

확률의 덧셈정리

24 | 제한시간 1.5분 |

1부터 10까지의 자연수 중 서로 다른 세 수를 뽑을 때, 다음 값을 구하시오.

(1) 세 수의 곱이 3의 배수일 확률이 p_1일 때 $120p_1$

(2) 세 수의 합이 3의 배수일 확률이 p_2일 때 $120p_2$

25* | 제한시간 1.5분 |

3명씩 탑승한 두 대의 자동차 A, B가 어느 휴게소에서 만났다. 이들 6명은 연료 절약을 위해 좌석 수가 6개인 자동차 B에 모두 타려고 한다. 자동차 B의 운전자는 자리를 바꾸지 않고 나머지 5명이 임의로 앉을 때, 처음부터 자동차 B에 탔던 2명이 모두 처음 좌석이 아닌 다른 자리에 앉게 될 확률은 $\frac{q}{p}$이다. 이때 $p+q$의 값을 구하시오.

(단, p, q는 서로소인 자연수이다.)

[모의평가 기출]

26 | 제한시간 2분 |

240 이하의 자연수 중 하나의 수를 골랐을 때, 240과 서로소일 확률이 p일 때 $30p$의 값을 구하시오.

01

창의력

[그림 1]은 정사각형 퍼즐 조각 100개를 모아 놓은 것이고, [그림 2]는 정삼각형 퍼즐 조각 100개를 모아 놓은 것이다. [그림 1]에서 서로 다른 두 정사각형 퍼즐 조각을 선택했을 때, 두 정사각형이 경계를 공유할 확률을 p_1이라 하고, [그림 2]에서 서로 다른 두 정삼각형 퍼즐 조각을 선택했을 때, 두 정삼각형이 경계를 공유할 확률을 p_2라 하자. p_1-p_2의 값은?

① $\frac{1}{55}$ ② $\frac{1}{110}$ ③ $\frac{1}{165}$
④ $\frac{1}{220}$ ⑤ $\frac{1}{275}$

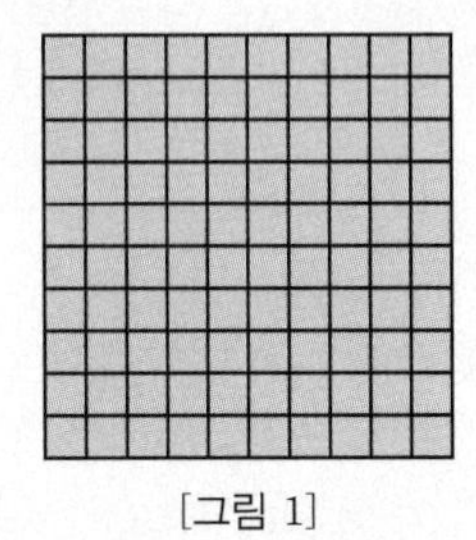
[그림 1]

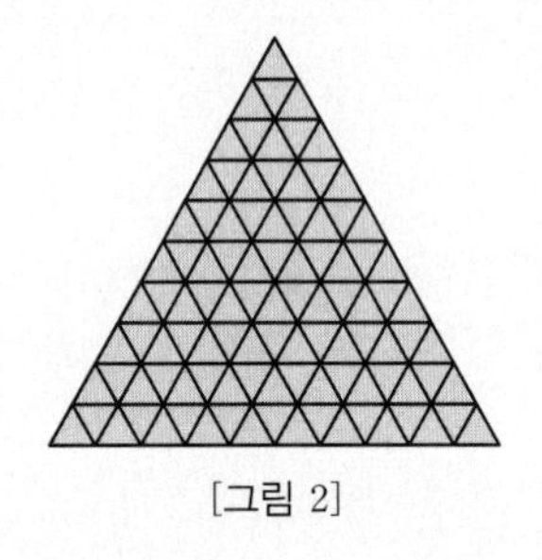
[그림 2]

02

모서리 길이가 1인 그림과 같은 정육면체 위를 움직이는 점 P가 있다. 점 P는 한 번 이동할 때마다 한 꼭짓점에서 그 꼭짓점과 이웃한 세 꼭짓점 중 임의의 한 점으로 이동한다. 예를 들어 점 P가 점 A에서 이동할 때는 세 점 B, D, E 중 한 점으로 이동하고, 이 세 꼭짓점으로 이동할 확률은 각각 $\frac{1}{3}$이다. 이와 같은 방법으로 점 P가 점 A를 출발하여 세 번 이동할 때, 두 점 A, P 사이의 거리가 1일 확률은?

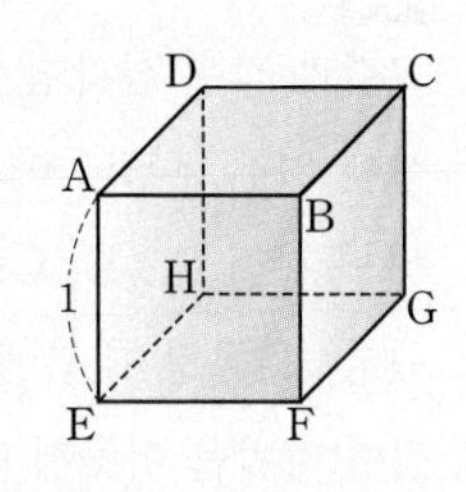

① $\frac{7}{9}$ ② $\frac{22}{27}$ ③ $\frac{23}{27}$ ④ $\frac{8}{9}$ ⑤ $\frac{25}{27}$

[학력평가 기출]

03

그림과 같은 모양으로 정육면체 12개를 쌓으려고 한다. 이 정육면체 중 5개는 투명하지 않은 푸른색 정육면체이고, 나머지는 투명한 정육면체이다. 이 입체도형을 ㉠, ㉡ 방향에서 봤을 때 모두 푸른색으로 보일 확률은?

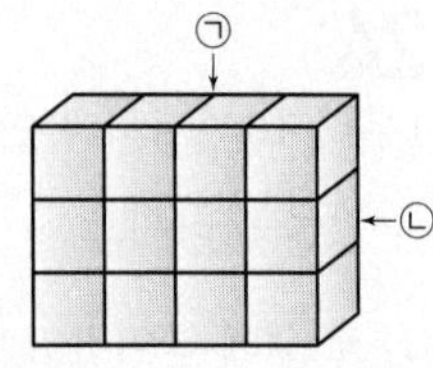

① $\frac{124}{{}_{12}C_5}$ ② $\frac{168}{{}_{12}C_5}$ ③ $\frac{228}{{}_{12}C_5}$
④ $\frac{246}{{}_{12}C_5}$ ⑤ $\frac{364}{{}_{12}C_5}$

04*

어느 회사의 출입문 암호는 중복을 허락하여 다섯 자리 숫자로 이루어지며 암호 체계는 다음과 같다. 출입문 암호가 다섯 자리 숫자라는 것만 아는 사람이 ①⑦④까지 눌렀다. 이때 나머지 두 개의 숫자를 눌러 통과될 확률을 p라 하자. $100p$의 값을 구하시오. (①⑦④는 방문자가 누른 숫자 버튼이 1, 7, 4임을 나타낸다.)

> 출입자가 0부터 9까지의 정수 중 중복을 허락하여 다섯 개를 골라서 순서대로 누르면, 누른 수 중에서 세 수를 골라 그 합이 10의 배수가 되는 경우가 있으면 통과할 수 있고 그렇지 않으면 통과할 수 없다.
> 예를 들어, ①②⑧③⑥을 누르면 $1+3+6=10$이므로 통과할 수 있고, ⑧⑤⑧④③도 $8+8+4=20$이므로 통과할 수 있지만, ②③②②①을 누르면 이 중 어느 세 수를 더해도 10의 배수가 되는 경우가 없으므로 통과할 수 없다.

05

융합형

n이 자연수일 때, 방정식 $x^n=1$은 n개의 서로 다른 복소수근을 가진다. 방정식 $x^{24}=1$의 해 중 하나를 골랐을 때, 이 수가 $x^4=1$의 해가 되거나 $x^6=1$의 해가 될 확률이 p일 때 $60p$의 값을 구하시오.

06

그림처럼 한 변의 길이가 a인 정삼각형 ABC의 내부에 한 점 P를 잡고, P에서 세 변 $\overline{BC}$, $\overline{CA}$, $\overline{AB}$에 내린 수선의 길이를 각각 h_1, h_2, h_3이라 하자. 이때 h_1, h_2, h_3이 삼각형의 세 변의 길이가 될 확률을 p라 하자. $96p$의 값을 구하시오.

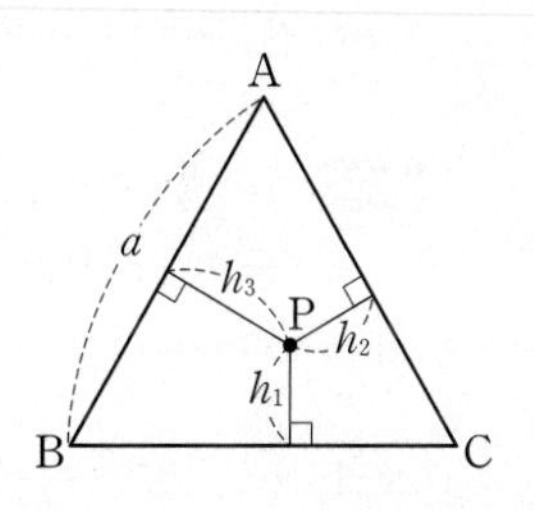

4 조건부확률

1 조건부확률

두 사건 A, B에 대하여 $P(A)>0$일 때, 사건 A가 일어났다는 조건 아래에서 사건 B가 일어날 확률을 사건 A가 일어났을 때의 사건 B의 **조건부확률**이라 하고, $\mathbf{P(B|A)}$로 나타낸다. 이때 $\mathbf{P(B|A)=\dfrac{P(A\cap B)}{P(A)}}$이다.

※ $P(B|A)=\dfrac{P(A\cap B)}{P(A)}=\dfrac{P(A\cap B)}{P(A\cap B)+P(A\cap B^C)}$

보기 학생 A, B, C, D, E 중에서 대표 두 명을 뽑는다. A가 대표로 뽑혔을 때 B가 대표로 뽑히지 않을 확률을 구하여라.

풀이 A가 대표로 뽑혔으므로 남은 B, C, D, E 중에서 대표 한 명을 뽑는 경우와 같다. 이때 B가 대표로 뽑히지 않을 확률은 $\mathbf{\dfrac{3}{4}}$

참고
$P(B|A)$를 구할 때 $\dfrac{P(A\cap B)}{P(A)}$로 구하는 것만 생각하지 말고 사건 A가 일어났다는 것을 처음부터 고려하여 확률을 구하면 더 쉽게 구해지는 경우도 많다.
보기의 문제에서 A가 대표로 뽑히는 사건을 A, B가 대표로 뽑히지 않는 사건을 B^C이라 하면
A: (A, B), (A, C), (A, D), (A, E)
$A\cap B^C$: (A, C), (A, D), (A, E)
이므로 $P(B^C|A)=\dfrac{P(A\cap B^C)}{P(A)}=\dfrac{3}{4}$

2 확률의 곱셈정리

두 사건 A, B에 대하여 $P(A)>0$, $P(B)>0$일 때, 두 사건 A, B가 동시에 일어날 확률은 $\mathbf{P(A\cap B)=P(A)P(B|A)=P(B)P(A|B)}$

※ 같은 방법으로 $P(A\cap B\cap C)=P(A)P(B|A)P(C|A\cap B)$가 성립한다.

보기 10장의 제비 중 당첨 제비가 3장 있다. 두 사람이 차례대로 한 장씩 제비를 뽑을 때, 두 사람 모두 당첨될 확률을 구하여라. (단, 한 번 뽑은 제비는 다시 넣지 않는다.)

풀이 두 사람이 각각 당첨되는 사건을 A, B라 하면 구하는 확률은 $P(A\cap B)$이다. $P(A)=\dfrac{3}{10}$이고, 당첨 제비를 뽑은 상태에서 9장의 제비 중 2장의 당첨제비를 뽑는 확률이 $\dfrac{2}{9}$이므로

$$P(A\cap B)=P(A)P(B|A)=\frac{3}{10}\times\frac{2}{9}=\mathbf{\frac{1}{15}}$$

3 독립사건과 종속사건

두 사건 A, B에 대하여 사건 A가 사건 B의 확률에 영향을 주지 않을 때, 즉 $\mathbf{P(B)=P(B|A)}$, $\mathbf{P(A)=P(A|B)}$일 때, 두 사건 A, B는 서로 **독립**이라 한다. 또 두 사건 A, B가 서로 독립이 아닐 때 두 사건 A, B는 서로 **종속**이라 한다.

※ 전사건도 아니고 공사건도 아닌 두 사건 A, B에 대하여 A, B가 독립이면 'A, B^C가 독립'이고, 'A^C, B가 독립'이며, 'A^C, B^C가 독립'이다.

참고
$P(B)=P(B|A)=P(B|A^C)$로 독립을 정의할 때 사건 A, B는 전사건도 아니고 공사건도 아니어야 한다.
※ 두 사건 A, B가 독립인지 종속인지 따질 때는 $P(A)$, $P(B)$, $P(A\cap B)$를 구해 $P(A\cap B)=P(A)P(B)$인지 확인한다.

4 독립사건의 곱셈정리

공사건도 아니고 전사건도 아닌 두 사건 A, B에 대하여 사건 A, B가 독립일 필요충분조건은 $\mathbf{P(A\cap B)=P(A)P(B)}$

※ 세 사건 A, B, C가 독립이면 $P(A\cap B\cap C)=P(A)P(B)P(C)$

보기 표는 어느 반에서 안경 낀 학생 수를 남녀에 따라 조사한 결과이다. 남학생인 사건을 A, 안경 낀 사람일 사건을 B라 할 때, 두 사건 A, B는 서로 독립이다. x값을 구하여라.

	남학생	여학생
안경 낀 학생	5	x
안경 안 낀 학생	10	12

풀이 두 사건 A, B는 모두 전사건도 아니고 공사건도 아니므로 $P(A\cap B)=P(A)P(B)$를 만족시키는 x를 구하면

$$\frac{5}{27+x}=\frac{15}{27+x}\times\frac{5+x}{27+x}$$

양변에 $(x+27)^2$을 곱하면 $5(27+x)=15(5+x)$

$10x=60$ $\quad\therefore x=\mathbf{6}$

참고

두 사건 A, B에 대하여 분포가 다음과 같을 때 (단, $a, b, c, d>0$)

	A	A^C
B	a	c
B^C	b	d

두 사건 A, B가 독립일 필요충분조건은 $ad=bc$이다.

※ $P(A\cap B)=P(A)P(B)$에서

$$\frac{a}{a+b+c+d}=\frac{a+b}{a+b+c+d}\times\frac{a+c}{a+b+c+d}$$

$a(a+b+c+d)=(a+b)(a+c)$,

정리하면 $ad=bc$

※ 보기 문제도 위 내용을 이용하면 $60=10x$에서 $x=6$을 바로 구할 수 있다. 이렇게 풀 수 있으려면 두 사건이 서로 독립이라는 조건이 있어야 한다.

6 독립시행의 확률

(1) 독립시행

같은 조건에서 동일한 시행을 반복하는 경우에 각 시행의 결과가 다른 시행의 결과에 아무런 영향을 주지 않을 때, 즉 각 시행마다 일어나는 사건이 서로 독립일 때, 이것을 **독립시행**이라 한다.

(2) 독립시행의 확률

각각의 시행에서 사건 A가 일어날 확률이 p로 일정할 때, n번의 독립시행에서 사건 A가 r번 일어날 확률은 $\mathbf{{}_nC_r\,p^r(1-p)^{n-r}}$ (단, $0\le r\le n$)

보기 A, B 두 팀이 축구 경기를 한다. 경기를 한 번 할 때마다 A팀이 이길 확률은 $\frac{3}{5}$이고, B팀이 이길 확률은 $\frac{2}{5}$다. 경기를 5번 할 때, A팀이 3번 이상 이길 확률을 백분율로 나타내어라. (단, 반올림해서 소수 첫째 자리까지 나타낸다.)

풀이 A팀이 세 번 이길 확률은 ${}_5C_3\left(\frac{3}{5}\right)^3\left(\frac{2}{5}\right)^2$

A팀이 네 번 이길 확률은 ${}_5C_4\left(\frac{3}{5}\right)^4\left(\frac{2}{5}\right)$

A팀이 다섯 번 이길 확률은 ${}_5C_5\left(\frac{3}{5}\right)^5$이므로

이들을 모두 더하면 $\frac{1080+810+243}{5^5}=\frac{2133}{5^5}$이고

$\frac{2133}{5^5}\times100=\frac{8532}{125}=68.256$이므로 **68.3 %**

참고

경기를 5번 해서 3번 이상 이길 확률은 5전 3선승제에서 우승할 확률과 같다.

조건부확률

01*

두 사건 A, B가 서로 배반이고,

$\mathrm{P}(A)=\frac{1}{3}$, $\mathrm{P}(A\cup B^C)=\frac{5}{6}$일 때, $\mathrm{P}(A|B^C)$의 값은?

① $\frac{2}{5}$ ② $\frac{9}{20}$ ③ $\frac{1}{2}$ ④ $\frac{11}{20}$ ⑤ $\frac{3}{5}$

02

4번에 한 번 꼴로 물건을 잃어버리는 버릇이 있는 학생이 설날에 A, B, C 세 집을 차례로 방문하여 세배드리고 집에 돌아와 보니, 휴대폰을 잃어버리고 왔다. 이때 휴대폰을 C 집에 두고 왔을 확률은?

① $\frac{37}{64}$ ② $\frac{9}{64}$ ③ $\frac{7}{32}$ ④ $\frac{9}{37}$ ⑤ $\frac{4}{37}$

03

어떤 공장의 두 조립 라인 A, B에서는 각각 전 제품의 60 %와 40 %를 생산하고 있다. A에서 만든 제품의 불량률이 3 %, B에서 만든 제품의 불량률이 1 %일 때, 임의의 불량품 한 개가 A에서 만든 제품일 확률은?

① $\frac{9}{10}$ ② $\frac{9}{11}$ ③ $\frac{3}{4}$ ④ $\frac{9}{13}$ ⑤ $\frac{9}{14}$

04

주머니 속에 흰 공 a개와 검은 공 b개가 들어 있다. 처음에 임의로 공 하나를 꺼낸 다음, 색을 확인하고 같은 색의 공 2개를 이미 꺼낸 공과 함께 주머니에 넣는다. 두 번째로 꺼낸 공의 흰 공이었을 때, 처음 꺼낸 공도 흰 공이었을 확률은?

① $\frac{a+1}{a+b+1}$ ② $\frac{a+2}{a+b+1}$ ③ $\frac{a+1}{a+b+2}$

④ $\frac{a+2}{a+b+2}$ ⑤ $\frac{a+3}{a+b+2}$

사건의 독립과 종속

05

두 사건 A, B가 서로 독립일 때 **보기**에서 옳은 것을 모두 고르시오.

보기

ㄱ. 두 사건 A^C과 B도 서로 독립이다.

ㄴ. $\{1-\mathrm{P}(A)\}\{1-\mathrm{P}(B)\}=1-\mathrm{P}(A\cup B)$

ㄷ. $\mathrm{P}(A\cap B)=\mathrm{P}(A|B)\mathrm{P}(B|A)$

확률의 곱셈정리

06

학생 A, B, C, D, E, F를 임의로 2명씩 짝을 지어 3개 조로 편성하려고 한다. 이때 A와 B는 같은 조가 되고 C와 D는 서로 다른 조가 될 확률은?

① $\frac{1}{15}$ ② $\frac{2}{15}$ ③ $\frac{1}{5}$ ④ $\frac{4}{15}$ ⑤ $\frac{1}{3}$

07*

주머니 A와 B에는 1, 2, 3, 4, 5가 하나씩 적혀 있는 구슬이 다섯 개씩 들어 있다. 철수는 주머니 A에서, 영희는 주머니 B에서 각자 구슬을 임의로 한 개씩 꺼내어 두 구슬에 적혀 있는 숫자를 확인한 후 다시 넣지 않는다. 이와 같은 시행을 반복할 때, 첫 번째 꺼낸 두 구슬에 적혀 있는 숫자가 서로 다르고, 두 번째 꺼낸 두 구슬에 적혀 있는 숫자가 같을 확률이 p이다. $100p$의 값을 구하시오.

[수능 기출]

08*

어느 지역에서 사관학교에 지원한 학생들을 대상으로 안경 착용 여부를 조사하였더니 그 결과가 다음 표와 같았다.

	남학생	여학생
안경 낀 학생	n명	100명
안경 안 낀 학생	180명	$(n+30)$명

이 학생들 중에서 임의로 한 명을 선택할 때, 그 학생이 남학생일 사건을 A, 안경을 쓴 학생일 사건을 B라 하자. 두 사건 A, B가 서로 독립일 때, 자연수 n값을 구하시오.

[사관학교 기출]

확률의 계산

09*

주사위를 3번 던져 나온 눈의 최댓값이 5일 확률은?

① $\frac{53}{216}$ ② $\frac{55}{216}$ ③ $\frac{57}{216}$ ④ $\frac{59}{216}$ ⑤ $\frac{61}{216}$

10

실력이 같은 6팀이 다른 팀과 각각 한 번씩 경기를 치루는 방식(리그전)에 따라 모든 팀이 5번씩 경기를 치렀다. 이때 다섯 번 모두 이긴 팀도 있고, 다섯 번 모두 진 팀도 있을 확률을 p라 할 때, $2^{10}p$의 값을 구하시오. $\left(\text{단, 6팀 모두 각 경기에서 이길 확률은 } \frac{1}{2} \text{ 이며, 무승부는 없다.}\right)$

독립시행의 확률

11

점 P가 원점 O를 출발해서 좌표평면 위를 다음 규칙에 따라 움직인다. 주사위 두 개를 던져서 점 P가 점 $(3, 3)$에 오게 될 확률이 p일 때, $72p$의 값을 구하시오.

> (가) 주사위를 던질 때마다 y축 방향으로 $+1$만큼 이동한다.
> (나) 두 주사위의 눈의 합이 4 이하일 때, x축 방향으로 $+2$만큼, 두 눈의 합이 5 이상일 때, x축 방향으로 -1만큼 이동한다.

12

주사위 1개와 동전 6개를 동시에 던질 때, 나온 주사위 눈의 수와 앞면이 나온 동전 개수가 서로 같을 확률은?

① $\frac{21}{128}$ ② $\frac{1}{6}$ ③ $\frac{11}{64}$ ④ $\frac{25}{128}$ ⑤ $\frac{15}{64}$

조건부확률

01

| 제한시간 1.5분 |

어떤 검사는 특정 질병 S에 걸린 환자에 대해 95 %의 양성 반응을 보이지만, 건강한 사람들을 검사했을 때도 1 %의 잘못된 양성 반응을 보여 질병에 걸렸다고 판단하게 한다. 만일 어느 지역 인구의 0.5 %가 실제로 이 질병 S에 걸려 있다면, 검사 결과가 양성인 사람이 실제로 이 병에 걸려 있을 확률은 p이다. 이때 $294p$의 값을 구하시오.

02*

| 제한시간 2분 |

제비 10개 중에 당첨제비가 3개 있을 때, 가현, 나현, 다현 순으로 제비를 뽑았다. 다현이가 당첨제비를 뽑았을 때 나현이도 당첨제비를 뽑았을 확률이 p다. $90p$의 값을 구하시오. (단, 뽑은 제비는 다시 넣지 않는다.)

03

| 제한시간 2분 |

어느 과일 가게에서는 사과를 3개씩 묶어 사과의 총 무게가 850 g 이상이면 1등급, 850 g 미만이면 2등급으로 분류하여 판매한다. 무게 300 g인 사과 4개와 250 g인 사과 2개 중에서 임의로 3개씩 선택하여 2개의 묶음으로 만들었다. 하나의 묶음이 1등급으로 분류되었을 때, 다른 묶음도 1등급일 확률은?

① $\frac{2}{5}$ ② $\frac{1}{2}$ ③ $\frac{3}{5}$ ④ $\frac{3}{4}$ ⑤ $\frac{4}{5}$

[모의평가 기출]

04*

| 제한시간 2분 |

5명의 학생 A, B, C, D, E가 같은 영화를 보기 위해 함께 상영관에 갔다. 상영관에는 그림과 같이 총 5개의 좌석만 남아 있었다. (가) 구역에는 1열에 2개의 좌석이 남아 있었고, (나) 구역에는 1열에 1개와 2열에 2개의 좌석이 남아 있었다. 5명의 학생 모두가 남아 있는 5개의 좌석을 임의로 배정받기로 하였다. 학생 A와 B가 서로 다른 구역의 좌석을 배정받았을 때, 학생 C와 D가 같은 구역에 있는 같은 열의 좌석을 배정받을 확률은?

① $\frac{1}{18}$ ② $\frac{1}{12}$ ③ $\frac{1}{9}$ ④ $\frac{5}{36}$ ⑤ $\frac{1}{6}$

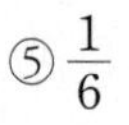

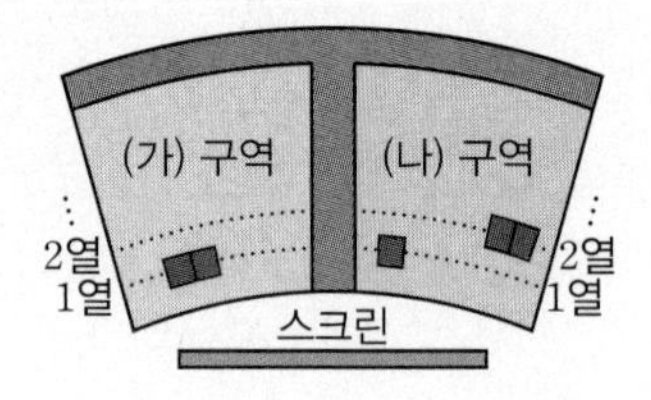

[2015학년도 10월 학력평가]

05

| 제한시간 2분 |

여학생 100명과 남학생 200명을 대상으로 영화 A와 영화 B의 관람 여부를 조사하였다. 그 결과 모든 학생은 적어도 한 편의 영화를 관람하였고, 영화 A를 관람한 학생 150명 중 여학생이 45명이었으며, 영화 B를 관람한 학생 180명 중 여학생이 72명이었다. 두 영화 A, B를 모두 관람한 학생들 중에서 한 명을 임의로 뽑을 때, 이 학생이 여학생일 확률은?

① $\frac{31}{60}$ ② $\frac{8}{15}$ ③ $\frac{11}{20}$ ④ $\frac{17}{30}$ ⑤ $\frac{7}{12}$

[모의평가 기출]

06

| 제한시간 2.5분 |

혈액형은 부모로부터 유전된다. ABO식 혈액형 분류에서 부모로부터 각각 A, B, O 중 하나의 유전자를 물려받아 유전자 두 개의 구성이 AA, AO, OA이면 A형, BB, BO, OB는 B형, AB, BA이면 AB형, OO이면 O형으로 분류된다. 어떤 나라의 인구 전체에 대한 혈액형 분포가 표와 같다고 할 때, 다음을 구하시오.

	A	B	O
A	16 %	12 %	12 %
B	12 %	9 %	9 %
O	12 %	9 %	9 %

(1) A형 중 한 명을 선택했는데, 그 사람의 혈액형 유전자가 AA일 확률이 p_1일 때, $40p_1$의 값

(2) 어떤 사람과 그 부모의 혈액형이 모두 A형인데, 그 사람의 혈액형 유전자가 AA일 확률이 p_2일 때, $91p_2$의 값

(3) A형 부모 사이에서 태어난 자녀의 혈액형이 O형일 확률이 p_3일 때, $100p_3$의 값

07*

| 제한시간 2분 |

A 주머니에는 흰 공 2개와 검은 공 1개가 들어 있고, B 주머니에는 흰 공 1개와 검은 공 2개가 들어 있다. 동전을 던져 앞면이 나오면 A 주머니에서, 뒷면이 나오면 B 주머니에서 임의로 공을 하나 꺼낸다. 세 번째 시행 때 나온 공이 흰 공일 때, 이 흰 공이 B 주머니에서 꺼낸 공일 확률은? (단, 꺼낸 공은 주머니에 돌려 넣지 않는다.)

① $\frac{1}{3}$ ② $\frac{1}{4}$ ③ $\frac{1}{6}$ ④ $\frac{1}{6}$ ⑤ $\frac{1}{12}$

사건의 독립과 종속

08

| 제한시간 2분 |

공사건이 아닌 두 사건 A, B에 대하여 **보기**에서 옳은 것을 모두 고른 것은?

보기

ㄱ. $P(A|B^C)=0$이면, $P(A)=P(A|B)P(B)$이다.

ㄴ. 두 사건 A, B가 독립이면 $P(A|B)+P(A|B^C)=2P(A)$

ㄷ. 두 사건 A, B가 독립이면 $P(A|B)+P(A|B^C)=1$

① ㄱ ② ㄱ, ㄴ ③ ㄱ, ㄷ ④ ㄴ, ㄷ ⑤ ㄱ, ㄴ, ㄷ

09

| 제한시간 2분 |

공사건도 아니고 전사건도 아닌 세 사건 A, B, C에 대하여 옳은 것을 모두 고르면?

① 두 사건 A, B가 독립이면, 사건 A^C, B^C도 독립이다.

② 두 사건 A, B가 독립이면 사건 A, B는 배반사건이다.

③ 두 사건 A, B가 배반사건이면 사건 A, B는 독립일 수 없다.

④ 두 사건 A, B가 독립이고, 사건 A, C가 독립이면, 사건 B, C도 독립이다.

⑤ 두 사건 A, B가 독립이고, 사건 A, C가 독립이면, 사건 A, $B\cup C$도 독립이다.

10*

| 제한시간 1.5분 |

주사위에서 1부터 k $(1\le k\le 5)$까지의 면에는 빨간색을 칠하고, $(k+1)$부터 6까지의 면에는 파란색을 칠한다. 이 주사위를 던질 때 '짝수의 눈이 나온다.'는 사건을 A, '빨간색을 칠한 면이 나온다.'는 사건을 B라 할 때, A와 B가 독립이 되는 모든 k값의 합은?

① 4 ② 5 ③ 6 ④ 7 ⑤ 8

[학력평가 기출]

확률의 곱셈정리

11

| 제한시간 1.5분 |

두 사건 A, B가 서로 독립이고, $\mathrm{P}(A\cap B^C)=\frac{1}{5}$, $\mathrm{P}(A^C\cap B)=\frac{3}{10}$일 때, $\mathrm{P}(A\cup B)$의 값은 a 또는 b이다. $10(a+b)$의 값을 구하시오.

12

| 제한시간 1.5분 |

주사위를 5번 던져서 n번째 나온 눈의 수를 3으로 나눈 나머지를 X_n이라 할 때, $X_1+X_2+X_3+X_4+X_5=3$일 확률은? (단, $n=1, 2, 3, 4, 5$)

① $\frac{10}{81}$ ② $\frac{4}{27}$ ③ $\frac{14}{81}$ ④ $\frac{16}{81}$ ⑤ $\frac{2}{9}$

13*

| 제한시간 2.5분 |

주머니 안에 스티커가 1개, 2개, 3개 붙어 있는 카드가 각각 한 장씩 들어 있다. 주머니에서 임의로 카드 1장을 꺼내어 스티커 1개를 더 붙인 후 다시 주머니에 넣는 시행을 반복한다. 주머니 안의 각 카드에 붙어 있는 스티커 개수를 3으로 나눈 나머지가 모두 같아지는 사건을 A라 하자. 시행을 6번 하였을 때, 1회부터 5회까지는 사건 A가 일어나지 않고, 6회에서 사건 A가 일어날 확률을 $\frac{q}{p}$라 하자. $p+q$의 값을 구하시오. (단, p와 q는 서로소인 자연수이다.)

[모의평가 기출]

확률의 계산

14

| 제한시간 1.5분 |

A, B, C, D가 그림과 같은 대진표에 따라 경기한다. 이들은 1, 2, 3, 4가 적힌 카드 네 장 중에서 임의로 하나를 골라 나온 번호에 위치한다. A가 C, D에게 이길 확률이 모두 $\frac{2}{3}$이고, B가 C, D에게 이길 확률이 모두 $\frac{1}{2}$이다. 이때 A와 B가 결승에서 만날 확률은?

1 2 3 4

① $\frac{1}{2}$ ② $\frac{1}{3}$ ③ $\frac{1}{6}$ ④ $\frac{3}{8}$ ⑤ $\frac{2}{9}$

15

| 제한시간 1.5분 |

두 팀 A, B가 벌이는 경기에서 네 번을 먼저 이기는 팀이 우승 팀이 되고, 상대팀은 준우승 팀이 된다. 우승 팀과 준우승 팀의 상금 비율은 5 : 3이다. 그런데 A팀이 두 번 이기고 B팀이 한 번 이긴 상태에서 더 이상 경기를 치를 수 없게 되었을 때, 두 팀이 상금을 공정하게 나눠 가지려면 A팀과 B팀이 받는 상금 비가 $m : n$이어야 한다. $m+n$의 값을 구하시오. (단, 각 경기에서 비기는 경우가 없으며 두 팀이 이길 확률은 각각 $\frac{1}{2}$이고, m, n은 서로소인 자연수이다.)

16

| 제한시간 2분 |

자연수만 취하는 확률변수 X에 대하여 $\mathrm{P}(X=1)=\frac{1}{2}$이고, 임의의 자연수 m, n에 대하여
$\mathrm{P}(X>m+n \mid X>m)=\mathrm{P}(X>n)$이 성립할 때,
$\mathrm{P}(X=10)$의 값은?

① $\left(\frac{2}{3}\right)^{10}$ ② $\left(\frac{1}{2}\right)^{10}$ ③ $\left(\frac{1}{3}\right)^{10}$

④ $1-\left(\frac{1}{3}\right)^{10}$ ⑤ $1-\left(\frac{1}{2}\right)^{10}$

17

| 제한시간 1.5분 |

주머니 안에 흰 공 6개와 검은 공 4개가 들어 있다. 주머니에서 공을 꺼내 색을 확인하고, 꺼낸 공과 함께 공 1개를 더 넣는다. 즉 한 번의 시행 뒤 주머니 속의 공은 11개가 된다. 다음 조건에 따라 $176p_1p_2$의 값을 구하시오.

> (가) 꺼낸 공과 같은 색의 공을 넣는 규칙으로 시행한다고 할 때, 두 번째 꺼낸 공이 흰 공이었을 경우, 첫 번째 꺼낸 공도 흰 공이었을 확률이 p_1이다.
> (나) 꺼낸 공과 다른 색의 공을 넣는 규칙으로 시행한다고 할 때, 두 번째 꺼낸 공이 흰 공이었을 경우, 첫 번째 꺼낸 공도 흰 공이었을 확률이 p_2이다.

18

| 제한시간 1.5분 |

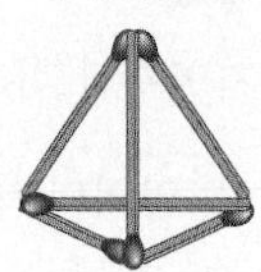

그림처럼 성냥개비 6개로 정사면체를 만들 때, 모든 꼭짓점에 적어도 하나의 유황 부분이 있을 확률은?

① $\frac{1}{2}$ ② $\frac{1}{3}$ ③ $\frac{1}{4}$ ④ $\frac{1}{5}$ ⑤ $\frac{1}{6}$

19

| 제한시간 2분 |

그림과 같이 여덟 개의 스위치로 연결되어 있는 회로가 있다. 각 스위치 S_i는 서로 독립적으로 작동하며 각각의 스위치가 켜지거나 꺼질 확률은 모두 $\frac{1}{2}$이다. 이 회로도에서 두 단자 X, Y가 서로 연결되어 전류가 흐를 확률이 $\frac{q}{p}$일 때, $p+q$의 값을 구하시오. (단, p, q는 서로소인 자연수이다.)

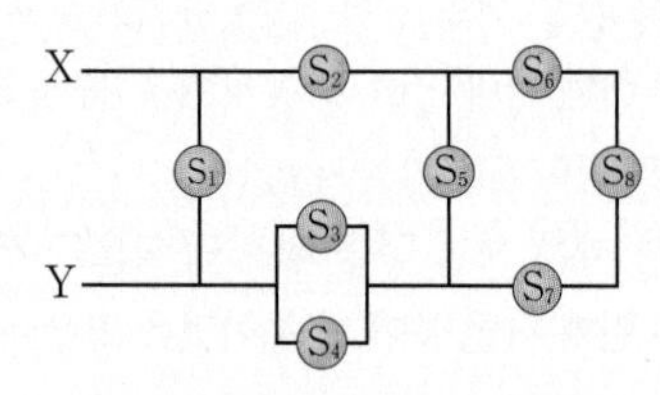

20*

| 제한시간 2분 |

1부터 12까지의 수가 쓰여 있는 정십이면체의 주사위를 던져 3의 배수의 눈이 나오는 사건을 A라 하자. 똑같은 주사위를 던져 일어나는 사건 B가 사건 A와 독립일 때, 가능한 사건 B는 모두 몇 개인지 구하시오. (단, B는 공사건도 아니고 전사건도 아니다.)

21

| 제한시간 2분 |

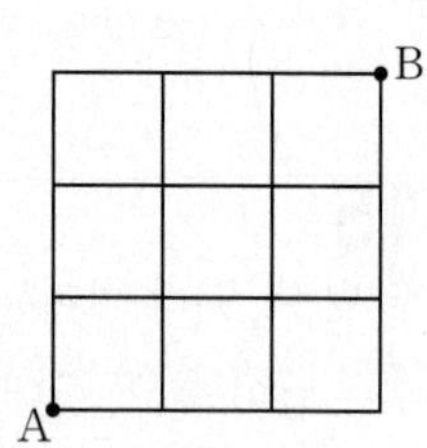

그림과 같이 정사각형으로 이루어진 도로망에서 한 사람은 A 지점에서 B 지점으로, 다른 한 사람은 B 지점에서 A 지점으로 최단 경로를 따라 간다. 두 사람이 동시에 출발하여 같은 속도로 이동할 때, 서로 만나지 않고 각각 B 지점, A 지점에 도착할 확률을 p라 하자. 다음을 구하시오.

(1) 각 갈림길에서 이동 경로를 선택하는 확률이 같을 때 $16p$의 값

(2) 최단 거리로 가는 전체 경로에서 각 경로를 선택하는 확률이 같을 때 $100p$의 값

독립시행의 확률

22

| 제한시간 1.5분 |

주사위를 던져서 앞의 눈과 같은 눈이 나오면 1점을 얻는 게임을 한다. 주사위를 10번 던져서 3점을 얻을 확률을 p라 할 때, $6^8 \times p$의 양의 약수의 개수를 구하시오.

23*

| 제한시간 1.5분 |

프로 야구 한국시리즈는 4번을 먼저 이기는 팀이 우승한다. A, B 두 팀이 한국시리즈를 벌인다. 이때 A팀이 1차전을 이기고, 우승할 확률을 p_1이라 하고, A팀이 1차전과 2차전을 먼저 이기고 우승할 확률을 p_2라 하자.
$32(p_1+p_2)$의 값을 구하시오.

$\left(\text{단, A, B 두 팀이 경기에서 이길 확률은 각각 } \frac{1}{2}\text{이다.}\right)$

24

| 제한시간 1.5분 |

그림과 같이 입구에 공을 넣으면 아래로 공이 굴러 나오는 기구가 있다. 모든 갈림길에서 공이 왼쪽으로 갈 확률은 $\frac{2}{3}$이고 오른쪽으로 갈 확률은 $\frac{1}{3}$이다. 공을 A에 넣었을 때 당첨될 확률을 p_A, B에 넣었을 때 당첨될 확률을 p_B라 할 때, $81(p_B+p_A)$의 값을 구하시오.

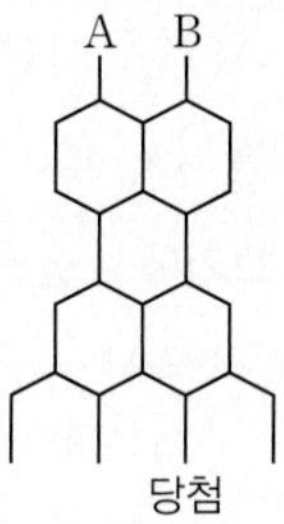

A B

당첨

25

| 제한시간 2분 |

주사위를 던져 3의 배수의 눈이 나오면 1점을 얻는 경기가 있다. 주사위를 50번 던졌을 때, 득점이 짝수일 확률은? (단, 0도 짝수로 생각한다.)

① $\frac{1}{2}\left\{1+\left(\frac{2}{3}\right)^{50}\right\}$
② $\frac{1}{2}\left\{1-\left(\frac{2}{3}\right)^{50}\right\}$
③ $\frac{1}{2}\left\{1+\left(\frac{1}{3}\right)^{50}\right\}$
④ $\frac{1}{2}\left\{1-\left(\frac{1}{3}\right)^{50}\right\}$
⑤ $\frac{1}{2}\left\{1+\left(\frac{1}{2}\right)^{50}\right\}$

26

| 제한시간 1.5분 |

A, B 두 사람이 각각 이길 확률이 $\frac{1}{2}$인 경기를 한다. 경기를 n번 해서 A가 k번 이기는 사건을 $A(n, k)$라 할 때, **보기**에서 옳은 것을 모두 고른 것은?

보기

ㄱ. $\mathrm{P}(A(3, 2))=\frac{3}{8}$

ㄴ. $\mathrm{P}(A(5, 3)\,|\,A(2, 1))=\mathrm{P}(A(3, 2))$

ㄷ. $\mathrm{P}(A(3, 1)\cap A(7, 4))=\mathrm{P}(A(3, 1))\times \mathrm{P}(A(4, 3))$

① ㄱ　② ㄱ, ㄴ　③ ㄷ
④ ㄴ, ㄷ　⑤ ㄱ, ㄴ, ㄷ

점화식과 확률

27

| 제한시간 1.5분 |

일렬로 늘어선 사람들이 앞사람에게 들은 말을 뒷사람에게 전하고 있다. 이때 앞사람에게 들은 대로 전할 확률은 0.95이고, 앞사람에게 들은 것과 반대로 전할 확률이 0.05라 한다. n번째 서 있는 사람이 처음 전하기 시작한 말과 같은 말을 전달받았을 확률을 p_n이라 하고, n이 한없이 커질 때 p_n의 값을 $\lim_{n\to\infty} p_n$이라 하자. $\lim_{n\to\infty} p_n$의 값은? (단, 전하는 말은 '~이다'와 '~이 아니다' 두 종류뿐이다.)

① $\frac{1}{3}$　② $\frac{1}{2}$　③ $\frac{2}{3}$　④ $\frac{3}{4}$　⑤ $\frac{4}{5}$

28

| 제한시간 1.5분 |

A, B 두 사람이 1부터 6까지의 자연수가 적힌 주사위를 던진다. A가 던져 1이 나오면 A가 또 던지고, 그 외의 눈이 나오면 B가 던진다. B가 던져 5나 6의 눈이 나오면 B가 또 던지고, 그 외의 눈이 나오면 A가 던진다. 처음에 A가 던지고 n번째에 A가 던질 확률을 p_n이라 하고, n이 한없이 커질 때 p_n의 값을 $\lim_{n\to\infty} p_n=\alpha$라 하자. α의 값은?

① $\frac{1}{9}$　② $\frac{2}{9}$　③ $\frac{1}{3}$　④ $\frac{4}{9}$　⑤ $\frac{5}{9}$

29

| 제한시간 1.5분 |

1부터 6까지의 번호가 붙은 스위치가 모두 on 상태에 있다. 주사위를 던져 나온 눈의 수와 같은 번호의 스위치에 대해 on, off의 상태를 바꾼다. 이 시행을 n번 반복할 때, 1번 스위치와 2번 스위치의 on, off 상태가 같을 확률을 p_n이라 하고, n이 한없이 커질 때 p_n의 값을 $\lim_{n\to\infty} p_n=\alpha$라 하자. 이때 다음을 구하시오.

(1) $30p_1$의 값

(2) 100α의 값

01*

1부터 7까지의 수가 하나씩 적혀 있는 카드 7장이 있을 때 다음 값을 구하시오.

(1) 짝수가 적힌 모든 카드가 짝수 번째에 놓여 있지 않을 확률이 p_1일 때 $210p_1$의 값

(2) 짝수가 적힌 모든 카드는 자기 번호와 같은 위치에 놓이지 않을 확률이 p_2일 때 $210p_2$의 값

02

수직선 위를 움직이는 점 P가 원점에 있다. 동전을 던져 앞면이 나오면 오른쪽으로 1만큼, 뒷면이 나오면 왼쪽으로 1만큼 움직일 때 다음을 구하시오.

(1) 동전을 7번 던지는 동안 점 P가 원점을 지나지 않을 확률이 p_1일 때, $128p_1$의 값

(2) 동전을 8번 던져 점 P가 수직선 위의 점 A(1)을 지나 다시 원점으로 돌아올 확률이 p_2일 때, $70p_2$의 값

03*

8칸짜리 표 안에 〈예시〉와 같이 1부터 8까지의 수를 임의로 써넣는다. 이때 다음 값을 구하시오.

	1열	2열	3열	4열
1행	1	3	4	6
2행	2	5	7	8

〈예시〉

(1) 같은 행에서는 항상 오른쪽 수가 왼쪽 수가 더 크도록 배열될 확률이 p_1일 때 $2880p_1$의 값

(2) 같은 열에서는 항상 아래에 있는 수가 위의 수보다 더 크도록 배열될 확률이 p_2일 때 $2880p_2$의 값

(3) 〈예시〉와 같이 같은 행에서는 항상 오른쪽 수가 왼쪽 수보다 더 크고, 같은 열에서는 항상 아래에 있는 수가 위의 수보다 더 크도록 배열될 확률이 p_3일 때 $2880p_3$의 값

04*

어떤 빵집에서는 손님이 케이크를 하나 살 때마다 스티커를 한 장씩 주는데, 각 스티커에는 '축', '당', '첨' 중 하나의 글자가 적혀 있다. 세 종류의 스티커를 모두 모으면 사은품을 준다고 한다. 다음 값을 구하시오. (단, 케이크를 살 때마다 스티커는 서로 독립적으로 나온다.)

(1) 3개만 사고 사은품을 받을 확률이 a일 때, $27a$의 값

(2) 케이크 5개를 사고 사은품을 받지 못할 확률이 b일 때, $81b$의 값

05

1부터 5까지의 자연수가 하나씩 적힌 구슬 5개가 들어 있는 주머니가 있다. A, B 두 사람이 이 주머니에서 구슬을 꺼내 구슬에 적힌 수를 확인하고 다시 집어넣는 시행을 차례로 각각 10번씩 반복하였다. k번째에 A, B 두 사람이 꺼낸 구슬에 적힌 수를 각각 a_k, b_k라 할 때, $a_1b_1+a_2b_2+\cdots+a_{10}b_{10}$이 홀수가 될 확률은?

① $\frac{1}{2}\left\{1+\left(\frac{16}{25}\right)^{10}\right\}$ ② $\frac{1}{2}\left\{1+\left(\frac{9}{25}\right)^{10}\right\}$

③ $\frac{1}{2}\left\{1-\left(\frac{9}{25}\right)^{10}\right\}$ ④ $\frac{1}{2}\left\{1+\left(\frac{7}{25}\right)^{10}\right\}$

⑤ $\frac{1}{2}\left\{1-\left(\frac{7}{25}\right)^{10}\right\}$

06

창의력

1부터 15까지 자연수 15개를 다음과 같이 k번 행에 k개 수를 임의로 나열하였다. k행에 나열된 수 중 최대의 수를 M_k라 할 때, $M_1<M_2<M_3<M_4<M_5$일 확률은?

(단, $k=1, 2, 3, 4, 5$)

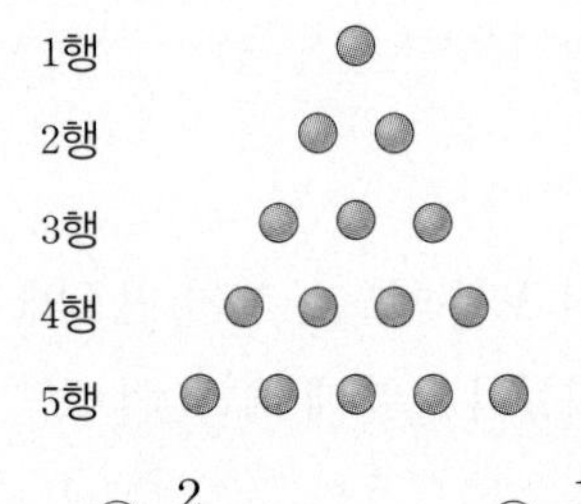

① $\frac{1}{45}$ ② $\frac{2}{45}$ ③ $\frac{1}{15}$

④ $\frac{4}{45}$ ⑤ $\frac{1}{9}$

07*

A는 주사위를 한번 던져 나온 눈의 수만큼 점수를 얻고, B는 동전 7개를 던져 나온 앞면의 개수만큼 점수를 얻는다고 한다. A, B가 비길 확률을 p_1, A가 B를 이길 확률을 p_2라 할 때, $768(p_1+p_2)$의 값을 구하시오.

08*

주사위를 던져 3의 배수의 눈이 나오면 A가 2점을 얻고, 그 외의 눈이 나오면 B가 1점을 얻는다. n점을 먼저 얻는 사람이 승리한다고 한다. 경기의 승패가 결정되기까지 주사위를 던져야 하는 최대 횟수를 $f(n)$이라 할 때, 다음을 구하시오.

(1) $f(4)+f(5)$의 값

(2) $n=4$에서 A가 승리할 확률이 p일 때, $243p$의 값

09

그림과 같이 정사각형 ABCD에서 점 P는 1초가 지날 때마다 꼭짓점 위를 움직이는데, 바로 옆에 이웃한 두 점으로 갈 확률과 제자리에 있을 확률이 각각 $\frac{1}{3}$이다. n초 후에 점 P가 꼭짓점 A에 있을 확률을 a_n이라 하고, n이 한없이 커질 때 a_n의 값을 $\lim_{n\to\infty} a_n$이라 하자. 다음을 구하시오.

(단, 맨 처음에 점 P가 꼭짓점 A에 있다.)

(1) $243a_6$의 값

(2) $100\lim_{n\to\infty} a_n$의 값

5 이산확률분포

1 확률변수와 확률분포

(1) 어떤 시행에서 표본공간 S의 각 원소에 하나의 실숫값이 대응되는 함수를 **확률변수**라 한다. 확률변수는 흔히 알파벳 대문자 X, Y, Z 등으로 나타내고, 확률변수가 가지는 값은 소문자 x, y, z 등으로 나타낸다.

(2) 확률변수 X가 가지는 값을 셀 수 있을 때, 그 확률변수 X를 **이산확률변수**라 한다. 이산확률변수 X가 가지는 어떤 값 x에 대응하는 확률을 기호 $\mathbf{P(X=x)}$로 나타낸다.

(3) 이산확률변수 X가 가지는 모든 값 x_1, x_2, $\cdots$, x_n에 X가 그 값을 가질 확률 p_1, p_2, $\cdots$, p_n이 각각 대응할 때, 이 대응을 이산확률변수 X의 **확률분포**라 한다. 확률분포는 표나 그래프 등으로 나타낸다.

(4) 이산확률변수 X의 확률분포를 나타내는 함수 $p(x)=\mathrm{P}(X=x)$를 이산확률변수 X의 **확률질량함수**라 한다.(단 $x=x_1$, x_2, $\cdots$, x_n)

(5) 이산확률변수 X가 a 이상 b 이하의 값을 가질 확률을 $\mathbf{P(a\le X\le b)}$로 나타내며, 그 확률은 $x_i\in\{x\,|\,a\le x\le b\}$인 모든 $p(x_i)$의 합이다.

참고

무한히 많다고 해도 셀 수 있으면 이산확률변수이다. 예를 들어 동전 2^{50}개를 던져 나온 앞면의 개수를 확률변수 X라 하면 X가 가질 수 있는 값은 0, 1, $\cdots$, 2^{50}이고, 이때 X는 이산확률변수이다.

① 확률변수 X가 이산확률변수인 경우 X의 값이 될 수 있는 수는 대부분 정수이다.

② 확률변수가 정해지지 않은 문제를 풀 때는 가장 먼저 무엇을 확률변수 X로 놓을지 정해야 하고, 이때 X의 값이 될 수 있는 수가 무엇인지 생각해야 한다.

2 확률질량함수의 성질

확률변수 X가 가지는 값이 x_1, x_2, $\cdots$, x_n이고, X의 확률질량함수가 $p(x)$일 때, 다음 성질이 성립한다.

① $\mathbf{0\le p(x)\le 1}$　　② $\mathbf{p(x_1)+p(x_2)+\cdots+p(x_n)=1}$

예 $x=1, 2, 3, \cdots$일 때, $p(x)=\dfrac{1}{x}$이면

$$p(1)+p(2)+p(3)+\cdots=1+\frac{1}{2}+\frac{1}{3}+\cdots>1$$

이므로 $p(x)=\dfrac{1}{x}$은 확률질량함수가 아니다.

보기 확률변수 X가 가지는 값이 0, 1, 2, 3이고, $\mathrm{P}(X=0)=\dfrac{1}{8}$, $\mathrm{P}(X=1)=\dfrac{2}{8}$, $\mathrm{P}(X=2)=\dfrac{3}{8}$, $\mathrm{P}(X=3)=k$일 때, $\mathrm{P}(X^2-2X\le 0)$의 값을 구하여라.

풀이 확률변수 X의 확률분포는 표와 같다.

X	0	1	2	3	합계
$\mathrm{P}(X=x)$	$\frac{1}{8}$	$\frac{2}{8}$	$\frac{3}{8}$	k	1

이때 $\dfrac{1}{8}+\dfrac{2}{8}+\dfrac{3}{8}+k=1$이므로 $k=\dfrac{2}{8}$

또 $X^2-2X\le 0$에서 $X=0, 1, 2$

$\therefore \mathrm{P}(X^2-2X\le 0)=1-\mathrm{P}(X=3)=\mathbf{\dfrac{3}{4}}$

4 이산확률분포의 기댓값, 분산, 표준편차

(1) 이산확률변수 X의 확률분포가 $P(X=x)=p_i\ (i=1,\ 2,\ \cdots,\ n)$일 때

① 기댓값(평균): $\mathbf{E(X)=\sum_{i=1}^{n} x_i p_i = m}$

② 분산: $\mathbf{V(X)=\sum_{i=1}^{n} x_i^2 p_i - m^2 = E(X^2)-\{E(X)\}^2}$

③ 표준편차: $\boldsymbol{\sigma(X)=\sqrt{V(X)}}$

(2) $aX+b$ 꼴 확률변수일 때 기댓값과 분산은 다음과 같다.

$\mathbf{E(aX+b)=aE(X)+b,\ V(aX+b)=a^2V(X)}$

참고
분산 $V(X)$는 편차의 제곱의 기댓값(평균)이므로 $E\{(X-m)^2\}$을 뜻한다.
그런데 $E\{(X-m)^2\}=E(X^2)-\{E(X)\}^2$이므로 실제 분산을 구할 때는 계산이 좀 더 간단한 $E(X^2)-\{E(X)\}^2$을 이용한다.

※ $V(X)=E\{(X-m)^2\}$
$=E(X^2-2mX+m^2)$
$=E(X^2)-2mE(X)+m^2$
$=E(X^2)-m^2$
$=E(X^2)-\{E(X)\}^2$

참고
$\sigma(aX+b)=|a|\sigma(X)$

보기 1부터 5까지의 자연수가 하나씩 적혀 있는 카드 5장이 있다. 이중에서 2장을 동시에 뽑을 때, 두 카드에 적힌 수의 차를 확률변수 X라 하자. 이때 $E(X)$, $\sigma(X)$를 각각 구하여라.

풀이 표본공간의 원소 개수는 ${}_5C_2$이고, X가 가질 수 있는 값은 1, 2, 3, 4다.
$X=1$은 두 수의 차가 1일 때이므로 (1, 2), (2, 3), (3, 4), (4, 5)
네 가지 경우가 가능하다. 즉 $P(X=1)=\frac{4}{{}_5C_2}=\frac{4}{10}$
이와 같이 X의 확률분포를 정리하면 다음과 같다.

X	1	2	3	4	합계
$P(X=x)$	$\frac{4}{10}$	$\frac{3}{10}$	$\frac{2}{10}$	$\frac{1}{10}$	1

$E(X)=\frac{1\times4+2\times3+3\times2+4\times1}{10}=2$

$E(X^2)=\frac{1^2\times4+2^2\times3+3^2\times2+4^2\times1}{10}=5$

이때 $V(X)=E(X^2)-\{E(X)\}^2=5-4=1$이므로
$\sigma(x)=\sqrt{V(X)}=\mathbf{1}$

5 이항분포

(1) 한 번의 시행에서 일어날 확률이 p인 사건을 n번 독립시행할 때, 이 사건이 일어난 횟수를 확률변수 X라 하면 X의 확률분포를 **이항분포**라 하고 기호로는 $\mathbf{B(n,\ p)}$로 나타낸다. 이때 X의 확률질량함수는 다음과 같다.

$\mathbf{P(X=k)={}_nC_k p^k q^{n-k}}$ ($k=0,\ 1,\ 2,\ \cdots,\ n$이고, $q=1-p$)

(2) 확률변수 X가 $B(n,\ p)$를 따를 때,

$\mathbf{E(X)=np,\ V(X)=npq,\ \sigma(X)=\sqrt{npq}}$ (단, $q=1-p$)

참고
독립시행이 되기 위한 조건
- 같은 시행을 여러 번 반복한다.
- 각 시행에서 특정한 사건이 일어날 확률이 일정하다.
- 각 시행의 결과는 다른 시행의 결과에 아무런 영향을 받지 않는다.

보기 ${}_5C_1\left(\frac{4}{5}\right)\left(\frac{1}{5}\right)^4+2\,{}_5C_2\left(\frac{4}{5}\right)^2\left(\frac{1}{5}\right)^3+\cdots+5\,{}_5C_5\left(\frac{4}{5}\right)^5$의 값을 구하여라.

풀이 (주어진 식)$=\sum_{x=0}^{5} x\,{}_5C_x\left(\frac{4}{5}\right)^x\left(\frac{1}{5}\right)^{5-x}$은 이항분포 $B\left(5,\ \frac{4}{5}\right)$를 따르는 확률변수 X의 기댓값 $\sum_{x=0}^{5} xP(X=x)$와 같으므로 $5\times\frac{4}{5}=\mathbf{4}$

참고
일반적인 현상 중 성공과 실패, 찬성과 반대, 합격과 불합격 등 가능한 결과가 오직 2가지뿐이면 이항분포를 생각한다.

이산확률분포

01*

1, 3, 5, 7이 하나씩 적혀 있는 카드 4장 중 임의로 2장을 뽑았을 때, 카드에 적힌 두 수의 차를 확률변수 X라 하자. $\mathrm{P}(X \le 4)=k$일 때 $30k$의 값을 구하시오.

02

이산확률분포 X의 확률질량함수가

$$\mathrm{P}(X=x)=\frac{{}_{10}\mathrm{C}_x}{k}\ (x=1, 2, 3, \cdots, 10)$$

일 때, $12k \times \frac{\mathrm{P}(X=1)}{\mathrm{P}(X=3)}$의 값을 구하시오.

(단, k는 상수이다.)

03

확률변수 X의 확률분포에서

$$\mathrm{P}(X=x+1)=\frac{1}{3}\mathrm{P}(X=x)\ (x=1, 2, \cdots, 5)$$

인 관계가 있을 때, $\mathrm{P}(X=5)$의 값은?

① $\frac{1}{121}$ ② $\frac{2}{121}$ ③ $\frac{3}{121}$ ④ $\frac{4}{121}$ ⑤ $\frac{5}{121}$

기댓값

04

새 건전지 2개와 폐건전지 3개가 섞여 있는 상자에서 새 건전지를 모두 찾을 때까지 한 개씩 계속 검사하려고 한다. 검사한 횟수를 확률변수 X라 할 때, $\mathrm{E}(X)$의 값을 구하시오. (단, 검사한 건전지는 다시 넣지 않는다.)

05

주사위를 던져 나오는 눈의 수를 득점으로 하는 게임이 있다. 처음 던진 주사위의 눈의 수가 1, 2, 3이면 한 번 더 던져 나온 눈의 수를 점수로 얻고, 처음 던진 주사위의 눈의 수가 4, 5, 6이면 그 눈의 수를 바로 점수로 얻는다. 이때 얻은 점수를 확률변수 X라 할 때 $\mathrm{E}(X)$는?

① $\frac{43}{12}$ ② $\frac{47}{12}$ ③ $\frac{17}{4}$ ④ $\frac{55}{12}$ ⑤ $\frac{19}{4}$

06

서로 다른 두 개의 주사위를 동시에 던질 때, 나온 두 눈의 수가 다르면 그 중에서 작은 값을 X, 두 눈의 수가 같으면 그 값을 X라 하자. 확률변수 X의 기댓값은?

① $\frac{83}{36}$ ② $\frac{85}{36}$ ③ $\frac{29}{12}$ ④ $\frac{89}{36}$ ⑤ $\frac{91}{36}$

평균, 분산, 표준편차

07

다음 표는 확률변수 X의 확률분포를 나타낸 것이다. **보기**에서 옳은 것을 모두 고르시오. (단, a, b는 상수)

X	0	1	2	3	계
$P(X=x)$	a	$\frac{1}{6}$	b	$\frac{1}{6}$	1

보기

ㄱ. $a+b=\frac{2}{3}$

ㄴ. b값이 커지면 X의 평균 $E(X)$는 작아진다.

ㄷ. 확률변수 X의 분산 $V(X)$의 최댓값은 $\frac{4}{3}$다.

08

1부터 9까지가 하나씩 적힌 카드 9장이 주머니에 들어 있다. 이 주머니에서 카드 5장을 동시에 꺼내, 카드에 적힌 수의 합에서 꺼내지 않은 카드 4장에 적힌 수의 합을 뺀 값을 확률변수 X라 하자. 이때 기댓값 $E(X)$를 구하시오.

09

끈 20개의 길이 평균은 40이고, 표준편차는 8이다. 각각의 끈을 가지고 정사각형을 만들었을 때, 이 정사각형 20개 넓이의 평균을 구하시오.

이항분포

10

주사위를 던져 3의 배수인 눈이 나올 때마다 원점에 있는 점 P가 다음과 같은 **규칙**에 따라 움직인다. 예를 들면 3의 배수의 눈이 두 번 나오면 점 P는 원점에서 (4, 4)로 움직인다. 점 P의 x좌표, y좌표를 각각 확률변수 X, Y라 하고, 주사위를 180번 던질 때, 점 $E(X)+E(Y)$의 값을 구하시오.

규칙

(가) x축의 양의 방향으로 2만큼씩 움직인다.

(나) y축의 양의 방향으로는 순서대로 1, 3, 5, 7, …만큼씩 평행이동한다.

11

주사위 두 개를 400번 던질 때, 두 눈의 수의 곱이 a 이하로 나올 때마다 상금을 20원씩 받기로 하였다. 상금 총액의 평균과 분산을 각각 m, σ^2이라 할 때, $\sigma^2 \le 15m$이 성립하기 위한 자연수 a의 최솟값을 구하시오.

12

1의 눈이 적힌 면이 2개, 3의 눈이 적힌 면이 4개인 주사위가 있다. 이런 주사위 10개를 동시에 던져 3의 눈이 나오는 주사위가 X개이면 4^X의 점수를 받는 게임에서 얻을 수 있는 점수의 기댓값 $E(4^X)$의 값은?

① 2^9 ② 3^9 ③ 2^{10} ④ 3^{10} ⑤ 2^{11}

13

흰 공과 검은 공이 합쳐서 10개 들어 있는 주머니가 있다. 두 개씩 꺼내 보고 다시 넣는 시행을 10번 해서 꺼낸 공 2개가 모두 흰 공인 횟수를 확률변수 X라 하자. X의 분산이 최대가 되도록 하려면 주머니 속에 든 흰 공은 몇 개인지 구하시오.

14

1부터 6까지 자연수가 표시된 주사위를 10번 던질 때, 짝수가 나온 횟수와 홀수가 나온 횟수의 차의 제곱을 Y라 하면 $E(Y)$는?

① 10 ② 12 ③ 14 ④ 16 ⑤ 18

15

10 이하의 음이 아닌 정수 r에 대하여 함수 f를

$$f(r) = {}_{10}C_r\left(\frac{1}{2}\right)^{10}$$

이라 할 때, $2\sum_{r=0}^{10} r^2 f(r)$의 값을 구하시오.

[학력평가 기출]

이산확률분포

01
| 제한시간 1.5분 |

남학생 2명과 여학생 2명을 일렬로 세울 때, 남학생 사이에 있는 여학생 수를 확률변수 X라 하자. 이때 $\mathrm{P}(X\leq 1)$의 값은?

① $\frac{1}{6}$ ② $\frac{1}{3}$ ③ $\frac{1}{2}$ ④ $\frac{2}{3}$ ⑤ $\frac{5}{6}$

02*
| 제한시간 1.5분 |

확률변수 X의 확률질량함수가

$$\mathrm{P}(X=x)=\log_2 p_x \ (x=1, 2, 3, 4, 5)$$

이고, p_1, p_2, p_3, p_4, p_5가 이 순서대로 등비수열을 이룰 때, 확률 $\mathrm{P}(X=2)+\mathrm{P}(X=4)$의 값은?

① $\frac{3}{10}$ ② $\frac{2}{5}$ ③ $\frac{1}{2}$ ④ $\frac{3}{5}$ ⑤ $\frac{7}{10}$

03
| 제한시간 2분 |

주사위를 4번 던져 k번째 $(k=1, 2, 3, 4)$에 나온 눈의 수를 4로 나눈 나머지를 a_k라 하고, 확률변수 X를 $X=a_1+a_2+a_3+a_4$라 할 때, $\mathrm{P}(X=3)=p$이다. $108p$의 값을 구하시오.

04
| 제한시간 2분 |

이산확률변수 X가 가지는 값이 $1, 2, 3, \cdots, 2n$이고, X의 확률질량함수가 다음 조건을 만족시킨다. 상수 a와 두 자리 자연수 n에 대하여 $a+n$의 값을 구하시오.

(가) $\mathrm{P}(X\geq x)=a-\log_{2n+1}x \ (x=1, 2, 3, \cdots, 2n)$
(나) $\mathrm{P}(X=5)=\log_5\sqrt{6}-\frac{1}{2}$

기댓값

05
| 제한시간 2분 |

흰 공과 검은 공이 4개씩 들어 있는 주머니에서 공을 한 개 꺼내 그 공의 색을 기록하고, 꺼낸 공과 같은 색 공을 2개를 더하여 공 3개를 주머니에 다시 넣는 시행을 3회 반복할 때, 흰색이 기록된 횟수를 X라 하면 $\mathrm{E}(X)=\frac{q}{p}$이다. $p+q$의 값을 구하시오.(단, p, q는 서로소인 자연수이다.)

06

| 제한시간 2분 |

1부터 4까지 적혀 있는 정사면체 한 개를 3번 던져 바닥에 닿은 면에 있는 눈의 수를 차례로 a_1, a_2, a_3이라 할 때, 부등식 $a_n \geq a_{n+1}$을 만족시키는 2 이하의 자연수 n의 개수를 확률변수 X라 하자. 예를 들어 정사면체를 3번 던져 나온 눈의 수가 차례로 3, 3, 4이면 $X=1$이고, 1, 2, 3이면 $X=0$이다. $\mathrm{E}(X)=\frac{q}{p}$일 때, $p+q$의 값을 구하시오.

(단, p, q는 서로소인 자연수이다.)

07

| 제한시간 2분 |

한 퀴즈 대회에서 문제 $x_1, x_2, \cdots, x_{10}$이 출제되었다. $x_1, x_2, \cdots, x_{10}$의 순서로 문제를 풀고, 문제 x_k를 맞힐 확률은 $p(x_k)=\frac{11-k}{12-k}$ $(k=1, 2, \cdots, 10)$라 한다.

차례대로 문제를 풀다가 문제 x_k에서 틀리는 순간 상금 k만 원을 받고 탈락되며, 10문제 모두 맞히면 a만 원의 상금을 받는다고 한다. 이 퀴즈 대회에 도전하여 받을 수 있는 상금의 기댓값이 7만 원 이상이 되도록 하는 자연수 a의 최솟값을 구하시오.

08

| 제한시간 2분 |

확률변수 X가 가지는 값은 자연수 $1, 2, 3, \cdots, n$이고, $\mathrm{P}(X \leq k)=ak^2$ $(k=1, 2, 3, \cdots, n)$일 때, X의 기댓값 $\mathrm{E}(X)=\frac{(qn+1)(rn-1)}{pn}$이다. $p+q+r$의 값을 구하시오. (단, p, q, r는 자연수이다.)

09

| 제한시간 2분 |

주머니 안에 카드가 7장 있다. 빨간색 카드에는 1, 3, 5, 노란색 카드에는 2, 4, 파란색 카드에는 0, 2가 각각 적혀 있다. 이 주머니에서 카드 세 장을 동시에 꺼낼 때, 확률변수 X가 다음과 같다. 기댓값 $\mathrm{E}(X)$는?

(가) 카드 세 장의 색이 모두 다르면 $X=0$
(나) 카드 세 장 중 같은 색 카드가 두 장이면
$X=$(같은 색인 두 장의 카드에 적힌 수의 산술평균)
(다) 카드 세 장의 색이 모두 같으면
$X=$(카드에 적힌 세 수의 합)

① $\frac{11}{7}$　② $\frac{12}{7}$　③ $\frac{13}{7}$　④ 2　⑤ $\frac{15}{7}$

10

| 제한시간 2분 |

주사위 3개를 던져 나온 눈의 수들 중에서 두 수의 차의 최댓값을 확률변수 X라 할 때, 기댓값 $E(X)=\frac{q}{p}$이다. $p+q$의 값을 구하시오. (단, p, q는 서로소인 자연수)

11

| 제한시간 2분 |

두 팀이 축구를 하는데, 매 경기마다 두 팀이 무승부가 될 확률은 r라 한다. 무승부가 되면 다시 경기를 벌이고, 계속 무승부가 되어 총 경기 횟수가 10일 때까지도 승부가 나지 않으면 동전 던지기로 승부를 결정한다. 이때 두 팀이 치르게 될 경기 횟수의 기댓값을 r에 대한 식으로 나타내면 $\frac{a-r^b}{1-r}$이다. 자연수 a, b에 대하여 $a+b$의 값을 구하시오.(단, $0<r<1$)

12

| 제한시간 2분 |

A 주머니에는 흰 공 3개, 검은 공 2개가 들어 있고, B 주머니에는 흰 공 2개, 검은 공 3개가 들어 있다. A 주머니에서 공 2개를 꺼내서 나온 흰 공 개수를 확률변수 X라 하라 하자. 또 B 주머니에서 공 2개를 꺼내서 나온 흰 공 개수를 확률변수 Y라 하자. 이때 두 확률변수 X, Y의 곱에 대한 기댓값 $E(XY)$는?

① $\frac{16}{25}$　② $\frac{4}{5}$　③ $\frac{24}{25}$　④ $\frac{28}{25}$　⑤ $\frac{32}{25}$

평균, 분산, 표준편차

13

| 제한시간 1.5분 |

자연수 1, 1, 2, a, 5가 하나씩 적혀 있는 카드 5장 중에서 뽑은 카드에 적혀 있는 수를 확률변수 X라 하자. $E(5X+1)=13$이고, $\sigma(5X+1)=\sqrt{m}$일 때, 자연수 m 값을 구하시오.

14

| 제한시간 1.5분 |

주사위 두 개를 던져 나온 눈의 수를 각각 a, b라 할 때, 이차방정식 $x^2+2ax+b^2=0$의 실근의 개수를 확률변수 X라 하자. 이때 $E(6X-1)+V(6X+1)$의 값을 구하시오. (단, 중근은 실근이 1개인 것으로 생각한다.)

15*

| 제한시간 2분 |

카드 10장에 0, 2, 6 중 어느 한 수를 표시하고, 이중에서 임의로 택한 카드에 적힌 수를 확률변수 X라 하자. 이때 $\mathrm{E}(X)=3$, $\mathrm{V}(X)\le 6$이 되도록 하려면 0을 쓴 카드는 몇 장이어야 하는지 구하시오. (단, 0, 2, 6 중 표시가 한 번도 안 된 수는 없다.)

16

| 제한시간 2분 |

상자 A에는 -1, 0, 1이 하나씩 적혀 있는 카드 3장이 있고, 상자 B에는 -3, -2, -1, 0, 1, 2, 3이 하나씩 적혀 있는 카드 7장이 있다. 두 상자 A, B에서 동시에 카드 한 장씩 뽑아 나온 수를 각각 m, n이라 할 때, 직선 $y=mx+n$과 원 $x^2+y^2=2$가 만나는 점의 개수를 확률변수 X라 하자. 이때 $\mathrm{V}(21X+8)$의 값을 구하시오. (직선과 원이 접할 때는 한 점에서 만나는 것으로 생각한다.)

17

| 제한시간 1.5분 |

둘레 길이가 20인 직사각형이 n개 있다. 가로 길이의 평균과 표준편차가 각각 8, 1일 때, 이 직사각형 n개의 넓이 평균을 구하시오.

18

| 제한시간 2분 |

주사위를 한 번 던질 때마다 100원을 내는 대신 주사위를 던져서 나온 눈의 수가 X이면 $(mX+n)$원을 상금으로 받는 게임이 있다. 한 번의 게임에서 참가비 100원을 제외하고 받는 금액의 기댓값이 0원이 될 때, 참가비 100원을 제외하고 받는 금액에 대한 분산의 최솟값은?

(단, m, n은 양의 정수)

① $\frac{35}{2}$ ② $\frac{35}{3}$ ③ $\frac{35}{4}$ ④ $\frac{35}{6}$ ⑤ $\frac{35}{8}$

이항분포

19
| 제한시간 1.5분 |

A, B 두 사람이 각각 주사위 한 개를 동시에 던져서 나온 눈의 수의 차가 3보다 작으면 A가 1점을 얻고, 그렇지 않으면 B가 1점을 얻는다. 이와 같은 시행을 15번 반복할 때, A, B가 얻는 점수 기댓값의 차를 구하시오.

[모의평가 기출]

20
| 제한시간 1.5분 |

흰 공과 검은 공이 들어 있는 주머니에서 한 개의 공을 꺼낼 때 흰 공이 나올 확률이 $\frac{1}{2}$이라 한다. 이 주머니에서 공을 한 개 꺼내 색을 확인한 후 다시 주머니에 넣는 시행을 9번 반복할 때 흰 공이 나오는 횟수를 확률변수 X라 하자. 이때 $P(X \le k) \le 0.5$를 만족시키는 자연수 k의 최댓값을 구하시오.

21
| 제한시간 1.5분 |

흰 공 3개와 검은 공 2개가 들어 있는 주머니에서 공 두 개를 꺼낸 다음 다시 집어넣는 시행을 200번을 한다. 이때 꺼낸 두 공 모두 흰 공이 나오는 횟수를 확률변수 X라 하고, 또 흰 공 1개와 검은 공 4개가 들어 있는 주머니에서 마찬가지 시행을 n번 할 때 서로 다른 색의 공이 나오는 횟수를 확률변수 Y라 하자. X와 Y의 평균이 같아지도록 하는 n의 값을 n_1, 분산이 같아지도록 하는 n의 값을 n_2라 할 때, n_1+n_2의 값을 구하시오.

22
| 제한시간 2분 |

이항분포 $B(n, p)$를 따르는 확률변수 X가 다음 두 조건을 만족시킬 때, $E(X^2-2X+1)$의 값을 구하시오.

(가) $P(X=n-1)=48P(X=n)$
(나) $V(X)=3$

23

| 제한시간 1.5분 |

확률변수 X의 확률질량함수가

$$P(X=x)=\frac{{}_{50}C_x\times 4^x}{5^{50}}\ (x=0,\ 1,\ 2,\ \cdots,\ 50)$$

일 때, $\sum_{x=0}^{50} x^2\ {}_{50}C_x \frac{4^x}{5^{49}}$의 값은?

① 6000 ② 6200 ③ 7060
④ 7200 ⑤ 8040

24*

| 제한시간 2분 |

이산확률변수 X에 대하여 $P(X=x)=\frac{{}_6C_x}{k}$일 때, 확률변수 X의 기댓값을 m이라 하면 $mk^2=2^a\times 3^b\times 7^c$이다. 세 자연수 $a,\ b,\ c$의 합 $a+b+c$의 값은?

(단, $x=1,\ 2,\ 3,\ 4,\ 5,\ 6$이고 k는 상수이다.)

① 8 ② 9 ③ 10
④ 11 ⑤ 12

[사관학교 기출]

25

| 제한시간 2분 |

어느 창고에 부품 S가 3개, 부품 T가 2 개 있는 상태에서 부품 2개를 추가로 들여왔다. 추가된 부품은 S 또는 T이고, 추가된 부품 중 S의 개수는 이항분포 $B\left(2,\ \frac{1}{2}\right)$을 따른다. 이 부품 7개 중에서 임의로 1개를 선택한 것이 T일 때, 추가된 부품이 모두 S였을 확률은?

① $\frac{1}{6}$ ② $\frac{1}{4}$ ③ $\frac{1}{3}$ ④ $\frac{1}{2}$ ⑤ $\frac{3}{4}$

[모의평가 기출]

26

| 제한시간 2분 |

주사위 하나를 5번 던져서 6의 약수의 눈이 나온 횟수와 6의 약수가 아닌 눈이 나온 횟수의 차를 확률변수 X라 하자. $E(81X)$의 값을 구하시오.

01

신유형

한 퀴즈 대회에서는 참가자가 4문제를 푼다고 한다. 이때 참가자가 k $(1 \le k \le 4)$번째 문제를 맞히면 k점을 득점하고, k번째 문제를 틀리면 k점을 감점한다. 처음 점수는 0점이고, 1번부터 차례로 문제를 푸는데, 점수가 음수가 되거나 4문제 전부를 답하고 나면 끝난다고 한다. k번째 문제에 대하여 정답을 맞힐 확률은 $\left(1-\frac{k}{10}\right)$이며, 각각의 문제에 대해 답을 말하는 것은 독립적이고, 총 점수는 각 문제에서 얻은 점수를 더해서 계산한다. 퀴즈가 끝날 때까지 답한 문제 수를 확률변수 X라 하고, 이때 얻은 점수를 확률변수 Y라 하자. $\mathrm{P}(X=k)$가 최대가 되는 자연수 k와 $\mathrm{P}(Y=m)$이 최소인 정수 m에 대하여 k^2+m^2의 값을 구하시오.

02

융합형

1부터 10까지의 수가 하나씩 적힌 쓰인 카드가 10장 있다. 이 카드 10장 중에서 동시에 두 장을 꺼내 적혀 있는 두 수의 곱을 확률변수 X라 할 때, $\mathrm{E}(3X+12)$의 값을 구하시오.

03

수직선 위의 원점에 점 A가 놓여 있다. 주사위를 던져 4 이하의 수가 나오면 점 A를 오른쪽으로 한 칸 이동하고 5 이상의 수가 나오면 점 A를 원점으로 이동시킨다. 주사위를 n번 던졌을 때, 점 A 위치의 평균을 E_n이라 할 때, $243\mathrm{E}_5$의 값을 구하시오.

04

1, 2, 3 중 하나의 수가 적힌 공이 모두 10개 있다. 이중에서 1이 적힌 공은 2개, 2가 적힌 공은 n개 $(2 \le n \le 6)$다. 이때 임의로 공 두 개를 택해 공에 적힌 수의 합을 4로 나눈 나머지를 확률변수 X라 한다. 확률변수 X의 기댓값이 최대가 되는 n값을 a라 하고, 그때의 기댓값을 b라 하자. $a+45b$의 값을 구하시오.

05

주사위 한 개를 n번 던져서 k번째 $(k=1, 2, 3, \cdots, n)$ 나온 눈의 수를 a_k라 할 때, 실수 x에 대하여

$$f_k(x)=\begin{cases} a_k x^4 & (a_k\text{는 짝수}) \\ a_k x^3 & (a_k\text{는 홀수}) \end{cases}$$

으로 정의한다. 이때 x에 대한 사차 이하의 다항식 $F_n(x)=\sum_{k=1}^{n} f_k(x)$에 대하여 $F_n(1)+F_n(-1)$의 기댓값은?

① $2n$ ② $2n+2$ ③ $3n+2$
④ $4n$ ⑤ $4n+2$

06

그림과 같은 도로망에서 A지점을 출발하여 오른쪽 또는 위쪽으로 이동하여 B지점으로 가는 최단 경로를 생각한다. a, b를 제외한 각 구간을 지나는데 2분 걸리고, 구간 a를 지나는데 1분, 구간 b를 지나는데 8분 걸린다고 한다. 예를 들어 그림에 나타낸 경로를 따라 갈 경우 A지점을 출발하여 B지점까지 가는 데 16분 걸린다. 각각의 최단 경로를 선택할 확률이 같다고 할 때, A지점에서 B지점으로 가는 데 걸리는 시간의 기댓값을 구하시오.

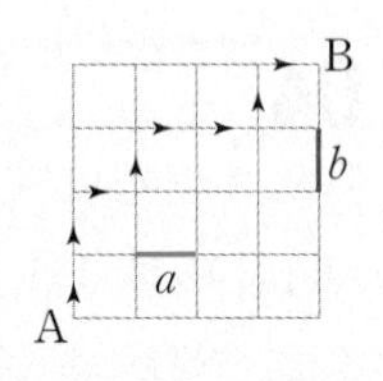

07

좌표평면 위의 한 점 (x, y)에서 세 점 $(x+1, y)$, $(x, y+1)$, $(x+1, y+1)$ 중 한 점으로 이동하는 것을 점프라 하자. 점프를 반복하여 점 $(0, 0)$에서 점 $(4, 3)$까지 이동하는 모든 경우 중에서, 임의로 한 경우를 선택할 때 나오는 점프 횟수를 확률변수 X라 하자. 다음은 확률변수 X의 평균 $\mathrm{E}(X)$를 구하는 과정이다. (단, 각 경우가 선택되는 확률은 동일하다.)

> 점프를 반복하여 점 $(0, 0)$에서 점 $(4, 3)$까지 이동하는 모든 경우의 수를 N이라 하자. 확률변수 X가 가질 수 있는 값 중 가장 작은 값을 k라 하면 $k=$ (가) 이고, 가장 큰 값은 $(k+3)$이다.
>
> $\mathrm{P}(X=k)=\frac{1}{N}\times\frac{4!}{3!}=\frac{4}{N}$
>
> $\mathrm{P}(X=k+1)=\frac{1}{N}\times\frac{5!}{2!2!}=\frac{30}{N}$
>
> $\mathrm{P}(X=k+2)=\frac{1}{N}\times$ (나)
>
> $\mathrm{P}(X=k+3)=\frac{1}{N}\times\frac{7!}{3!4!}=\frac{35}{N}$ 이고
>
> $\sum_{i=k}^{k+3}\mathrm{P}(X=i)=1$이므로 $N=$ (다) 이다.
>
> 따라서 확률변수 X의 평균 $\mathrm{E}(X)$는 다음과 같다.
>
> $\mathrm{E}(X)=\sum_{i=k}^{k+3}\{i\times\mathrm{P}(X=i)\}=\frac{257}{43}$

위의 (가), (나), (다)에 알맞은 수를 각각 l, m, n이라 할 때, $l+m+n$의 값은?

① 190 ② 193 ③ 196 ④ 199 ⑤ 202

[2017학년도 수능]

08

두 상자 A, B에 카드 n장씩이 들어 있고 자연수 1, 2, $\cdots$, n이 하나씩 각 카드에 적혀 있다. 두 상자 A, B에서 임의로 한 장씩 뽑은 카드에 쓰여 있는 번호를 차례로 a, b라 하고, 확률변수 X_n을 다음과 같이 정하자.

$$X_n=\begin{cases} a+b & (a+b\text{는 짝수}) \\ 0 & (a+b\text{는 홀수}) \end{cases}$$

이때 $E(2X_n)$의 값은?(단, n은 짝수)

① $n-2$ ② $n-1$ ③ n ④ $n+1$ ⑤ $n+2$

09

주사위 하나를 n번 던져 k번째 $(k\leq n)$에 나온 눈의 수를 3으로 나눈 나머지를 확률변수 X_k라 하자. 이때 확률변수 Y_n을 $Y_n=X_1\cdot X_2\cdot\cdots\cdot X_n$이라 할 때, Y_n의 기댓값 $E(Y_n)$을 구하시오

10

주머니 안에 공이 n개 들어 있다. 그중 2개는 검은 공이고 나머지는 모두 흰 공이다. 공을 한 개씩 꺼내 보고 주머니로 다시 넣지 않는다고 할 때 검은 공 2개를 모두 꺼낼 때까지 꺼낸 공의 개수를 확률변수 X라 하면 $V(X)=\dfrac{(n+b)(n-c)}{a}$이다. $a+b+c$의 값을 구하시오.

(단, a, b, c는 자연수이다.)

6 정규분포와 통계적 추정

1 연속확률변수와 확률밀도함수

(1) 어떤 구간의 모든 실숫값을 가지는 확률변수를 **연속확률변수**라 한다.

(2) 구간 $[\alpha, \beta]$의 모든 실숫값을 가지는 연속확률변수 X에 대하여 다음 세 성질을 모두 만족시키는 함수 $f(x)$를 연속확률변수 X의 **확률밀도함수**라 한다.

① $\boldsymbol{f(x)\geq 0}$ (단, $\alpha\leq x\leq\beta$)

② $y=f(x)$의 그래프와 x축 및 두 직선 $x=\alpha$, $x=\beta$로 둘러싸인 부분의 **넓이는 1**이다.

③ $\boldsymbol{P(a\leq X\leq b)=\int_a^b f(x)dx}$

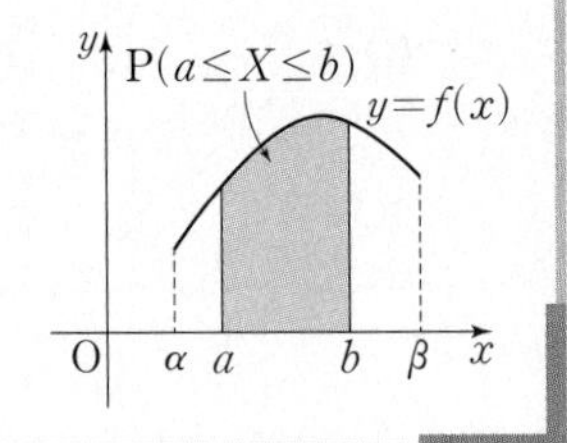

보기 연속확률변수 X의 확률밀도함수가 $f(x)=\frac{1}{2}x\ (0\leq x\leq 2)$일 때 $P(a\leq X\leq 2)=\frac{3}{4}$을 만족시키는 상수 a값을 구하여라.

풀이 $P(a\leq X\leq 2)=\frac{1}{2}\left(\frac{1}{2}a+1\right)(2-a)$

$=\frac{1}{4}(4-a^2)=\frac{3}{4}$

에서 $a^2=1$ $\quad\therefore\ \boldsymbol{a=1}$ ($\because\ 0\leq a\leq 2$)

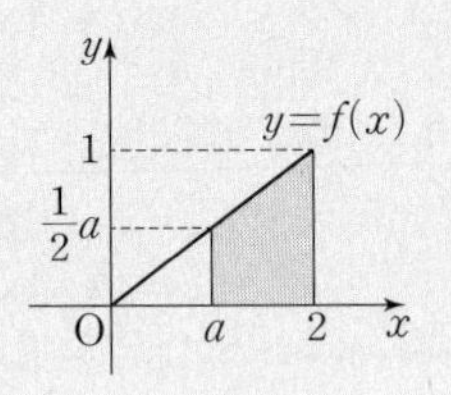

참고

연속확률변수의 평균과 분산

- $E(X)=\int_\alpha^\beta xf(x)dx=m$
- $V(X)=\int_\alpha^\beta (x-m)^2 f(x)dx$

$=\int_\alpha^\beta x^2 f(x)dx-m^2$

2 정규분포와 정규분포곡선

연속확률변수 X의 확률밀도함수가

$$f(x)=\frac{1}{\sqrt{2\pi}\sigma}e^{-\frac{(x-m)^2}{2\sigma^2}}\ (-\infty<x<\infty)$$

으로 주어질 때, X의 확률분포를 **정규분포**라 한다. 이때 X의 평균은 m, 표준편차는 σ이고, X는 정규분포 $\boldsymbol{N(m, \sigma^2)}$을 따른다고 하며, $y=f(x)$의 그래프를 **정규분포곡선**이라 한다.

참고

정규분포곡선의 성질

① 직선 $x=m$에 대하여 좌우대칭인 종 모양의 곡선이고, $x=m$일 때 최댓값을 가진다.

② 평균 m이 일정할 때 σ의 값이 커지면 곡선의 높이는 낮아지면서 양옆으로 퍼지고, σ의 값이 작아지면 곡선의 높이는 높아지면서 그 폭이 좁아진다.

⇨ 곡선과 x축 사이의 넓이는 언제나 1이다.

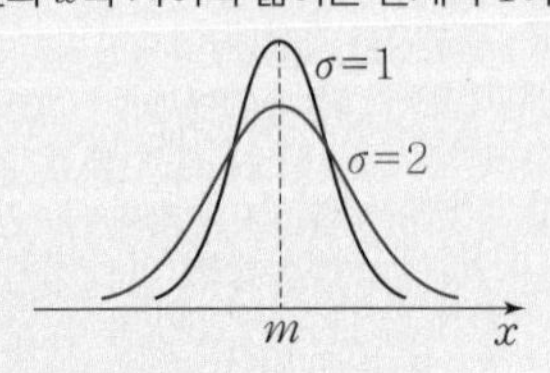

③ σ가 일정할 때 m이 변하면 곡선의 모양은 변하지 않고 대칭축의 위치만 바뀐다.

3 표준정규분포와 정규분포의 표준화

(1) 정규분포 중에서 평균이 0, 표준편차가 1인 정규분포 $\boldsymbol{N(0, 1^2)}$을 **표준정규분포**라 한다.

(2) 연속확률변수 X에 대하여 $\boldsymbol{\frac{X-m}{\sigma}}$을 표준화된 확률변수라 하고, $\boldsymbol{Z}$로 나타낸다.

(3) 정규분포 $N(m, \sigma^2)$을 따르는 확률변수 X를 표준정규분포 $N(0, 1^2)$을 따르는 확률변수 Z로 바꾸는 것을 **표준화**한다고 한다.

4 이항분포와 정규분포의 관계

확률변수 X가 이항분포 $\mathrm{B}(n, p)$를 따를 때, n이 충분히 큰 경우 X는 근사적으로 정규분포 $\mathrm{N}(np, npq)$를 따른다. (단, $q=1-p$)

참고

시행횟수가 충분히 크면

이항분포 $\mathrm{B}(n, p)$ → ($m=np$, $\sigma^2=np(1-p)$) → 정규분포 $\mathrm{N}(m, \sigma^2)$

↓ $Z=\frac{X-m}{\sigma}$

표준정규분포 $\mathrm{N}(0, 1)$

보기 '오늘의 메뉴'를 매일 정하는 식당에 오는 손님들 중 오늘의 메뉴를 주문할 확률은 90 %라 한다. 어느 날 이 식당에 온 손님 100명 중 93명 이상이 오늘의 메뉴를 주문할 확률을 구하여라. (단, $\mathrm{P}(0\le Z\le 1)=0.34$로 계산한다.)

풀이 오늘의 메뉴를 주문한 손님 수를 확률변수 X라 하면 X는 이항분포 $\mathrm{B}(100, 0.9)$를 따르므로

$\mathrm{E}(X)=100\times0.9=90$, $\mathrm{V}(X)=10\times0.9\times0.1=9$

이때 확률변수 X는 근사적으로 정규분포 $\mathrm{N}(90, 3^2)$을 따르므로 구하려는 확률은

$$\mathrm{P}(X\ge 93)=\mathrm{P}\left(Z\ge\frac{93-90}{3}\right)=\mathrm{P}(Z\ge 1)=0.5-0.34=\mathbf{0.16}$$

5 표본평균 $\overline{X}$의 평균, 분산, 표준편차

(1) 모집단에서 크기가 n인 표본을 추출한다는 것은 표본에 속한 원소가 n개인 것을 나타낸다. 이때 n개의 자료를 각각 $a_1, a_2, \cdots, a_n$이라 하면 이들의 평균 $\overline{X}=\frac{1}{n}(a_1+a_2+\cdots+a_n)$을 **표본평균**이라 한다. 이때 표본평균 $\overline{X}$는 임의추출된 표본에 따라 값이 정해지는 확률변수이다.

(2) 평균과 분산이 각각 m, σ^2인 모집단에서 크기가 n인 표본을 임의추출할 때, 표본평균 $\overline{X}$의 평균, 분산, 표준편차는 각각 다음과 같다.

$$\mathrm{E}(\overline{X})=m,\ \mathrm{V}(\overline{X})=\frac{\sigma^2}{n},\ \sigma(\overline{X})=\frac{\sigma}{\sqrt{n}}$$

참고

용어 정리

조사의 대상이 되는 집단 전체를 **모집단**이라 하고 모집단에서 조사를 위해 뽑는 집단의 일부를 **표본**이라 한다. 또 모집단의 각 대상이 표본에 포함될 확률이 모두 같도록 추출하는 방법을 **임의추출**이라 한다.

참고

표본평균 $\overline{X}$의 분포

평균과 분산이 각각 m, σ^2인 모집단에서 크기 n인 표본을 임의추출할 때, 표본평균 $\overline{X}$에 대하여

① 모집단이 정규분포를 따르면 표본평균 $\overline{X}$는 정규분포 $\mathrm{N}\left(m, \frac{\sigma^2}{n}\right)$을 따른다.

② 표본의 크기 n이 충분히 크면 표본평균 $\overline{X}$는 정규분포 $\mathrm{N}\left(m, \frac{\sigma^2}{n}\right)$을 따른다.

6 모평균 m의 신뢰구간

정규분포 $\mathrm{N}\left(m, \frac{\sigma^2}{n}\right)$을 따르는 모집단에서 크기가 n인 표본을 임의추출하여 구한 표본평균이 $\overline{X}$일 때, 모평균 m에 대한 신뢰구간은

① **신뢰도 95 %**일 때 $\overline{X}-1.96\frac{\sigma}{\sqrt{n}}\le m\le\overline{X}+1.96\frac{\sigma}{\sqrt{n}}$

② **신뢰도 99 %**일 때 $\overline{X}-2.58\frac{\sigma}{\sqrt{n}}\le m\le\overline{X}+2.58\frac{\sigma}{\sqrt{n}}$

※ 신뢰도란 표본평균 $\overline{X}$를 통해 추정한 결과에 실제 모평균이 포함되어 있을 확률을 가리킨다.

※ 신뢰구간의 길이는 신뢰구간 양 끝값의 차를 말하므로 신뢰도 95 %, 99 %의 신뢰구간의 길이는 각각 $2\times1.96\frac{\sigma}{\sqrt{n}}$, $2\times2.58\frac{\sigma}{\sqrt{n}}$이다.

※ 표준정규분포표로부터 신뢰도 95 %일 때 k값은 1.96, 신뢰도 99 %일 때 k값은 2.58이지만 문제의 조건에서 $\mathrm{P}(|Z|\le 2)=0.95$, $\mathrm{P}(|Z|\le 3)=0.99$처럼 주어지면 신뢰도 95 %의 k값으로 2, 신뢰도 99 %의 k값으로 3을 사용한다.

확률밀도함수

01

어느 식당에서는 매일 손님들에게 제공할 후식 음료로 수정과 10 L를 준비한다. 하루에 실제 제공된 수정과 양을 확률변수 X라 할 때, X의 확률밀도함수는 다음과 같다.

$$f(x)=\frac{3}{1000}(x-10)^2\ (0\le x\le 10)$$

이 식당에서 하루에 실제 제공된 수정과 양이 a L 이상일 확률이 $\frac{64}{125}$일 때, a값을 구하시오.

(단, $0\le a\le 10$이고, X의 단위는 L이다.)

02

구간 $[-3, 3]$의 모든 실숫값을 가지는 연속확률변수 X에 대하여 X이 확률밀도함수 $f(x)$가 다음 조건을 만족시킬 때 $\mathrm{P}(3a\le X\le 9a)$의 값은?

(가) $f(x)=f(-x)$
(나) $\mathrm{P}(-x\le X\le x)=ax^2\ (0\le x\le 3)$

① $\frac{2}{81}$ ② $\frac{1}{27}$ ③ $\frac{4}{81}$ ④ $\frac{5}{81}$ ⑤ $\frac{2}{27}$

03

닫힌구간 $[0, a]$에서 정의된 확률변수 X의 확률밀도함수가 연속이다. X가 다음 조건을 만족시킬 때, 상수 k값은?

(가) $0\le x\le a$인 모든 x에 대하여 $\mathrm{P}(0\le X\le x)=kx^2$이다.
(나) $\mathrm{E}(X)=1$

① $\frac{9}{16}$ ② $\frac{4}{9}$ ③ $\frac{1}{4}$ ④ $\frac{1}{9}$ ⑤ $\frac{1}{16}$

[2014학년도 수능]

04

구간 $[0, 1]$에서 정의된 확률변수 X의 확률밀도함수 $f(x)$가 연속이고, 구간 $(0, 1)$에서 $f'(x)=-2x+2$이다. $\mathrm{E}(X)=k$일 때, $120k$의 값을 구하시오.

05

구간 $[0, b]$에서 정의된 연속확률변수 X의 확률밀도함수 $f(x)$가 $f(x)=ax\ (0\le x\le b)$이고, 확률변수 X의 분산이 2일 때, 확률변수 $Y=\frac{1}{a}X+b$의 평균을 구하시오.

(단, a, b는 0이 아닌 상수이다.)

정규분포

06

정규분포 $\mathrm{N}(5, 2^2)$을 따르는 확률변수 X의 확률밀도함수를 $f(x)$라 할 때, **보기**에서 옳은 것을 모두 고른 것은?

보기
ㄱ. $y=f(x)$의 최댓값은 $f(5)$이다.
ㄴ. $0<a<b$일 때,
$\mathrm{P}(5+a\le X\le 5+b)=\mathrm{P}(5-b\le X\le 5-a)$
ㄷ. $\mathrm{P}(3\le X\le 4)=\mathrm{P}(5\le X\le 6)$

① ㄱ ② ㄴ ③ ㄱ, ㄴ
④ ㄱ, ㄷ ⑤ ㄱ, ㄴ, ㄷ

07

정규분포 $N(m_1, \sigma^2)$, $N(m_2, \sigma^2)$을 각각 따르는 두 확률변수 X_1, X_2의 확률밀도함수가 차례로 $f(x)$, $g(x)$일 때, **보기**에서 옳은 것을 모두 고른 것은? (단, $m_1>0$, $m_2>0$)

보기

ㄱ. $f(2m_1)>f(m_1)$　　ㄴ. $f(m_1)=g(m_2)$

ㄷ. $m_1<m_2$일 때, $f(k)=g(k)$이면 $P(m_1<X_1<k)=P(k<X_2<m_2)$

① ㄱ　② ㄴ　③ ㄱ, ㄷ　④ ㄴ, ㄷ　⑤ ㄱ, ㄴ, ㄷ

표준정규분포와 확률

08

정규분포를 따르는 두 확률변수 X, Y가 다음 조건을 만족시킨다.

(가) $E(X)=4$　　(나) $Y=2X-1$

상수 k에 대하여 $P(X\ge k)=P(Y\le k)$일 때, k값을 구하시오.

09

정규분포 $N(185, 5^2)$을 따르는 확률변수 X의 확률밀도함수를 $f(x)$라 하자. 확률변수 Y의 확률밀도함수가 $f(x+3)$일 때, 오른쪽 표준정규분포표를 이용하여 구한 $P(179\le Y\le 184)$의 값은?

z	$P(0\le Z\le z)$
0.2	0.08
0.4	0.16
0.6	0.23
0.8	0.29

① 0.24　② 0.31　③ 0.37　④ 0.39　⑤ 0.45

10

확률변수 X는 정규분포 $N(50, 5^2)$을 따르고 확률변수 Z는 표준정규분포 $N(0, 1^2)$을 따른다. 두 곡선 $y=f(x)$와 곡선 $y=g(z)$는 각각 X와 Z의 정규분포곡선이다. 그림에서 색칠한 두 부분의 넓이가 서로 같을 때, 상수 k값을 구하시오.

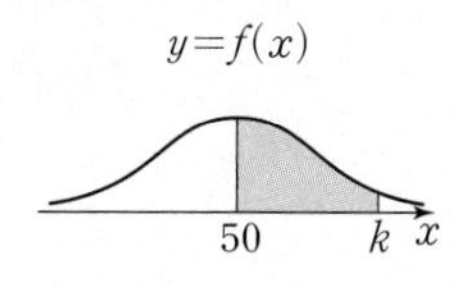

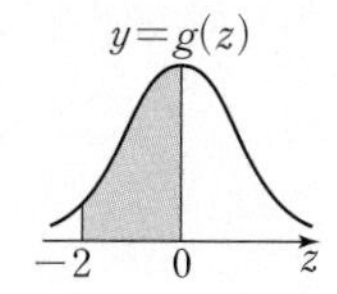

11

확률변수 X가 정규분포 $N(m, \sigma^2)$을 따르고 다음 조건을 만족시킨다.

(가) $P(X\ge 70)=P(X\le 50)$　　(나) $E(X^2)=3664$

$P(X\le 68)=p$일 때, $100p$의 값을 구하시오.

(단, $P(0\le Z\le 1)=0.34$로 계산한다.)

표준정규분포의 활용

12

어떤 장학 재단에서는 200점 만점인 평가를 통해 장학생 100명을 선발하는데, 장학생 선발에 응시한 500명의 점수는 정규분포 $N(140, 20^2)$을 따른다고 한다. 장학생으로 선발된 학생의 최저 점수보다 24점 이상 더 높은 점수를 얻은 경우에 해외연수의 기회가 주어진다고 할 때, 해외연수를 가게 되는 학생은 몇 명인지 오른쪽 표준정규분포표를 이용하여 구하시오.

z	$P(0\le Z\le z)$
0.5	0.20
0.8	0.30
1.5	0.43
2.0	0.48

13

A과수원에서 생산하는 귤 무게는 평균이 86, 표준편차가 15인 정규분포를 따르고, B과수원에서 생산하는 귤 무게는 평균이 88, 표준편차가 10인 정규분포를 따른다고 한다. A과수원에서 임의로 선택한 귤 무게가 98 이하일 확률과 B과수원에서 임의로 선택한 귤 무게가 a 이하일 확률이 같을 때, a값을 구하시오. (단, 무게 단위는 g이다.)

[모의평가 기출]

이항분포 ⇨ 정규분포 ⇨ 표준정규분포

14

이산확률변수 X의 확률질량함수가

$P(X=x)={}_{400}C_x\left(\frac{1}{5}\right)^x\left(\frac{4}{5}\right)^{400-x}$ $(x=0,\ 1,\ 2,\ \cdots,\ 400)$

일 때 확률 $P(k\leq X\leq k+16)$이 최대가 되는 자연수 k값을 구하시오.

15

어떤 아파트 단지에서 세대주 1800명을 대상으로 엘리베이터 교체 공사에 대한 주민 찬반 투표를 실시하려고 한다. 각 세대주가 교체 공사에 찬성할 확률은 $\frac{2}{3}$이고, 1800명 중 1240명 이상이 찬성하면 엘리베이터를 교체하기로 했다. 이때 엘리베이터를 교체할 확률을 오른쪽 표준정규분포표를 이용해서 구하면 $\frac{p}{1000}$로 나타낼 수 있다. 자연수 p값을 구하시오.

z	$P(0\leq Z\leq z)$
1.0	0.341
1.5	0.433
2.0	0.477

16

어떤 5지 선다형 100문제에서 임의로 답할 경우, k개 이상 맞힐 확률이 0.02라 한다. 이때 오른쪽 표준정규분포표를 이용하여 k값을 구하시오.

z	$P(0\leq Z\leq z)$
1.5	0.43
2.0	0.48
2.5	0.49

표본평균의 평균, 분산 표준편차

17

상자 안에 1, 2, 3이 하나씩 적힌 공이 각각 2개, 3개, 2개 들어 있다. 이 상자에서 크기가 n인 표본을 임의추출할 때, 공에 적힌 수의 평균 $\overline{X}$의 분산이 $\frac{2}{35}$이다. 이때 n값을 구하시오.

표본평균의 확률

18

평균이 50, 표준편차가 5인 정규분포를 따르는 모집단에서 크기가 n인 표본을 임의추출할 때, 표본평균 $\overline{X}$에 대하여 오른쪽 표준정규분포표를 이용하여 $P\left(\overline{X}\geq 60-\frac{25}{\sqrt{n}}\right)=0.16$를 만족시키는 n값을 구하시오.

z	$P(0\leq Z\leq z)$
1.0	0.34
2.0	0.48
2.5	0.49

19

어느 회사가 생산하는 주스 한 병의 용량은 평균이 m, 표준편차가 10인 정규분포를 따른다고 한다. 이 회사가 생산한 주스 중에서 임의로 추출한 25병의 용량의 표본평균이 200 이상일 확률이 0.9772일 때, m값을 오른쪽 표준정규분포표를 이용해 구하시오.

z	$\mathrm{P}(0 \le Z \le z)$
1.5	0.4332
2.0	0.4772
2.5	0.4938
3.0	0.4987

모평균의 추정

20

표준편차가 0.05인 정규분포를 따르는 모집단에서 n개를 임의추출하여 99 %의 신뢰도로 평균을 추정할 때, 모평균과 표본평균의 차가 0.01 이하가 되도록 하는 n의 최솟값을 구하시오. (단, $\mathrm{P}(0 \le Z \le 2.58) = 0.495$이다.)

21

모평균 75, 모표준편차 5인 정규분포를 따르는 모집단에서 임의추출한 크기 25인 표본의 표본평균을 $\overline{X}$라 하자. 표준정규분포를 따르는 확률변수 Z와 양의 상수 c에 대하여 $\mathrm{P}(|Z| > c) = 0.06$일 때, **보기**에서 옳은 것을 모두 고른 것은?

보기

ㄱ. $\mathrm{P}(Z > a) = 0.05$인 상수 a에 대하여 $c > a$이다.
ㄴ. $\mathrm{P}(\overline{X} \le c + 75) = 0.97$
ㄷ. $\mathrm{P}(\overline{X} > b) = 0.01$인 상수 b에 대하여 $c < b - 75$이다.

① ㄱ ② ㄷ ③ ㄱ, ㄴ
④ ㄴ, ㄷ ⑤ ㄱ, ㄴ, ㄷ

[수능 기출]

22

어느 회사에서 100명을 임의추출하여 월급을 조사하였더니 평균이 400만 원, 표준편차가 100만 원이었다. 이 회사 직원들의 월급은 정규분포를 따른다고 할 때, 전 직원 평균 월급 m만 원을 신뢰도 a %로 추정하였더니 신뢰구간이 $381.2 \le m \le 418.8$이었다. 오른쪽 표준정규분포표를 이용하여 자연수 a값을 구하시오.

z	$\mathrm{P}(0 \le Z \le z)$
1.88	0.47
2.06	0.48
2.33	0.49

23*

표준편차 σ가 알려진 정규분포를 따르는 모집단에서 크기가 n인 표본을 임의추출하여 얻은 모평균에 대한 신뢰도 95 %의 신뢰구간이 [100.4, 139.6]이었다. 같은 표본을 이용하여 얻은 모평균에 대한 신뢰도 99 %의 신뢰구간에 속하는 자연수는 모두 몇 개인지 구하시오.
(단, Z가 표준정규분포를 따르는 확률변수일 때,
$\mathrm{P}(0 \le Z \le 1.96) = 0.475$, $\mathrm{P}(0 \le Z \le 2.58) = 0.495$로 계산한다.)

[2013학년도 수능]

24

정규분포를 따르는 모집단에서 크기가 n인 표본을 임의추출하여 모평균을 추정하려고 한다. 신뢰도 95 %로 추정할 때의 신뢰구간의 길이가 l, 신뢰도 a %로 추정할 때의 신뢰구간의 길이가 $\frac{1}{2}l$일 때, 자연수 a값을 구하시오.
(단, $\mathrm{P}(Z \le 2) = 0.95$, $\mathrm{P}(Z \le 1.5) = 0.86$,
$\mathrm{P}(Z \le 1) = 0.68$)

확률밀도함수

01

| 제한시간 1.5분 |

연속확률변수 X의 확률밀도함수 $f(x)$가

$$f(x)=\frac{1}{2}x+\frac{1}{4}\left(-\frac{1}{2}\le x\le\frac{3}{2}\right)$$

이다. 한 개의 주사위를 한 번 던지는 시행에서 사건 A가 일어날 확률이 $\mathrm{P}(0\le X\le 1)$일 때, 한 개의 주사위를 6번 던지는 시행에서 사건 A가 2번 이상 일어날 확률은?

① $\frac{54}{61}$ ② $\frac{53}{64}$ ③ $\frac{55}{54}$ ④ $\frac{57}{64}$ ⑤ $\frac{59}{64}$

02

| 제한시간 1.5분 |

$0\le x\le 4$에서 정의되는 확률변수 X의 확률밀도함수

$$f(x)=a(4-x)x \text{ (단, } a\text{는 상수)}$$

가 있다. 이때 t에 관한 이차방정식 $4t^2-12t+9(X-1)=0$의 두 근이 모두 양수일 확률을 b라 할 때, $16(a+b)$의 값을 구하시오.

03

| 제한시간 1.5분 |

연속확률변수 X가 가지는 값은 구간 $[0, 1]$의 모든 실수이다. 구간 $[0, 1]$에서 두 함수 $F(x)$, $G(x)$를

$$F(x)=\mathrm{P}(X\ge x),\ G(x)=\mathrm{P}(X\le x)$$

로 정의할 때, **보기**에서 옳은 것을 모두 고른 것은?

보기

ㄱ. $F(0.3)\le F(0.2)$

ㄴ. $F(0.4)=G(0.6)$

ㄷ. $F(0.2)-F(0.7)=G(0.7)-G(0.2)$

① ㄱ ② ㄴ ③ ㄱ, ㄴ
④ ㄱ, ㄷ ⑤ ㄱ, ㄴ, ㄷ

[학력평가 기출]

04

| 제한시간 1.5분 |

$y=f(x)$의 그래프는 그림과 같이 원 $(x-1)^2+y^2=1$의 내부에 있는 임의의 한 점 P에서 꺾이는 선이다. $f(x)$가 $0\le x\le 4$의 범위에서 정의된 연속확률변수 X의 확률밀도함수가 되도록 하는 점 P의 자취 길이를 l이라 할 때, l^2의 값을 구하시오. (단, $f(0)=0$, $f(4)=0$)

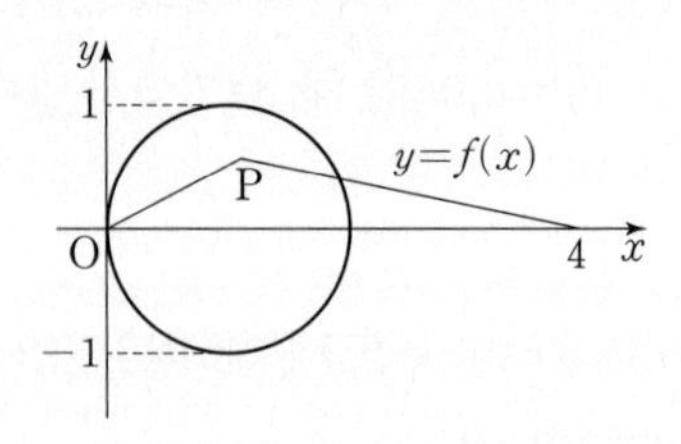

05

| 제한시간 1.5분 |

$-2\leq x\leq 2$에서 정의된 연속확률밀도함수 $y=f(x)$의 그래프가 그림과 같을 때, 다음 세 사건

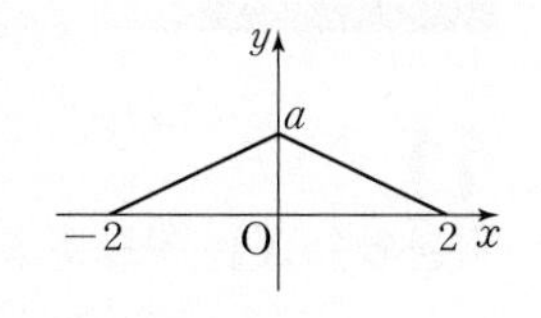

$A=\{X\mid -2\leq X\leq 0\}$

$B=\{X\mid -1\leq X\leq 1\}$, $C=\{X\mid 0\leq X\leq 2\}$

에 대하여 **보기**에서 옳은 것을 모두 고르시오.

보기

ㄱ. $P(A^C\cup B^C)=\frac{5}{8}$ ㄴ. $P(B\mid C)=\frac{2}{7}$

ㄷ. 두 사건 A와 B는 서로 독립이다.

06

| 제한시간 1.5분 |

연속확률변수 X가 갖는 값의 범위는 $0\leq X\leq 2$이고, 확률밀도함수는 $f(x)$이다. 또 연속확률변수 Y가 갖는 값의 범위는 $2\leq Y\leq 5$이고, 확률밀도함수는 $g(x)$이다. 함수 $3f(x)+4g(x+2)$의 그래프와 x축 및 직선 $x=2$로 둘러싸인 부분의 넓이가 4일 때, $P(4\leq Y\leq 5)$의 값은?

(단, $f(0)=g(2)=0$, $g(5)>0$)

① $\frac{3}{4}$ ② $\frac{5}{8}$ ③ $\frac{1}{2}$ ④ $\frac{3}{8}$ ⑤ $\frac{1}{4}$

07

| 제한시간 2분 |

구간 $[0, 1]$의 임의의 값을 가지는 두 연속확률변수 X, Y에 대하여 X, Y의 확률밀도함수는 각각 $f(x)=2x$, $g(x)=1$이다. 탁자 위에 공 1개와 일렬로 나열된 상자 10개가 있다. 동전을 한 번 던져서 앞면이 나올 때, 공이 k번째 상자에 들어갈 확률은 $P\left(\frac{k-1}{10}\leq X\leq \frac{k}{10}\right)$이고, 뒷면이 나올 때, 공이 k번째 상자에 들어갈 확률은 $P\left(\frac{k-1}{10}\leq Y\leq \frac{k}{10}\right)$이다. 탁자 위의 공이 k번째 상자에 들어갈 확률을 p_k라 할 때, $\sum_{k=1}^{5} p_{2k}=\frac{b}{a}$이다. $a+b$의 값을 구하시오.

(단, $k=1, 2, \cdots, 10$이고, a, b는 서로소인 자연수이다.)

연속확률변수의 평균과 분산

08

| 제한시간 1.5분 |

구간 $[1, 2]$에서 정의된 연속확률변수 X의 확률밀도함수 $f(x)$와 함수 $g(x)$가 미분가능할 때, 두 함수 $f(x)$, $g(x)$에 대하여 다음이 성립한다. $V(X)$의 값을 구하시오.

(가) $f(1)=g(1)$

(나) $g'(x)=f(x)+xf'(x)$

(다) $\int_1^2 g(x)dx=3$, $\int_1^2 xg(x)dx=13$

정규분포

09

| 제한시간 1.5분 |

정규분포를 따르는 두 확률변수 X_1, X_2의 확률밀도함수를 $f(x)$, $g(x)$라 할 때, 두 함수 $y=f(x)$, $y=g(x)$의 그래프가 그림과 같고, 각각 직선 $x=x_1$, 직선 $x=x_2$에 대하여 대칭이다. **보기**에서 옳은 것을 모두 고른 것은?

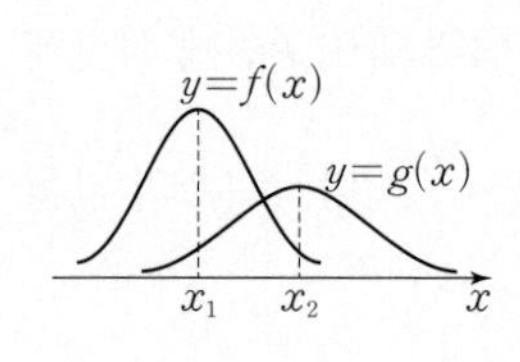

| 보기 |

ㄱ. $E(X_1)<E(X_2)$

ㄴ. $V(X_1)<V(X_2)$

ㄷ. $f(E(X_1))<g(E(X_2))$

ㄹ. $P(X_1\geq x_1)=P(X_2\leq x_2)$

① ㄱ, ㄴ ② ㄱ, ㄷ ③ ㄴ, ㄷ

④ ㄱ, ㄴ, ㄹ ⑤ ㄱ, ㄷ, ㄹ

10

| 제한시간 1.5분 |

확률변수 X가 정규분포 $N(m, \sigma^2)$를 따를 때, X의 확률밀도함수 $f(x)$를 $f(x)=P(X\geq -x^2+2x+m-1)$로 정의하자. **보기**에서 옳은 것을 모두 고른 것은?

| 보기 |

ㄱ. $f(0)=f(2)$

ㄴ. $x=1$일 때 $f(x)$가 최소다.

ㄷ. $1<x_1<x_2$이면 $f(x_1)<f(x_2)$이다.

① ㄱ ② ㄴ ③ ㄱ, ㄷ

④ ㄴ, ㄷ ⑤ ㄱ, ㄴ, ㄷ

표준정규분포와 확률

11

| 제한시간 1.5분 |

확률변수 X는 정규분포 $N(100, 36)$을 따르고, 확률변수 Z는 표준정규분포 $N(0, 1)$을 따른다. 두 상수 a, b에 대하여 다음이 성립한다고 할 때, 오른쪽 표준정규분포표를 이용하여 $a+b$의 값을 구하시오.

z	$P(0\leq Z\leq z)$
0.5	0.1915
1.0	0.3413
1.5	0.4332
2.0	0.4772
2.5	0.4938

$$P(a\leq X\leq 115)=P(b\leq Z\leq 2.5)=0.9710$$

12

| 제한시간 2분 |

확률변수 X, Y는 평균이 모두 0이고, 분산이 각각 σ^2, $\frac{\sigma^2}{4}$인 정규분포를 따르며 확률변수 Z는 표준정규분포를 따른다. 두 양수 a, b에 대하여 $P(|X|\leq a)=P(|Y|\leq b)$일 때, **보기**에서 옳은 것을 모두 고른 것은?

| 보기 |

ㄱ. $a>b$

ㄴ. $P\left(Z>\frac{2b}{\sigma}\right)=P\left(Y>\frac{a}{2}\right)$

ㄷ. $P(Y\leq b)=0.7$일 때, $P(|X|\leq a)=0.3$

① ㄱ ② ㄴ ③ ㄱ, ㄴ

④ ㄱ, ㄷ ⑤ ㄱ, ㄴ, ㄷ

13
| 제한시간 1.5분 |

그림은 정규분포 $N(42, 6^2)$, $N(54, 4^2)$을 따르는 두 확률변수 X, Y의 정규분포곡선을 나타낸 것이다. 그림과 같이 $42 \le x \le 54$에서 두 곡선과 직선 $x=42$로 둘러싸인 부분의 넓이를 S_1, 두 곡선과 직선 $x=54$로 둘러싸인 부분의 넓이를 S_2라 할 때, $S_2 - S_1$의 값은? (단, 주어진 표준정규분포표를 이용한다.)

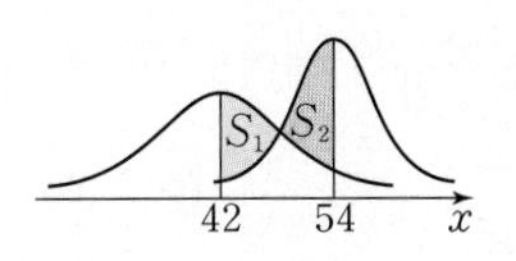

z	$P(0 \le Z \le z)$
1.0	0.3413
2.0	0.4772
3.0	0.4987

① 0.0215 ② 0.0228 ③ 0.1359
④ 0.1574 ⑤ 0.1684

14
| 제한시간 1.5분 |

확률변수 X는 평균이 m, 표준편차가 8인 정규분포를 따르고 다음 조건을 만족시킨다. m의 값을 오른쪽 표준정규분포표를 이용하여 구하시오. (단, k는 상수이다.)

z	$P(0 \le Z \le z)$
0.5	0.1915
1.0	0.3413
1.5	0.4332
2.0	0.4772

(가) $P(X \le k) + P(X \le 100 + k) = 1$
(나) $P(X \ge 2k) = 0.0668$

[2019학년도 7월 학력평가]

15
| 제한시간 1.5분 |

연속확률변수 X가 정규분포 $N(m, 1^2)$을 따르고, 함수 $f(k)$를 $f(k) = P(X \ge m + k)$라 할 때, **보기**에서 옳은 것을 모두 고르시오.

보기
ㄱ. $f(0) = \frac{1}{2}$
ㄴ. 임의의 두 실수 a, b에서 $a < b$이면 $f(a) > f(b)$이다.
ㄷ. $f(k) < \frac{1}{2}$이면 $1 - 2f(k) < \frac{1}{2} - f(2k)$이다.

표준정규분포의 활용

16
| 제한시간 1.5분 |

어느 자격증 시험에서는 응시자 중 상위 점수를 얻은 7 %가 합격한다. 이 시험에 응시한 전체 응시자의 점수는 평균이 60점, 표준편차가 12점인 정규분포를 이루었고, 이 중 A대학 출신 1200명의 점수는 평균이 62점, 표준편차가 8점인 정규분포를 이루었다. A대학 출신 응시자 중 합격자 수를 구하시오.
(단, $P(0 \le Z \le 1.5) = 0.43$, $P(0 \le Z \le 2) = 0.48$로 계산한다.)

17*

| 제한시간 1.5분 |

어느 재래시장을 이용하는 고객의 집에서 시장까지 거리는 평균이 1740 m, 표준편차가 500 m인 정규분포를 따른다고 한다. 집에서 시장까지 거리가 2000 m 이상인 고객 중에서 15 %, 2000 m 미만인 고객 중에서 5 %는 자가용을 이용하여 시장에 온다고 한다. 자가용을 이용하여 시장에 온 고객 중에서 임의로 1명을 선택할 때, 이 고객의 집에서 시장까지 거리가 2000 m 미만일 확률은?
(단, Z가 표준정규분포를 따르는 확률변수일 때, $\mathrm{P}(0 \le Z \le 0.52) = 0.2$로 계산한다.)

① $\frac{3}{8}$　② $\frac{7}{16}$　③ $\frac{1}{2}$　④ $\frac{9}{16}$　⑤ $\frac{5}{8}$

[수능 기출]

18

| 제한시간 2분 |

어느 회사에서는 직원의 하루 생산량이 근무 기간에 따라 달라진다고 한다. 근무 기간이 n개월($1 \le n \le 100$)인 직원의 하루 생산량은 평균이 $an+100$ (a는 상수), 표준편차가 12인 정규분포를 따른다고 한다. 근무 기간이 16개월인 직원의 하루 생산량이 84 이하일 확률이 0.0228일 때, 근무 기간이 36개월인 직원의 하루 생산량이 100 이상이고 142 이하일 확률을 오른쪽 표준정규분포표를 이용하여 구한 것은?

z	$\mathrm{P}(0 \le Z \le z)$
1.0	0.3413
1.5	0.4332
2.0	0.4772
2.5	0.4938

① 0.7745　② 0.8185　③ 0.9104
④ 0.9270　⑤ 0.9710

[수능 기출]

이항분포 ⇨ 정규분포 ⇨ 표준정규분포

19

| 제한시간 1.5분 |

세 종류의 상품 A, B, C가 충분히 많이 있다고 하자. 상품 A, B, C의 불량률이 각각 $\frac{1}{16}$, $\frac{1}{9}$, $\frac{1}{25}$이고, 이중에서 상품 A를 3개, 상품 B를 2개, 상품 C를 1개씩 임의로 뽑아 하나의 선물 상자를 만든다. 이렇게 만든 선물 상자 중 960개를 임의로 추출할 때, 불량품이 적어도 한 개 들어 있는 상자가 390개 이상일 확률을 p라 하자. 이때 $500p$의 값을 오른쪽 표준정규분포표를 이용하여 구하시오. (단, 각 상품을 뽑는 사건은 독립이다.)

z	$\mathrm{P}(0 \le Z \le z)$
0.5	0.19
1.0	0.34
1.5	0.43
2.0	0.48

20

| 제한시간 1.5분 |

어느 공연의 입장권 500장을 판매하는데 일부는 인터넷 예매를 통해 장당 8000원에 판매하고, 나머지 입장권은 공연 당일 예매자가 나타나지 않은 입장권과 함께 장당 10000원에 현장 판매한다. 입장권 중 400장이 인터넷 예매를 통해 판매되었고 예매한 사람이 당일 공연장에 오지 못할 확률은 통계적으로 10%이다. 공연 당일 입장권이 매진되었을 때, 전체 입장권 판매금액이 4298000원 이상일 확률을 오른쪽 표준정규분포표를 이용하여 구하면? (단, 예매한 사람이 당일 공연장에 오지 못한 경우 예매 금액은 전액 환불된다.)

z	$\mathrm{P}(0 \le Z \le z)$
0.5	0.1915
1.0	0.3413
1.5	0.4332
2.0	0.4772

① 0.0668　② 0.1587　③ 0.1915
④ 0.4332　⑤ 0.6915

21

| 제한시간 1.5분 |

A와 B가 주사위 한 개를 180번 던질 때, 1의 눈이 나오는 횟수를 확률변수 X라 하자. 이때 확률 $\mathrm{P}(X\leq 20)$의 값을 A는 이항분포를 이용하여 구하고, B는 이항분포를 정규분포로 근사시켜 구하였다. A가 구한 확률을 p_{A}, B가 구한 확률을 p_{B}라 할 때, $10000(p_{\mathrm{A}}-p_{\mathrm{B}})$의 값을 다음을 이용하여 구하시오.

(가) $\displaystyle\sum_{r=21}^{180} {}_{180}\mathrm{C}_r\left(\frac{1}{6}\right)^r\left(\frac{5}{6}\right)^{180-r}=0.9756$
(나) $\mathrm{P}(0\leq Z\leq 2)=0.4772$

22*

| 제한시간 1.5분 |

수직선 위의 원점을 출발한 점 P가 다음 규칙에 따라 움직인다. 동전 한 개를 64번 던진 후 점 P의 위치를 확률변수 X라 할 때, X가 구간 $[14, 44]$에 위치할 확률이 p이다. 오른쪽 표준정규분포표를 이용하여 $100p$의 값을 구하시오.

z	$\mathrm{P}(0\leq Z\leq z)$
1.0	0.34
1.5	0.43
2.0	0.49

(가) 동전을 던져 앞면이 나오면 양의 방향으로 2만큼 움직인다.
(나) 동전을 던져 뒷면이 나오면 음의 방향으로 1만큼 움직인다.

표준평균의 확률

23

| 제한시간 1.5분 |

홀수 1, 3, n이 하나씩 적혀 있는 구슬 3개가 들어있는 주머니가 있다. 이 주머니에서 구슬을 하나씩 2개 꺼낼 때, 두 구슬에 적혀 있는 수의 평균을 $\overline{X}$라 하자.

$\mathrm{P}(\overline{X}>6)=\frac{1}{3}$일 때, n의 값을 구하시오.

(단, 모든 구슬은 크기와 모양이 같으며 꺼낸 구슬은 주머니에 다시 넣는다.)

24

| 제한시간 2분 |

확률변수 X의 확률분포표는 다음과 같다. 이 모집단에서 크기가 2인 표본을 임의추출하여 구한 표본평균을 $\overline{X}$라 하자. $\mathrm{P}(X\geq 2)=3\mathrm{P}\left(\overline{X}\geq\frac{5}{2}\right)$가 성립할 때, $\mathrm{P}\left(\overline{X}=\frac{3}{2}\right)$의 값은? (단, a는 상수이다.)

X	1	2	3	합계
$\mathrm{P}(X=x)$	$2a$	$2a$	$1-4a$	1

① $\frac{6}{25}$　② $\frac{7}{25}$　③ $\frac{8}{25}$　④ $\frac{9}{25}$　⑤ $\frac{2}{5}$

25

| 제한시간 1.5분 |

어느 공장에서 생산하는 제품 무게가 정규분포 $\mathrm{N}(20, 3^2)$을 따른다고 한다. 두 사람 A, B가 크기가 9인 표본을 각각 독립적으로 임의추출하였다. 두 사람이 추출한 표본의 평균이 모두 17 이상 21 이하가 될 확률을 오른쪽 표준정규분포표를 이용하여 구한 것은?

z	$\mathrm{P}(0 \le Z \le z)$
1.0	0.3413
2.0	0.4772
3.0	0.4987

① 0.8123 ② 0.7056 ③ 0.6587
④ 0.5228 ⑤ 0.2944

26

| 제한시간 1.5분 |

어느 농장에서 생산되는 사과의 밀도는 정규분포 $\mathrm{N}(m, \sigma^2)$을 따른다고 한다. 이 농장의 모든 사과를 물에 넣으면 그 중 11.5 %가 물에 뜬다고 할 때, 이 농장의 사과 중 4개를 임의추출하여 한 묶음으로 물에 넣을 경우 이 묶음이 물에 뜰 확률은? (단, 사과 부피는 모두 같으며, 밀도가 1보다 작으면 물에 뜨고, $\mathrm{P}(0 \le Z \le 1.2)=0.385$, $\mathrm{P}(0 \le Z \le 2.4)=0.492$이다.)

① 0.008 ② 0.107 ③ 0.115
④ 0.385 ⑤ 0.492

27

| 제한시간 1.5분 |

정규분포 $\mathrm{N}(50, 8^2)$을 따르는 모집단에서 크기가 16인 표본을 임의추출하여 구한 표본평균을 $\overline{X}$, 정규분포 $\mathrm{N}(75, \sigma^2)$을 따르는 모집단에서 크기가 25인 표본을 임의추출하여 구한 표본평균을 $\overline{Y}$라 하자.
$\mathrm{P}(\overline{X} \le 53)+\mathrm{P}(\overline{Y} \le 69)=1$일 때, $\mathrm{P}(\overline{Y} \ge 71)$의 값을 오른쪽 표준정규분포표를 이용하여 구한 것은?

z	$\mathrm{P}(0 \le Z \le z)$
1.0	0.3413
1.2	0.4332
1.4	0.4772
1.6	0.4938

① 0.8413 ② 0.8644 ③ 0.8849
④ 0.9192 ⑤ 0.9452

[2016학년도 수능]

28

| 제한시간 2분 |

정규분포 $\mathrm{N}(m, 3^2)$를 따르는 모집단에서 크기가 n인 표본을 복원추출할 때, 표본평균 $\overline{X}$와 모평균의 차가 x보다 작을 확률을 $\mathrm{P}(n, x)$라 하자. 오른쪽 표준정규분포표를 이용해 **보기**에서 옳은 것을 모두 고르시오.

z	$\mathrm{P}(0 \le Z \le z)$
0.5	0.192
1.0	0.341
1.5	0.433
2.0	0.477

보기

ㄱ. $\mathrm{P}(9, 1)=0.682$ ㄴ. $\mathrm{P}(9, 2)=\mathrm{P}(4, 3)$
ㄷ. $\mathrm{P}(n, 0.8) \le 0.954$을 만족시키는 자연수 n의 최댓값은 56이다.

모평균의 추정

29

| 제한시간 1.5분 |

정규분포 $N(m, \sigma^2)$을 따르는 모집단에서 표본을 임의추출하여 모평균 m을 추정하려고 한다. 이때 **보기**에서 m의 신뢰구간을 옳게 설명한 것을 모두 고르시오.

(단, $P(|Z| \le 2) = 0.95$, $P(|Z| \le 3) = 0.99$)

보기

ㄱ. 신뢰도가 일정하다면 표본의 크기가 36인 신뢰구간의 길이는 표본의 크기가 144인 신뢰구간 길이의 2배이다.
ㄴ. 표본의 크기가 일정하다면 신뢰도가 99 %인 신뢰구간의 길이는 신뢰도가 95 %인 신뢰구간 길이의 3배이다.
ㄷ. 신뢰도가 95 %이고 표본의 크기가 25인 신뢰구간의 길이는 신뢰도가 99 %이고 표본의 크기가 100인 신뢰구간 길이의 $\frac{4}{3}$배이다.

30

| 제한시간 1.5분 |

평균이 m, 표준편차가 10인 정규분포를 따르는 모집단에서 크기가 25인 표본을 임의추출하여 얻은 표본평균 $\overline{X}$의 측정값이 165.8이었다. 이때 모평균 m에 대하여 신뢰도 a %의 신뢰구간이 $160 \le m \le 170$일 때, 오른쪽 표준정규분포표를 이용하여 구한 상수 a값은?

z	$P(0 \le Z \le z)$
2.1	0.482
2.5	0.494
2.9	0.498

① 95 ② 96 ③ 97 ④ 98 ⑤ 99

31

| 제한시간 1.5분 |

정규분포를 따르는 어떤 모집단의 평균이 m이다. A는 크기가 k인 표본을 추출하여 95 %의 신뢰도로 m을 $50.1 \le m \le 59.9$로 추정하였고, B는 크기가 n인 표본을 추출하여 99 %의 신뢰도로 m을 $53.71 \le m \le 56.29$로 추정하였다. 이때 $\frac{n}{k}$의 값을 구하시오.

(단, $P(|Z| \le 1.96) = 0.95$, $P(|Z| \le 2.58) = 0.99$)

32*

| 제한시간 1.5분 |

어느 공장에서 생산되는 제품의 길이는 모표준편차가 $\frac{1}{1.96}$인 정규분포를 따른다고 한다. 이 공장에서 생산되는 제품 중에서 임의추출한 제품 10개의 길이를 측정하여 표본평균을 구하였다. 이 표본평균을 이용하여 구한 제품 길이의 모평균에 대한 신뢰도 95 %의 신뢰구간을 $[\alpha, \beta]$라 하자. α와 β가 이차방정식 $10x^2 - 100x + k = 0$의 두 근일 때, k값을 구하시오. (단, 표준정규분포를 따르는 확률변수 Z에 대하여 $P(0 \le Z \le 1.96) = 0.475$이다.)

[모의평가 기출]

01

구간 [0, 4]에서 정의된 함수 $f(x)=k(x-2)^3+\frac{1}{4}$이 확률밀도함수가 되도록 하는 실수 k의 최댓값을 M, 최솟값을 m이라 할 때, $M-m=\frac{q}{p}$이다. $p+q$의 값을 구하시오.

(단, p, q는 서로소인 자연수)

02

자연수 n에 대하여 연속확률변수 X_n의 확률밀도함수가

$$f_n(x)=a_n|x-n| \quad (0\le x\le 4)$$

일 때, $\frac{a_4}{a_6}+\frac{a_3}{a_7}$의 값을 구하시오. (단, $a_n>0$)

03

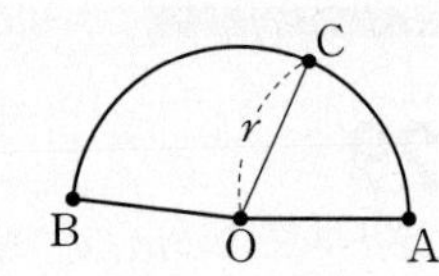

그림과 같이 반지름 길이가 r이고, 중심각의 크기가 3 라디안인 부채꼴 OAB에서 호 AB 위에 점 C가 있다. 점 O를 출발한 점 P가 부채꼴 OAB를 따라 O → A → C → B → O 방향으로 일정한 속력 1로 움직일 때, 시각 $x(0\le x\le 5r)$에서 두 점 O, P 사이의 거리를 $f(x)$라 하자. 연속확률변수 X의 확률밀도함수가 $f(x)$일 때 다음 물음에 답하시오.

(1) $P(0\le X\le a)=\frac{5}{8}$일 때 상수 a값은?

① $\frac{3}{2}$ ② $\frac{4}{3}$ ③ $\frac{5}{4}$ ④ $\frac{6}{5}$ ⑤ $\frac{7}{6}$

(2) $E(4X)$의 값을 구하시오.

04

평균이 10인 정규분포를 따르는 연속확률변수 X의 확률밀도함수를 $f(x)$라 할 때, X가 되는 세 자연수 a, b, c에 대하여 다음을 만족시키는 순서쌍 (a, b, c)는 몇 개인지 구하시오.

> $a<b<c$이면 $f(a)<f(b)<f(c)$

05

평균이 m이고 표준편차가 σ인 정규분포를 따르는 확률변수 X의 확률밀도함수 $f(x)$가 모든 실수 x에 대하여

$$f(11-x)=f(13+x)$$

가 성립한다. $\mathrm{P}(|X-m|\le 2)=0.6826$일 때, 오른쪽 표준정규분포표를 이용하여 구한 $\mathrm{P}(11\le X\le 15)$의 값은?

z	$\mathrm{P}(0\le Z\le z)$
0.5	0.1915
1.0	0.3413
1.5	0.4332
2.0	0.4772

① 0.5328 ② 0.6247 ③ 0.6687 ④ 0.7745 ⑤ 0.8195

06

야생에서 사자의 하루 중 수면 시간은 평균이 12시간이고, 표준편차가 2시간인 정규분포를 따른다고 한다. 사자의 하루 수면 시간을 확률변수 X라 하고

$$\sum_{k=1}^{11}\mathrm{P}(|X-12|\le k)=a,\ \sum_{l=1}^{12}\mathrm{P}(X\le l)=b$$

라 할 때, $a+2b$의 값을 구하시오.

07

이산확률변수 X에 대한 확률질량함수가

$$\mathrm{P}(X=n)={}_{100}\mathrm{C}_n\left(\frac{1}{2}\right)^{100}\ (n=0, 1, 2, \cdots, 100)$$

으로 주어질 때, 함수 $f(x)$를 다음과 같이 정의하자.

$$f(x)=\mathrm{P}(X\le 5x+50)\ (-10\le x\le 10)$$

이때 **보기**에서 옳은 것을 모두 고른 것은?

보기

ㄱ. 확률변수 X의 분산은 25다.
ㄴ. $x_1\le x_2$이면 $f(x_1)\le f(x_2)$이다.
ㄷ. $f(-x)+f(x)<1$을 만족시키는 x가 적어도 하나 존재한다.

① ㄱ ② ㄷ ③ ㄱ, ㄴ ④ ㄴ, ㄷ ⑤ ㄱ, ㄴ, ㄷ

08

모평균이 m, 모표준편차가 1인 정규분포를 따르는 모집단에서 크기 n인 표본을 임의로 추출할 때, 표본평균 $\overline{X}$에 관한 확률 $\mathrm{P}\left(\overline{X} \geq -\frac{2}{\sqrt{n}}\right)=F(m)$이라 하자. 이때 부등식 $F(0)+F(-1) \leq 1.29$를 만족시키는 n의 최솟값을 오른쪽 표준정규분포표를 이용하여 구하시오.

z	$\mathrm{P}(0 \leq Z \leq z)$
0.5	0.19
1.0	0.34
1.5	0.43
2.0	0.48

09

1부터 9까지의 수가 적혀 있는 공 $(k+9)$개가 주머니에 있다. 7이 적힌 공은 $(k+1)$개 있고, 나머지 수가 적힌 공은 각각 1개씩 들어 있다고 한다. 이 주머니에서 임의추출한 한 개의 공에 적힌 수를 확률변수 X라 하면, X의 기댓값이 5.2다. 또 한 개씩 복원추출로 공 2개를 차례로 꺼낼 때, 첫 번째 공에 적힌 수를 X_1, 두 번째 공에 적힌 수를 X_2라 하고, $\overline{X}=\frac{X_1+X_2}{2}$라 하면 $\overline{X}$에 대하여 $\mathrm{P}(\overline{X}<7)=p$이다. $100p$의 값을 구하시오.

이익보다 중요한 것, 좋은 책을 만드는 것

- 천재교육의 교재 개발 철학

'이익을 기대하기 어려운 책이라도
교육에 꼭 필요하다면 망설임 없이 만든다.'
1981년 창립 이후 꾸준히 이어지고 있는
천재교육만의 교재 개발 철학입니다.
업계 최초 초 · 중 · 고 독도교과서,
창의와 인성을 길러주는 다양한 인정교과서 개발도
뜻과 원칙이 있기에 가능했던 일입니다.
아이들의 교육을 위한 책 개발에는
이익보다 가치가 먼저라는 것이
우리의 변함없는 생각이니까요.

'사업' 아닌 '사명'으로 교육을 바라보는
한결같은 진심, 변하지 않겠습니다.

다양한 인정교과서로 학교 수업이 더 즐거워집니다

초·중·고 각종 정규 수업 및 재량활동 수업에 사용되는 인정교과서로 학교 수업이 더 알차고 풍성해집니다. 천재교육의 모든 인정교과서는 '수요가 비록 적더라도, 교육현장의 요청이 있다면 교육적 사명감을 우선으로 최선을 다해 개발한다'는 원칙에 따라 꾸준히 발행되고 있습니다.

- ▣ 초등 <독도야, 사랑해!>, <논술은 내 친구>, <즐거운 예절>, <어린이 성>, <환경은 내 친구> 외 다수
- ▣ 중등 <아름다운 독도>, <진로와 직업>, <아는 만큼 힘이 되는 소비자 교육>, <에너지 프로젝트 1331> 외 다수
- ▣ 고등 <아름다운 독도>, <환경>, <미술 창작>, <음악 감상과 비평>, <진로와 직업>, <성공적인 직업 생활> 외 다수

최강
TOT

확률과 통계 정답과 풀이

천재교육

TOT

TOP

OF THE

TOP

Top of the Top

정답과 풀이

확률과 통계

1 여러 가지 순열

STEP 1 | **1등급 준비하기** p. 6~7

01 240	**02** 2304	**03** 32	**04** 1680
05 (1) 243 (2) 90		**06** 136	
07 (1) 81 (2) 179982		**08** ③	**09** ③
10 13	**11** 35	**12** 55	

01 답 240

GUIDE

표시한 부분에 특정한 2명이 앉으면 남은 5명의 배열은 원순열이 아니다.

특정한 2명을 한 사람 A로 생각해서 표시한 부분에 앉도록 하고 나머지 5명이 남은 자리에 앉는 경우의 수는 $5!$
이때 특정한 2명의 자리가 바뀔 수 있으므로 구하려는 경우의 수는 $5! \times 2 = 240$

02 답 2304

GUIDE

먼저 남학생을 모두 앉게 한 다음 (원순열) 여학생이 앉는다고 생각한다.

남학생 4명을 정사각형 모양 탁자의 각 변에 배정하는 경우의 수는 $(4-1)! = 3!$, 이때 각 변에 배정된 남학생은 의자 2개 중 하나를 택할 수 있으므로 그 경우의 수는 2^4
즉 남학생이 앉을 자리를 정하는 경우의 수는 $3! \times 2^4 = 96$
여학생 4명이 남은 네 자리에 앉은 경우의 수는 $4! = 24$
따라서 구하려는 경우의 수는 $96 \times 24 = 2304$

다른 풀이

남학생, 여학생 짝을 정하는 경우의 수는 $4! = 24$
4쌍의 짝이 앉을 변을 정하는 경우의 수는 $(4-1)! = 6$
각 변에서 남학생, 여학생 자리를 정하는 경우의 수는 $2^4 = 16$
따라서 구하려는 경우의 수는 $24 \times 6 \times 16 = 2304$

03 답 32

GUIDE

바닥면에 1을 고정한 다음 생각해 보자.

먼저 바닥면에 1을 적은 다음 마주보는 면에 적을 수를 정하는 경우의 수는 5이다. 이때 남은 수 4개를 옆면에 적는 경우의 수는 $(4-1)! = 6$ $\quad \therefore a = 5 \times 6 = 30$
마주보는 면에 적힌 수의 합이 7이 되는 경우일 때,
바닥면에 1을 적으면 윗면에는 6을 써야 한다. 이때 네 옆면에 남은 2, 3, 4, 5를 적는 방법은 그림과 같이 두 가지 뿐이다.

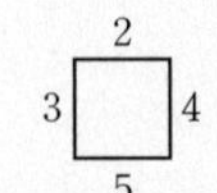

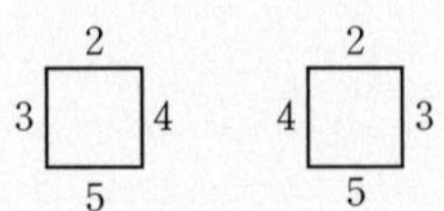

$\therefore b = 2$
따라서 $a + b = 32$

1등급 NOTE

5쪽 **단축키**에 있는 정n면체를 색칠하는 경우의 수를 구하는 공식을 이용하면 정육면체의 면은 정사각형이므로
$a = (6-1)! \div 4 = 30$

04 답 1680

GUIDE

정삼각형 외부에 있는 원의 영역에 칠한 색이 결정되면 정삼각형 내부에 있는 원의 영역 배열은 원순열이 아님을 주의한다.

한가운데 영역을 칠하는 경우의 수 ⇨ ${}_7C_1$
정삼각형 외부의 세 영역을 칠하는 경우의 수 ⇨ ${}_6C_3 \times 2!$
정삼각형 내부의 세 영역을 칠하는 경우의 수 $3!$
$\therefore {}_7C_1 \times {}_6C_3 \times 2! \times 3! = 1680$

05 답 (1) 243 (2) 90

GUIDE

집합의 포함 관계가 주어지면 벤 다이어그램을 그려 놓고 생각한다.

(1) 오른쪽 벤 다이어그램처럼 생각하면 1, 2, 3, 4, 5를 A, $B \cap A^C$, B^C 세 영역에 넣는 경우의 수와 같다.
즉 ${}_3\Pi_5 = 3^5 = 243$(개)

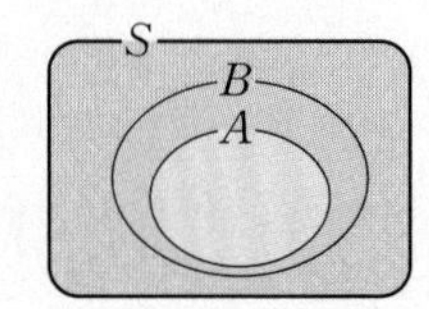

(2) 오른쪽 벤 다이어그램에서 $A \cap B$에 들어갈 원소 3개를 뽑고, 남은 원소 2개를 $(A \cup B)^C$, $A \cap B^C$, $B \cap A^C$에 넣는 경우의 수와 같다.
즉 ${}_5C_3 \times 3^2 = 90$(개)

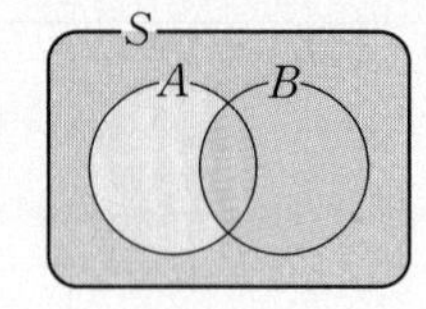

06 답 136

GUIDE

$f(3)$의 조건이 가장 많으므로 $f(3)$의 값부터 정한다.

(i) $f(3) = 2$인 경우
1, 2는 1로, 4, 5, 6은 3, 4, 5, 6 중 하나로 대응되므로 경우의 수는 ${}_1\Pi_2 \times {}_4\Pi_3 = 64$
(ii) $f(3) = 4$인 경우
1, 2는 1, 2, 3 중 하나로 4, 5, 6은 5, 6 중 하나로 대응되므로 경우의 수는 ${}_3\Pi_2 \times {}_2\Pi_3 = 72$
(iii) $f(3) = 6$인 경우는 없다.
따라서 조건에 맞는 함수의 개수는 $64 + 72 = 136$

07 답 (1) 81 (2) 179982

GUIDE

각 자리에 쓰인 1, 2, 3이 각각 몇 개인지 구한다.

(1) ${}_3\Pi_4=3^4=81$

(2) 천의 자리가 1인 수는 ${}_3\Pi_3=27$(개)이고 같은 방법으로 천의 자리가 2, 3인 수도 각각 27개다.

즉 천의 자리에 있는 수의 합은

$27(1+2+3)\times1000=162000$

마찬가지 방법으로 생각하면

백의 자리에 있는 수의 합은 16200

십의 자리에 있는 수의 합은 1620

일의 자리에 있는 수의 합은 162

따라서 네 자리 수의 총합은 179982

1등급 NOTE

1, 2, 3의 조건이 모두 같고, 각 자리에 쓰인 수의 평균이 2이므로 네 자리 수의 총합은 $81\times2\times(1000+100+10+1)=179982$

08 답 ③

GUIDE

양 끝에 놓을 바둑돌을 정하고 나머지 배열을 생각한다.

흰 바둑돌 하나와 검은 바둑돌 하나를 양 끝에 배열한 다음 남은 바둑돌(검은 바둑돌 4개, 흰 바둑돌 3개)을 일렬로 배열하는 경우의 수와 같다. 즉 $2!\times\dfrac{7!}{4!3!}=70$

1등급 NOTE

검은 바둑돌 4개와 흰 바둑돌 3개를 일렬로 나열한 다음 남은 바둑돌 2개를 양 끝에 배열한다고 생각해도 된다.

09 답 ③

GUIDE

배열 순서가 결정된 것은 일단 같은 것으로 생각한다.

1, 3은 모두 x로 2, 4, 6은 모두 y로 생각해 보자. 이때 x, x, y, y, y, 5를 나열한 다음 x는 차례로 1, 3으로 바꾸고, y도 차례로 2, 4, 6으로 바꾸면 조건에 맞는 경우가 된다.

따라서 구하려는 경우의 수는 $\dfrac{6!}{2!3!}=60$

1등급 NOTE

모든 경우의 수는 $6!$이고, 1이 3보다 왼쪽에 있을 확률은 $\dfrac{1}{2}$이다. 또 2, 4, 6이 이 순서대로 있을 확률은 $\dfrac{1}{3!}$

이때 두 사건은 서로 독립이므로 구하려는 경우의 수는

$6!\times\dfrac{1}{2}\times\dfrac{1}{3!}=60$

10 답 13

GUIDE

대각선 방향 길의 선택 개수에 따라 경우를 나눈다.

대각선 길을 선택하는 경우를 다음과 같이 나눌 수 있다.

(i) 대각선 길을 두 개 선택하여 조건에 맞게 가는 경우는 그림과 같은 것뿐이다.

즉 경로의 수는 1

(ii) 대각선 길을 한 개 선택하는 경우는 다음과 같다.

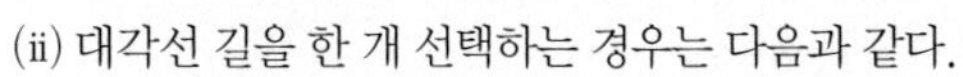

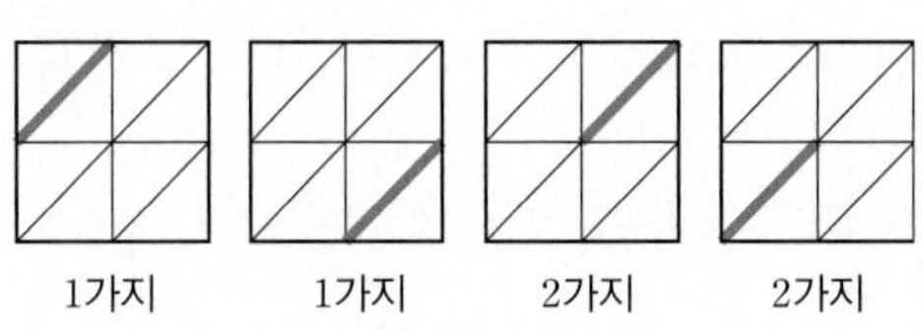

1가지 1가지 2가지 2가지

즉 $1+1+2+2=6$(가지)

(iii) 대각선 길을 선택하지 않는 경우는 그림처럼 생각하면 경로의 수는 $\dfrac{4!}{2!2!}=6$

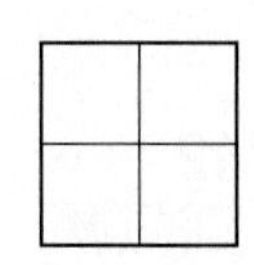

따라서 전체 경로의 수는 $1+6+6=13$

다른 풀이

길 위에서 이동 방향이 정해져 있으므로 그림처럼 모든 길에 방향을 표시한 다음 모든 꼭짓점에 대해 가능한 이전 꼭짓점 개수를 더해서 나타내면 구하는 경로의 수는 13

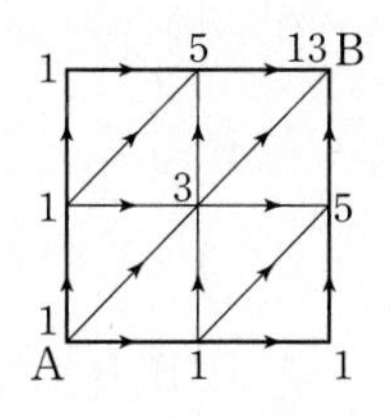

1등급 NOTE

그림에서 이동 방향이 오른쪽과 아래쪽일 때 T지점으로 가는 길은 M지점에서 가는길과 N지점에서 가는 길, 이렇게 두 가지 뿐이다. 이때 출발점에서 M지점까지의 최단 경로의 수가 m, 출발점에서 N지점까지의 최단 경로의 수가 n이면 출발점에서 T지점까지 가는 최단 경로의 수는 $m+n$이 됨을 이용할 수 있다. 예를 들어 아래 왼쪽과 같은 도로망이 있을 때, A지점에서 B지점으로 가는 최단 경로의 수는 아래 오른쪽처럼 생각할 수 있으므로 70이다.

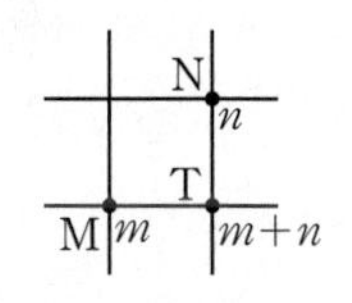

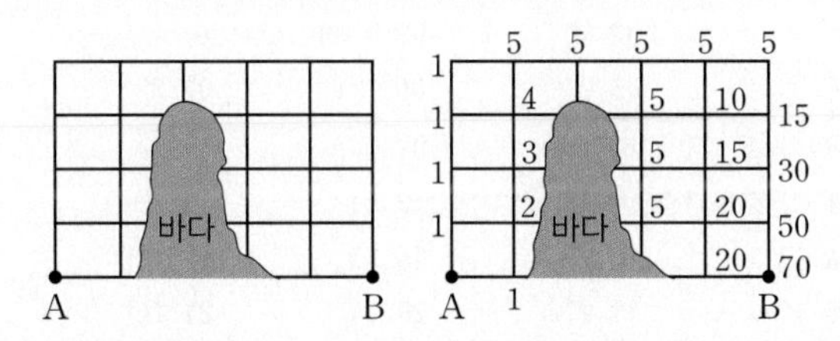

※ 위 방법은 도로망 내에서 진행 방향이 한 가지로 고정되는 경우에 사용할 수 있다. 위 예의 경우 바다 왼쪽에서는 진행 방향이 →, ↑으로 고정되어 있고, 바다 오른쪽에서는 진행 방향이 →, ↓으로 고정되었으므로 합의 법칙을 사용할 수 있다. 만약 어느 한쪽에서 진행 빙향이 →, ↑, ←이거나 →, ↑, ↓이면 합의 법칙을 사용할 수 없다.

11 답 35

GUIDE

주사위를 네 번 던져 나온 눈의 수의 합이 20이면 된다.

점 P가 원둘레를 한 바퀴를 돈 다음 두 바퀴째를 돌 때 점 I에 있으려면 처음부터 20칸을 움직인 것이다. 즉 주사위를 네 번 던져 나온 눈의 수의 합이 20이면 된다.

주사위를 네 번 던져 나온 눈의 수를 (a, b, c, d)라 하면

$a+b+c+d=20$인 경우는

$(6, 6, 6, 2)$, $(6, 6, 5, 3)$, $(6, 6, 4, 4)$, $(6, 5, 5, 4)$, $(5, 5, 5, 5)$ 이므로

이때 각 순서쌍의 원소를 나열하는 경우의 수는

$\frac{4!}{3!}+\frac{4!}{2!}+\frac{4!}{2!2!}+\frac{4!}{2!}+1=35$

12 답 55

GUIDE

B 또는 C의 개수에 따라 분류한다.

B의 개수에 따라 분류하면

(i) B가 2개 쓰일 때

A, B, B, C, C를 설치하는 경우이므로 $\frac{5!}{2!2!}=30$

(ii) B가 3개 쓰일 때

A, B, B, B, C를 설치하는 경우이므로 $\frac{5!}{3!}=20$

(iii) B가 4개 쓰일 때

A, B, B, B, B를 설치하는 경우이므로 $\frac{5!}{4!}=5$

(i), (ii), (iii)에서 $30+20+5=55$

STEP 2 | 1등급 굳히기 p. 8~12

01 45	**02** ④	**03** (1) 90 (2) 180	
04 ①	**05** 2	**06** ②	**07** 32
08 (1) 96 (2) 1488		**09** ②	**10** ⑤
11 (1) 271 (2) 300		**12** 81	**13** ③
14 89	**15** ⑤	**16** 32	**17** 180
18 40	**19** 272	**20** 56	**21** 160

01 답 45

GUIDE

A와 이름표가 바뀐 학생을 선택하는 것과 남은 네 명에 대한 완전순열의 수를 생각한다.

(i) A와 이름표가 바뀐 학생을 선택하는 경우의 수 ⇨ 5

(ii) 남은 4명에 대한 완전순열의 수 ⇨ 9

따라서 구하려는 경우의 수는 $5\times9=45$

02 답 ④

GUIDE

정씨가 남자 한 명뿐이므로 정씨가 짝을 이루지 못하는 경우와 짝을 이루는 경우로 나누어 생각한다.

(i) 남자 정씨가 짝을 이루지 못하는 경우

남녀 김, 이, 박, 최에 대한 완전순열이므로 9가지

(ii) 남자 정씨가 짝을 이루는 경우

이때 정씨가 아닌 남자가 홀로 남는데, 이 경우 가상의 여자 정씨를 추가해 혼자인 이 남자와 짝을 이룬다고 생각하면 남녀 김, 이, 박, 최, 정에 대한 완전순열이므로 44가지

(i), (ii)에서 구하려는 경우의 수는 $9+44=53$

03 답 (1) 90 (2) 180

GUIDE

(1)에서는 옆면이 원순열이 되지만 (2)에서는 옆면이 길이가 다른 직사각형 위에 있으므로 원순열이 아님을 주의한다.

(1) 정사각형 모양의 면에 들어갈 수를 뽑는 경우의 수는 ${}_6C_2=15$이고, 이때 뒤집는 것이 가능하므로 작은 수를 바닥면에 적는다고 하면 남은 4개의 수를 4면에 배열하는 원순열의 수는 $(4-1)!=6$

따라서 경우의 수는 $15\times6=90$

(2) 가장 넓은 면에 들어갈 두 수를 뽑는 경우의 수는 ${}_6C_2=15$이고, 이때 뒤집는 것이 가능하므로 작은 수를 바닥면에 적는다고 하면 남은 4개의 수를 직사각형의 네 변에 배열하는 변형 원순열의 수는 $\frac{4!}{2}=12$

따라서 경우의 수는 $15\times12=180$

참고

(2)에서 3, 4, 5, 6을 a, b, c가 모두 다른 직육면체의 옆면에 배열하는 경우 $4!$에 대하여 다음과 같이 2번씩 같은 배열이 생기므로 두 가지는 한 가지로 세어야 한다. 따라서 옆면 네 곳에 남은 수를 배열하는 경우의 수는

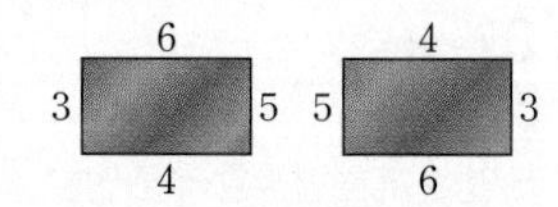

$\frac{4!}{2}=12$

※ 5쪽 **단축키** 참고

04 답 ①

GUIDE

가운데에 있는 원에 돌을 놓는 경우와 놓지 않는 경우로 나누어 생각한다.

5개의 돌 중에서 3개를 뽑는 경우의 수는 ${}_5C_3=10$

(i) 가운데 원에 돌을 놓는 경우

가운데 원에 놓을 돌을 뽑는 경우의 수는 ${}_3C_1$이고, 나머지 원 4개 중에서 2개를 택해 돌을 놓는 방법은 이웃하게 놓는 2가

지와 이웃하지 않게 놓는 1가지가 있으므로

$_3C_1\times(2+1)=9$

(ii) 가운데 원에 돌을 놓지 않는 경우

나머지 원 4개 중에서 3개를 택해 놓으면 되므로 $(4-1)!=6$

(i), (ii)에서 구하는 경우의 수는 $10(9+6)=150$

다른 풀이

그림의 놀이판에 돌 5개를 배열하는 경우의 수는 $\frac{5!}{4}=30$

이 중에서 없애야 할 돌 2개를 택하는 경우의 수는 $_5C_2=10$

이때 2개의 돌은 서로 바뀌어도 상관 없으므로 구하려는 경우의 수는 $30\times\frac{10}{2}=150$

1등급 NOTE

(i) 가운데에 돌을 놓은 경우, 남은 돌 2개를 4곳에 배열하면 된다. 이때 투명돌 2개를 더하면 돌 4개를 둥글게 배열하는 경우이고, 투명돌 2개는 구분할 수 없으므로 $(4-1)!\times\frac{1}{2}=3$

즉 $_3C_1\times3=9$(가지)

(ii) 가운데에 돌을 놓지 않는 경우, 투명돌 1개를 더해 돌 4개를 둥글게 배열한다고 생각하면 $(4-1)!=6$

05 답 2

GUIDE

7명이 앉는 경우 빈자리를 고정시키면 원순열이 아니다. 또 6명이 앉는 경우 빈자리에 투명인간이 앉는다고 생각해 보자.

7명이 앉는 경우 빈자리를 고정시키면 원순열이 아니므로 7명을 배열하는 경우의 수 $a=7!$

또 6명이 앉는 경우 빈자리 2곳에 투명인간 2명이 앉는다고 생각하면 8명을 배열하는 원순열의 수는 $(8-1)!$, 즉 $7!$이고, 투명인간끼리는 구분이 안 되므로 이때 경우의 수 $b=\frac{7!}{2!}$

$\therefore a\div b=2!=2$

다른 풀이

6명이 앉을 때 특별한 사람을 고정시키면 원순열이 아니다.

남은 7자리에 5명이 앉으면 되므로 $_7C_5\times5!=\frac{7!}{2!}$

06 답 ②

GUIDE

각각의 여학생 사이에 앉는 남학생 수가 다르므로 여학생 사이 세 곳에 앉는 남학생 수는 1명, 2명, 3명이다.

여학생 3명이 원탁에 둘러앉는 경우의 수는 $(3-1)!=2!$

이때 여학생 사이 세 곳에 앉는 남학생 수는 모두 달라야 하므로 각각 1명, 2명, 3명이고, 이를 정하는 경우의 수는 $3!$

남학생 6명을 일렬로 나열하는 경우의 수는 $6!$

즉 구하려는 경우의 수는 $2!\times3!\times6!=12\times6!$

따라서 $n=12$

07 답 32

GUIDE

이웃해서 앉는 부부가 한 쌍, 두 쌍, 세 쌍인 경우 각각에 대하여 그 경우의 수를 구한다.

※ 부부 한 쌍이 이웃해서 앉지 않도록 한 다음 나머지 부부도 이웃하지 않도록 배열하는 경우의 수를 구해도 된다.

세 쌍의 부부를 A−a, B−b, C−c라 하자.

이때 6명이 원탁에 앉는 경우의 수는 $(6-1)!=120$

(i) 부부 한 쌍이 이웃해서 앉는 경우

예를 들어 A−a가 이웃하면 A−a를 한 명으로 생각하고 A−a의 배열까지 고려해야 하므로 이때 경우의 수는

$(5-1)!\times2=48$

B, b와 C, c에 대해서도 마찬가지이므로 한 쌍의 부부만 이웃하는 경우의 수는 $48\times3=144$

(ii) 부부 두 쌍이 이웃해서 앉는 경우

예를 들어 A−a와 B−b가 이웃하면 A−a와 B−b를 각각 한 명으로 생각하고 부부끼리의 배열까지 고려해야 하므로 이때 경우의 수는 $(4-1)!\times2\times2=24$

이웃해서 앉는 부부 두 쌍을 택하는 3가지 경우가 있으므로

$24\times3=72$

(iii) 부부 세 쌍 모두 이웃해서 앉는 경우

위와 같이 생각하면 경우의 수는

$(3-1)!\times2\times2\times2=16$

포함 배제의 원리에서 적어도 한 쌍의 부부가 이웃해서 앉는 경우의 수는 $144-72+16=88$

따라서 부부끼리 이웃해서 앉지 않는 경우의 수는

$120-88=32$

참고 포함 배제의 원리

세 유한집합 A, B, C에 대하여

- $n(A\cup B)=n(A)+n(B)-n(A\cap B)$
- $n(A\cup B\cup C)=n(A)+n(B)+n(C)-n(A\cap B)-n(B\cap C)-n(C\cap A)+n(A\cap B\cap C)$

다른 풀이

A−a 부부가 이웃하지 않도록 자리를 고정하는 경우를 다음과 같이 생각할 수 있다.

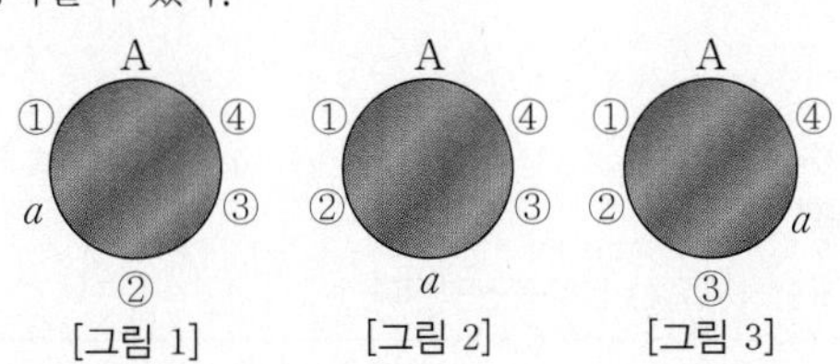

[그림 1] [그림 2] [그림 3]

(i) [그림 1]의 경우

③에 앉을 사람을 뽑고 그 배우자를 ①에 앉도록 하고, 남은 자리에 나머지 부부가 앉으면 된다.

이때 경우의 수는 $4\times2=8$

(ii) [그림 2]의 경우

①에 앉을 사람을 뽑고 그 배우자를 ③ 또는 ④에 앉도록 하고, 남은 자리에 나머지 부부가 앉으면 된다.

이때 경우의 수는 $4\times2\times2=16$

(iii) [그림 3]의 경우는 (i)과 같으므로 경우의 수는 8

따라서 구하려는 경우의 수는 $8+16+8=32$

08 답 (1) 96 (2) 1488

GUIDE

(1) 부부를 한 묶음으로 본다.

(2) 8명을 원탁에 배열하는 경우의 수에서 이웃하는 부부가 한 쌍 이상 있는 경우의 수를 뺀다.

네 쌍의 부부를 A−a, B−b, C−c, D−d라 하자.

(1) 부부끼리 이웃한다면 부부를 한 묶음으로 보고 네 묶음을 원탁에 배열하는 경우의 수는 $(4-1)!=6$

이때 각 부부의 순서를 배열하는 경우의 수는 $2^4=16$

따라서 구하려는 경우의 수는 $6\times16=96$

(2) 8명을 원탁에 배열하는 경우의 수는 $7!=5040$

(i) 한 쌍의 부부가 이웃해서 앉는 경우

예를 들어 A−a 부부가 이웃해서 앉는 경우의 수는

$6!\times2!=1440$

B−b, C−c, D−d 부부에 대해서도 마찬가지이므로 이때 경우의 수는 $1440\times4=5760$

(ii) 두 쌍의 부부가 이웃해서 앉는 경우

예를 들어 A−a와 B−b 두 부부가 이웃해서 앉는 경우의 수는 $5!\times2!\times2!=480$

두 쌍의 부부를 고르는 경우의 수가 ${}_4C_2=6$이므로 이때 경우의 수는 $480\times6=2880$

(iii) 세 쌍의 부부가 이웃해서 앉는 경우

예를 들어 A−a, B−b, C−c 세 부부가 이웃해서 앉는 경우의 수는 $4!\times2!\times2!\times2!=192$

세 쌍의 부부를 고르는 경우의 수가 ${}_4C_3=4$이므로 이때 경우의 수는 $192\times4=768$

(iv) 네 쌍의 부부가 모두 이웃해서 앉는 경우의 수는 (1)에서 96

따라서 구하려는 경우의 수는

$5040-(5760-2880+768-96)=1488$

09 답 ②

GUIDE

1과 2를 포함하지 않는 경우를 생각한다.

모든 네 자리 수의 개수는 $5\times{}_6\Pi_3=1080$

1을 포함하지 않은 네 자리 수의 개수는 $4\times{}_5\Pi_3=500$

2를 포함하지 않은 네 자리 수의 개수는 $4\times{}_5\Pi_3=500$

1, 2를 모두 포함하지 않은 네 자리 수의 개수는 $3\times{}_4\Pi_3=192$

포함 배제의 원리에서 1, 2를 모두 포함한 네 자리 수의 개수는

$1080-(500+500-192)=272$

1등급 NOTE

포함 배제의 원리를 적용하는 것이 헷갈린다면 벤 다이어그램을 그려서 활용한다.

10 답 ⑤

GUIDE

1부터 9까지는 0을 포함하는 것이 없고, 10부터 99가지는 0을 한 개 포함하는 것이 9개이고, 0을 두 개 포함하는 것은 없다. 세 자리 수, 네 자리 수에 대하여 0을 한 개 포함하는 것을 따져본다.

(i) 0을 한 개 포함하는 것

10∼99: □0 꼴이므로 9(개)

100∼999: □0□, □□0 꼴이므로 $2\times{}_9\Pi_2=162$(개)

1000∼9999: □0□□, □□0□, □□□0 꼴이므로

$3\times{}_9\Pi_3=2187$(개)

$\therefore a=9+162+2187=2358$

(ii) 0을 하나도 포함하지 않는 것

1∼9 중에서 중복을 허락해 r $(1\le r\le4)$개 뽑는 경우의 수와 같으므로

$b={}_9\Pi_1+{}_9\Pi_2+{}_9\Pi_3+{}_9\Pi_4=9+81+729+6561$

$=7380$(개)

따라서 $a+b=2358+7380=9738$

다른 풀이

1부터 9999까지 자연수 9999개 중에서 0을 두 개 포함하는 것, 0을 세 개 포함하는 것을 제외하면 구하려는 것이 된다.

(i) 0을 두 개 포함하는 것

100∼999: □00 꼴이므로 9(개)

1000∼9999: □00□, □0□0, □□00 꼴이므로

$3\times{}_9\Pi_2=243$(개)

즉 $9+243=252$

(ii) 0을 세 개 포함하는 것

세 자리 자연수 중에서는 없고 네 자리 자연수 중 □000 꼴이므로 9(개)

따라서 구하려는 값은 $9999-(252+9)=9738$

11 답 (1) 271 (2) 300

GUIDE

0부터 999까지 1000개의 수에서 생각하고 각각을 000, 001, ⋯, 999라 해 보자.

(1) 000, 001, ⋯, 999까지 1000개 중에서 7을 포함하지 않은 것은 $9^3=729$(개)이므로

7을 포함한 것은 $1000-729=271$

(2) 000, 001, ⋯, 999까지 1000개에 쓰인 숫자는 모두 3000개이고, 이때 0부터 9까지의 숫자 10개는 같은 횟수로 사용되었으므로 숫자 7은 $3000\div10=300$(번) 쓰였다.

다른 풀이

(1) 7□□, □7□, □□7 꼴의 수는 각각 100개

77□, 7□7, □77 꼴의 수는 각각 10개

또 777이 있으므로 1개

포함 배제의 원리에서 7을 포함한 것은

$100+100+100-10-10-10+1=271$(개)

(2) 위 풀이에서 7은 백의 자리에 100번, 십의 자리에 100번, 일의 자리에 100번 쓰였으므로 숫자 7은 모두 300번 쓰였다.

1등급 NOTE

7이 한 번 쓰인 수, 7이 두 번 쓰인 수, 7이 세 번 쓰인 수로 나누어 풀면 복잡하다.

12 답 81

GUIDE

각 층을 올라가는 에스컬레이터를 선택하면 경로는 하나로 결정된다. 즉 경로의 수와 에스컬레이터를 선택하는 경우의 수가 서로 같다.

그림은 목적지로 가기 위해 층을 올라갈 때 선택한 에스컬레이터를 나타낸 하나의 예이다. 이렇게 에스컬레이터를 선택했을 때 가능한 경로는 하나뿐이다.

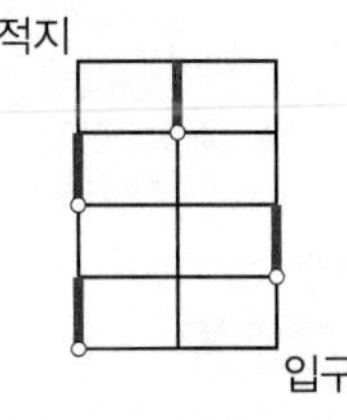

따라서 구하려는 경로의 수는 각 층에서 올라갈 에스컬레이터를 택하는 경우의 수와 같으므로 $3^4=81$

주의

길을 통행하는 방향이 유일하게 결정되지 않은 경우이므로 꼭짓점 수를 더하는 방법을 사용할 수 없다.

13 답 ③

GUIDE

벤 다이어그램을 그려놓고 생각한다.

다음과 같이 벤 다이어그램을 그리고 조건에 맞도록 원소의 개수를 나타내 보자.

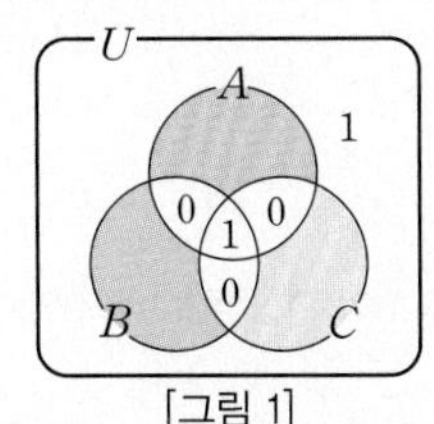

[그림 1]

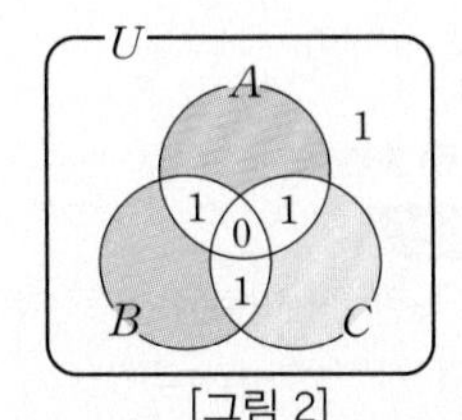

[그림 2]

(i) $n(A\cap B\cap C)=1$일 때, 조건 (나)에 따라 [그림 1]처럼 생각할 수 있으므로 $(A\cap B\cap C)$와 $(A\cup B\cup C)^C$를 나타내는 영역에 들어갈 원소를 각각 1개씩 고른 다음, 남은 원소 4개를 색칠한 세 영역에 배열하는 경우의 수는 $6\times5\times3^4=2430$

(ii) $n(A\cap B\cap C)=0$일 때, 조건 (나)에 따라 [그림 2]처럼 생각할 수 있으므로 남은 원소 2개를 색칠한 세 영역에 배열하는 경우의 수는 $6\times5\times4\times3\times3^2=3240$

(i), (ii)에서 집합 A, B, C의 순서쌍은 $2430+3240=5670$(개)

14 답 89

GUIDE

1의 개수를 a, 2의 개수를 b라 하고 $a+2b=10$을 만족시키는 음이 아닌 정수 a, b를 구한다.

1이 a개, 2가 b개라 하면 $a+2b=10$을 만족시키는 음이 아닌 정수 a, b의 순서쌍 (a, b)는

$(10, 0)$, $(8, 1)$, $(6, 2)$, $(4, 3)$, $(2, 4)$, $(0, 5)$이므로

- $(10, 0)$, 즉 1만 10개일 때 나열하는 경우의 수 ⇨ 1
- $(8, 1)$, 즉 1이 8개이고 2가 1개일 때 나열하는 경우의 수 ⇨ $\frac{9!}{8!}=9$
- $(6, 2)$, 즉 1이 6개이고 2가 2개일 때 나열하는 경우의 수 ⇨ $\frac{8!}{6!2!}=28$
- $(4, 3)$, 즉 1이 4개이고 2가 3개일 때 나열하는 경우의 수 ⇨ $\frac{7!}{4!3!}=35$
- $(2, 4)$, 즉 1이 2개이고 2가 4개일 때 나열하는 경우의 수 ⇨ $\frac{6!}{2!4!}=15$
- $(0, 5)$, 즉 2만 5개일 때 나열하는 경우의 수 ⇨ 1

따라서 구하려는 경우의 수는 $1+9+28+35+15+1=89$

다른 풀이

1과 2를 나열하여 합이 n이 되도록 나열하는 경우의 수를 a_n이라 하면 $a_1=1$, $a_2=2$이고

맨 앞의 숫자가 1일 때는 남은 숫자의 합이 $(n-1)$이므로 a_{n-1},

맨 앞의 숫자가 2일 때는 남은 숫자의 합이 $(n-2)$이므로 a_{n-2},

즉 $a_n=a_{n-1}+a_{n-2}$ $(n\geq3)$에서

$a_3=3$, $a_4=5$, $a_5=8$, $a_6=13$, $a_7=21$, $a_8=34$, $a_9=55$

이므로 $a_{10}=a_8+a_9=34+55=89$

15 답 ⑤

GUIDE

A와 B는 각각 6만큼 이동해야 목적지에서 도착하므로 두 사람이 각각 3만큼 이동했을 때 중간에서 만난다.

두 사람이 만날 수 있는 지점은 그림에서 P, Q, R, S로 나타낸 점이다. A가 P, Q, R, S를 지나 B가 있던 곳으로 가는 경로의 수는 각각 1, 9, 9, 1이다.

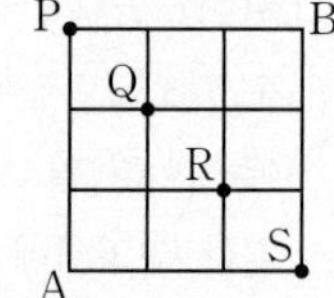

마찬가지로 B가 P, Q, R, S를 지나 A가 있던 곳으로 가는 경로의 수는 각각 1, 9, 9, 1이다.

따라서 구하려는 경우의 수는

$1\times1+9\times9+9\times9+1\times1=164$

16 답 32

GUIDE

P, Q와 P, R를 동시에 지나는 경로는 없지만 Q, R를 동시에 지나는 경로가 있음을 주의한다.

P를 지나 A에서 B로 가는 경로의 수는

$\frac{3!}{2!}\times\frac{4!}{3!}=12$

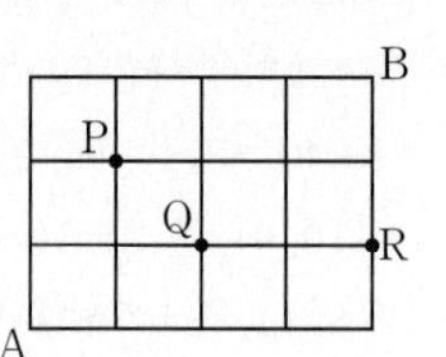

Q를 지나 A에서 B로 가는 경로의 수는

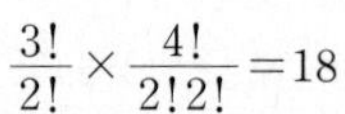

$\frac{3!}{2!}\times\frac{4!}{2!2!}=18$

R를 지나 A에서 B로 가는 경로의 수는 $\frac{5!}{4!}\times1=5$

이때 두 점 P, Q를 모두 지나는 최단 경로와 두 점 P, R를 모두 지나는 최단 경로는 존재하지 않지만 두 점 Q, R를 모두 지나는 최단 경로는 존재한다. 이 경로의 수가 $\frac{3!}{2!}\times1\times1=3$이므로

구하려는 최단 경로의 수는 $12+18+5-3=32$

17 답 180

GUIDE

4, 5, 6이 적힌 칸에 흰 공 1, 2, 2를 배열하는 경우와 검은 공 1, 2, 2를 배열하는 경우를 생각한다. 또 남은 공을 배열하는 경우도 함께 생각한다.

1이 적힌 흰 공을 ①, 2가 적힌 흰 공을 ②로 나타내자. 마찬가지로 1이 적힌 검은 공을 ❶, 2가 적힌 검은 공을 ❷로 나타내자.

4, 5, 6이 적힌 칸에 있는 공에 적힌 수의 합이 5이고 모두 같은 색인 경우는 다음과 같다.

(i) 4, 5, 6이 적힌 칸에 ①, ②, ②를 넣는 경우의 수는 $\frac{3!}{2!}$

남은 칸에 ①, ❶, ❶, ❷, ❷를 넣는 경우의 수는 $\frac{5!}{2!2!}$

이때 경우의 수는 $\frac{3!}{2!}\times\frac{5!}{2!2!}=90$

(ii) 4, 5, 6이 적힌 칸에 검은 공 ❶, ❷, ❷를 넣는 경우도 마찬가지이므로 경우의 수는 90

따라서 구하려는 경우의 수는 $90+90=180$

18 답 40

GUIDE

원둘레 위의 길을 직선으로 나타내면 직사각형 도로망에서 생각할 수 있다.

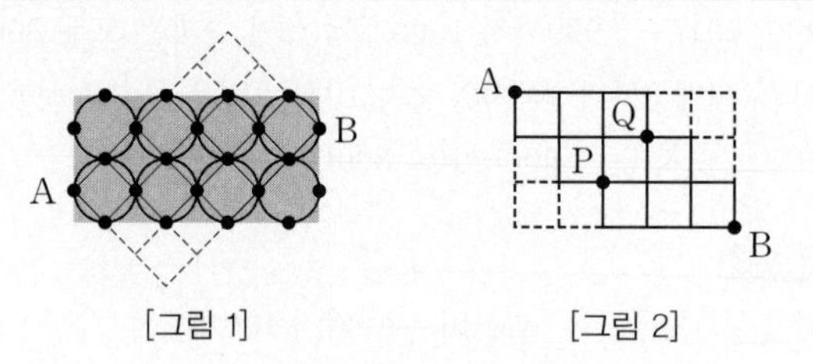

[그림 1] [그림 2]

[그림 1]에서 A지점을 출발하여 산책로를 따라 최단 거리로 B지점에 도착하는 경우의 수는 [그림 2]에서 A지점을 출발하여 실선을 따라 최단 거리로 B지점에 도착하는 경우의 수와 같다.

(i) $A\to P\to B$의 경우

$\left(\frac{4!}{2!2!}-1\right)\times\frac{4!}{3!}=5\times4=20$(가지)

(ii) $A\to Q\to B$의 경우

$\frac{4!}{3!}\times\left(\frac{4!}{2!2!}-1\right)=4\times5=20$(가지)

따라서 구하려는 경우의 수는 $20+20=40$

다른 풀이

다음과 같이 합의 법칙을 이용할 수 있다.

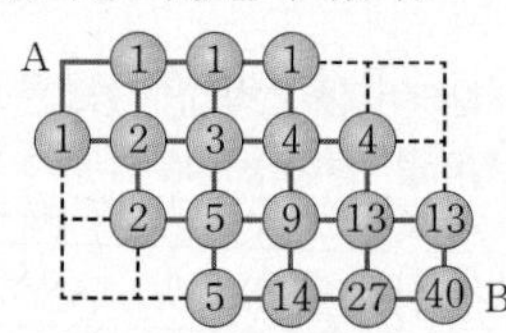

19 답 272

GUIDE

어느 통에서 꺼낼지 결정한 다음 왼쪽과 오른쪽을 결정한다고 생각한다.

공을 꺼내는 통을 배열하는 경우의 수는 A 3개, B 3개, C 4개를 배열하는 것으로 생각할 수 있으므로 $\frac{10!}{3!3!4!}=4200$

A에서 공 세 개를 꺼낼 때 처음과 두 번째는 오른쪽, 왼쪽의 선택이 가능하고, 세 번째 공을 꺼내는 방법은 1가지다.

즉 통 A에서 공을 꺼내는 경우의 수는 $2\times2=4$

통 B에서 공을 꺼내는 경우의 수도 $2\times2=4$

통 C에서 공을 꺼내는 경우의 수는 $2\times2\times2=8$

따라서 공 10개를 꺼내는 경우의 수는

$4200\times4\times4\times8=2^{10}\times525=2^{10}(2\times262+1)$

$\therefore a+b=10+262=272$

20 답 56

GUIDE

$\overline{CD}$에 대한 대칭이동을 생각한다. 이때 점 B가 맨 오른쪽 위에 위치하도록 한다.

(i) $\overline{CD}$ 위의 한 점을 반드시 지나는 경우는 그림처럼 $\overline{CD}$에 대해 대칭이동한 것에서 점 A에서 점 E까지 가는 경로의 수와 같다.

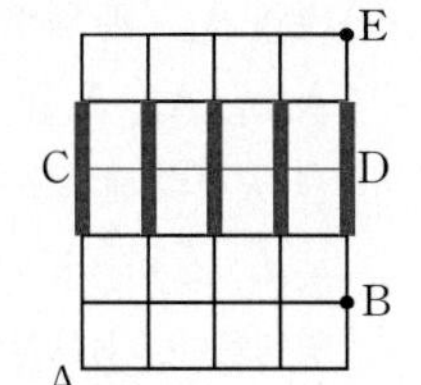

이때 경우의 수는 $\frac{9!}{4!5!}=126$

(ii) 한 번 지나간 길을 또 지나는 경우는 그림에서 굵은 선으로 나타낸 부분을 경로에 포함할 때이다. 이때 점 A에서 굵은 선으로 나타낸 부분을 지나 점 E까지 가는 경로의 수는

$1\times\frac{5!}{4!}+\frac{3!}{2!}\times\frac{4!}{3!}+\frac{4!}{2!2!}\times\frac{3!}{2!}+\frac{5!}{2!3!}\times2+\frac{6!}{2!4!}\times1$

$=70$

(i), (ii)에서 구하려는 경우의 수는 $126-70=56$

1등급 NOTE

위 풀이의 (ii)에서 굵은 선으로 표시한 부분을 경로에 포함하는 경우는 $\overline{CD}$ 위를 가로 방향으로 지나지 않을 때이다. 즉 $\overline{CD}$를 없애 놓고 생각하면 이때 최단 경로의 수는 $\frac{8!}{4!\times4!}=70$

21 답 160

GUIDE

❶ x축 방향의 이동만 생각하지 말고 y축 방향의 이동도 함께 생각한다.

❷ A$(-2, 0)$에서 B$(2, 0)$까지 다섯 번의 이동으로 가는 경우이므로 x축 방향으로 4만큼, y축 방향으로 0만큼 이동하였다.

왼쪽 또는 아래쪽으로 이동하는 것을 -1, 이동이 없는 것을 0, 오른쪽 또는 위쪽으로 이동하는 것을 1로 생각하자.

x축 방향의 이동은 $-1, 0, 1$ 세 가지므로 다섯 번의 이동으로 x축 방향으로 4만큼 이동하려면 0이 한 번, 1이 네 번 필요하다.

이때 경우의 수는 $\frac{5!}{4!}=5$ …… ㉠

y축 방향의 이동도 $-1, 0, 1$ 세 가지므로 다섯 번의 이동으로 y축 방향으로 0만큼 이동하는 것은 다음과 같이 나눌 수 있다.

(i) 모두 0일 때

이 경우는 x축 방향으로의 이동이 0, y축 방향으로의 이동도 0인 경우가 항상 존재하므로 조건에 어긋난다.

(ii) -1, 1이 각각 1개, 0이 3개일 때

이 경우의 수는 $\frac{5!}{3!}=20$이고, 이중에서 $(0, 0)$인 이동을 포함하지 않은 가능한 경우의 수는 8 …… ㉡

(iii) -1, 1이 각각 2개, 0이 1개일 때

이 경우의 수는 $\frac{5!}{2!2!}=30$이고, 이중에서 $(0, 0)$인 이동을 포함한 것은 $\frac{4!}{2!2!}=6$이므로 가능한 경우의 수는

$30-6=24$ …… ㉢

이때 조건을 만족시키는 이동은 ㉠과 ㉡이 함께 일어나거나 ㉠과 ㉢이 함께 일어날 때이다.

따라서 구하려는 경우의 수는 $5\times8+5\times24=160$

1등급 NOTE

㉠과 같은 이동 예로 $(1, 1, 0, 1, 1)$을 생각할 수 있다. 이때 ㉡과 같은 이동이 $(1, -1, 0, 0, 0)$이 되면 조건에 맞지 않는다. 그 까닭은 x축 방향과 y축 방향의 이동을 순서쌍으로 나타낸다면 이 경우 $(1, 1), (1, -1), (0, 0), (1, 0), (1, 0)$이 되어 다섯 번 중 $(0, 0)$처럼 이동하지 않을 때가 한 번 있기 때문이다. 즉 ㉡과 같은 이동 20가지 중 x축 방향 이동이 0인 자리(위 예에서는 3번째)에는 반드시 1 또는 -1이 위치해야 한다.

x축 방향 이동	y축 방향 이동	조건 부합 여부
$(1, 1, 0, 1, 1)$	$(1, -1, 0, 0, 0)$	×
	$(-1, 0, 1, 0, 0)$	○
	$(0, -1, 1, 0, 0)$	○
	$(0, 0, 1, -1, 0)$	○
	$(0, 0, 1, 0, -1)$	○

표와 같이 3번째 자리에 1이 있으면 남은 $0, 0, 0, -1$을 배열하는 $\frac{4!}{3!}=4$(가지) 경우가 있고, 3번째 자리에 -1이 있을 때도 마찬가지로 4가지 경우가 있다.

따라서 (ii)일 때 조건에 맞는 경우는 모두 $5\times8=40$(가지)이다.

같은 경우에서 ㉢과 같은 이동을 생각할 때 3번째 자리에 0이 오면 조건에 맞지 않음을 알 수 있다. 이때 경우의 수는 남은 4자리에 $1, 1, -1, -1$을 배열하는 것을 생각하면 $\frac{4!}{2!2!}=6$이므로 조건에 맞는 이동은 $30-6=24$(가지)이다.

즉 (iii)일 때 조건에 맞는 경우는 모두 $5\times24=120$(가지)이다.

STEP 3 1등급 뛰어넘기

p. 13~15

01 600	**02** 400	**03** 25	**04** 576
05 (1) 30 (2) 70		**06** 18	
07 (1) 105 (2) 15 (3) 9		**08** 384	**09** 11

01 답 600

GUIDE

b_i의 뜻을 바르게 이해한다. b_2는 $\{a_1, a_2\}$ 중에서 가장 작은 것을 선택하고 b_3은 $\{a_1, a_2, a_3\}$ 중에서 가장 작은 것을 선택한다는 뜻이다. 예를 들어 $(5, 4, 3, 2, 1)$이면 $b_1=5, b_2=4, b_3=3, b_4=2, b_5=1$이고 $(1, 2, 3, 4, 5)$이면 $b_1=1, b_2=b_3=b_4=b_5=0$이다.

결국 1은 어떤 경우든 선택되지만 5는 맨 앞에 있지 않으면 0이 됨을 알 수 있다.

몇 번째 자리에 있느냐를 기준으로 삼으면 분류가 어려우므로 다음과 같이 각각의 숫자에 대해 생각해 보자.

(i) 숫자 1 : 1은 위치에 상관없이 항상 최소이므로 120개 순열 중 1은 120번 더해진다.

(ii) 숫자 2 : 2는 1보다 앞에 나올 때만 더해진다. 이런 경우는 60번이므로 이때 더해지는 수의 총합은 120

(iii) 숫자 3 : 3은 1, 2보다 앞에 나올 때만 더해진다. 이런 경우는 $120\times\frac{1}{3}=40$(번)이므로 이때 더해지는 수의 총합은 120

(iv) 숫자 4 : 4는 1, 2, 3보다 앞에 나올 때만 더해진다. 이런 경우는 $120\times\frac{1}{4}=30$(번)이므로 이때 더해지는 수의 총합은 120

(v) 숫자 5 : 5는 맨 앞에 나올 때만 더해진다. 이런 경우는 $120\times\frac{1}{5}=24$(번)이므로 이때 더해지는 수의 총합은 120

(i)~(v)에서 구하려는 S의 총합은 $5\times120=600$

02 답 400

GUIDE

$P(i)=\sum_{k=0}^{5} a_k i^k$에서 $a_k i^k=b_k$라 하면 b_k는 ±1, $\pm i$ 중 하나이므로 $\sum_{k=0}^{5} b_k=0$인 경우를 구하면 된다.

$P(i)=\sum_{k=0}^{5} a_k i^k$에서 $a_k i^k=b_k$라 하고, $b_0, b_1, \cdots, b_5$ 중 $1, -1, i, -i$인 것의 개수를 각각 x, y, z, w라 하면 $P(i)=0$에서 $x=y$, $z=w$이고 $x+y+z+w=6$을 만족시키는 경우는

$(x, y, z, w)=(0, 0, 3, 3), (1, 1, 2, 2), (2, 2, 1, 1), (3, 3, 0, 0)$

(i) $(x, y, z, w)=(0, 0, 3, 3)$일 때, 즉 $i, i, i, -i, -i, -i$를 배열하는 경우의 수는 $\frac{6!}{3!3!}=20$

(ii) $(x, y, z, w)=(1, 1, 2, 2)$일 때, 즉 $1, -1, i, i, -i, -i$를 배열하는 경우의 수는 $\frac{6!}{2!2!}=180$

(iii) $(x, y, z, w)=(2, 2, 1, 1)$일 때, 즉 $1, 1, -1, -1, i, -i$를 배열하는 경우의 수는 $\frac{6!}{2!2!}=180$

(iv) $(x, y, z, w)=(3, 3, 0, 0)$일 때, 즉 $1, 1, 1, -1, -1, -1$을 배열하는 경우의 수는 $\frac{6!}{3!3!}=20$

따라서 구하려는 경우의 수는 $20+180+180+20=400$

03 답 25

GUIDE

(i) A_n영역을 A_1과 다른 색으로 칠하는 것을 생각한다.

(ii) A_n영역을 A_1, A_{n-1}과 다른 색으로 칠하는 것을 생각한다.

(i) 영역 A_{n-1}과 영역 A_1이 같은 색일 때

A_{n-1}, A_n, A_1을 하나의 영역으로 생각하면 $(n-2)$개 영역을 m개의 색으로 칠하는 것과 같으므로 경우의 수는 $f(n-2, m)$이고, A_{n-1}, A_n, A_1에서 A_n 영역을 A_1과 다른 색으로 칠하는 경우의 수는 $m-1$

$\therefore$ (가)$=g(m)=m-1$

(ii) 영역 A_{n-1}과 영역 A_1이 다른 색일 때

A_n 영역이 없다고 생각하면 $(n-1)$개 영역을 m개의 색으로 칠하는 것과 같으므로 경우의 수는 $f(n-1, m)$

A_n 영역을 A_1, A_{n-1}과 다른 색으로 칠하는 경우의 수는 $m-2$ $\therefore$ (나)$=h(m)=m-2$

따라서 $g(6)\times h(7)=5\times5=25$

04 답 576

GUIDE

윗줄에 모자를 걸고 가운데 줄에 모자를 걸 때는 완전순열을 생각할 수 있다.

윗줄에 모자를 거는 경우의 수는 $4!=24$

가운데 줄은 윗줄과 완전순열이므로 배열하는 경우의 수는 9

그런데 문제 예시와 같은 배열일 때는 아래 줄의 배열은 2가지지만, 아래 줄의 배열이 4가지가 되는 경우도 있다.

윗줄	A	B	C	D
가운데 줄	C	A	D	B
아래 줄	B	D	A	C
	D	C	B	A

[아래 줄의 배열이 2가지인 경우]

윗줄	A	B	C	D
가운데 줄	B	A	D	C
아래 줄	C	D	A	B
	C	D	B	A
	D	C	A	B
	D	C	B	A

[아래 줄의 배열이 4가지인 경우]

이와 같이 아래 줄의 배열이 4가지인 경우는 2개씩 서로 맞바꿈할 때이다. 4개에서 2개씩 서로 맞바꿈이 되는 경우의 수는 A와 짝이 될 것만 결정하는 것과 같으므로 3이다. 이때 가운데 줄 완전순열 중 2개씩 맞바꿈이 되지 않는 것은 $9-3=6$이므로 가운데 줄과 아래 줄을 배열하는 경우의 수는 $6\times2+3\times4=24$

따라서 구하려는 경우의 수는 $24\times24=576$

다른 풀이

문제 예시의 경우에서 셋째 줄까지 결정되면 문제에서 요구하지 않은 넷째 줄이 하나로 결정된다. 이 경우 첫째 열(3칸)을 배열하는 경우의 수는 $3!$이므로 [그림 1]처럼 놓고 생각해 보자. 이때 D의 위치는 [그림 2] 또는 [그림 3]으로 2가지다.

A	B	C	D
B			
C			
D			

[그림 1]

A	B	C	D
B		D	
C	D		
D			

[그림 2]

A	B	C	D
B	D		
C		D	
D			

[그림 3]

[그림 2]에 C를 배열하면 [그림 4], [그림 5]가 가능하고, [그림 3]일 때 C를 배열하는 것은[그림 6]뿐이다.

A	B	C	D
B	C	D	
C	D		
D			C

[그림 4]

A	B	C	D
B		D	C
C	D		
D	C		

[그림 5]

A	B	C	D
B	D		C
C		D	
D	C		

[그림 6]

이때 B의 배열을 생각하면 [그림 4], [그림 5], [그림 6] 각각에 대하여 차례로 1가지, 2가지, 1가지 경우가 가능하고 이때 남은 자리에 A를 배열하면 문제의 조건을 모두 만족시킨다.
따라서 구하려는 경우의 수는 $24\times6\times(1+2+1)=576$

05 답 (1) 30 (2) 70

GUIDE

(1) 두 번 사용하는 색이 하나 있다.
(2) 세 개 이상의 색을 사용하면 된다.

(1) 다섯 가지 색을 모두 사용한다면 한 가지 색은 두 번 사용된다. 두 번 사용하는 색은 서로 마주보는 면에 칠해야 하고, 이때 남은 색으로 정육면체의 옆면을 칠하는 경우의 수는 정사각형의 네 변을 색칠하는 경우의 수 $(4-1)!$과 같다.
따라서 구하려는 경우의 수는 $5\times(4-1)!=30$

(2) 사용하지 않는 색이 있어도 좋다는 것은 다섯 가지 색을 다 사용해도 되고 네 가지 색, 세 가지 색을 사용해도 된다는 것이다.
(i) 다섯 가지 색을 사용하는 경우는 (1)과 같으므로 경우의 수는 30
(ii) 네 가지 색을 사용하는 경우
두 번 칠하는 색 두 가지 고르기 ⇨ ${}_5C_2=10$
한 번 칠하는 색 두 가지 고르기 ⇨ ${}_3C_2=3$
이때 색을 고른 다음 정육면체를 칠하는 경우는 한 가지뿐이므로 $10\times3\times1=30$
(iii) 세 가지 색을 사용하는 경우이면 세 가지 색을 각각 두 번씩 사용해야 한다. 세 가지 색을 고르는 경우의 수는 ${}_5C_3$, 즉 10이고, 색을 고른 다음 정육면체를 칠하는 경우는 한 가지뿐이므로 $10\times1=10$
따라서 구하려는 경우의 수는 $30+30+10=70$

참고

(ii)에서 두 번 칠하는 색과 한 번 칠하는 색이 정해지면 색을 칠하는 방법은 한 가지로 정해진다. 마찬가지로 (iii)에서 두 번 칠하는 색 세 가지가 결정되면 조건에 따라 색칠하는 방법은 한 가지로 정해진다.

06 답 18

GUIDE

각 문자는 네 번씩 사용해야 하고, 조건에 따라 배치할 수 있는 a의 자리는 한 가지 경우뿐이다.

a가 배치될 자리는 [그림 1]처럼 한 가지로 결정된다.

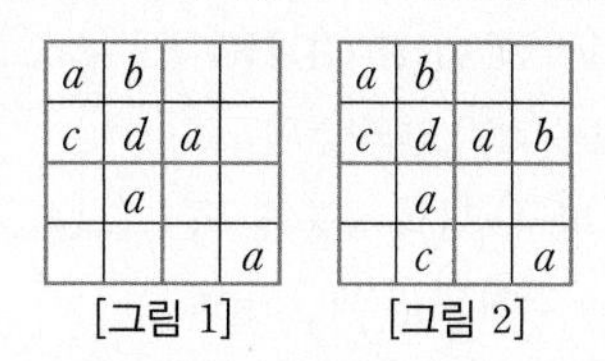

왼쪽 위 네 칸에서 문자를 배열하는 경우의 수는 $3!=6$이고, [그림 1]처럼 배열하면 [그림 2]가 정해진다. 이때 다음과 같이 d를 배열하는 세 가지 경우를 생각할 수 있고, 나머지 문자를 정하는 방법은 한 가지로 결정된다.

a	b		d
c	d	a	b
d	a		
	c	d	a

a	b		d
c	d	a	b
	a	d	
d	c		a

a	b	d	
c	d	a	b
	a		d
d	c		a

따라서 구하려는 경우의 수는 $6\times3=18$

참고

오른쪽 아래 네 칸에서 d의 위치를 기준으로 경우의 수를 구한 이유는 [그림 2]에서 b, c의 자리가 하나씩 더 정해졌기 때문이다. 물론 왼쪽 아래 네 칸에서 b의 위치를 기준으로 경우의 수를 구해도 된다.

07 답 (1) 105 (2) 15 (3) 9

GUIDE

(2) 검정 구슬이 놓일 자리를 고정한다.
(3) 검정 구슬이 놓일 자리를 고정한 다음 뒤집어서 일치하는 경우를 살펴본다.

(1) $\dfrac{7!}{2!4!}=105$

(2) 검정 구슬이 놓이는 자리를 고정한다고 생각하면 원순열이 아니므로 구하려는 경우의 수는 $\dfrac{6!}{2!4!}=15$

(3) (i) 좌우 대칭일 때

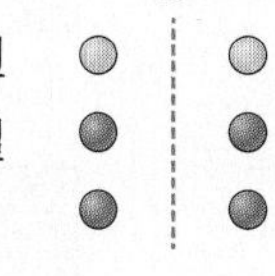

그림처럼 생각하면 어느 한쪽, 예를 들면 왼쪽에 노랑 구슬 1개, 파랑 구슬 2개를 배열하는 경우의 수와 같으므로
$\dfrac{3!}{2!}=3$

(ii) 좌우 대칭이 아닐 때
$15-3=12$(가지) 경우가 있고, 뒤집으면 두 번 중복되므로 $12\div2=6$
따라서 구하려는 경우의 수는 $3+6=9$

08 답 384

GUIDE

면 2개를 지날 때 최단 경로가 된다. 다만 모서리를 지나는 경우에서는 중복이 생길 수 있음을 주의한다.

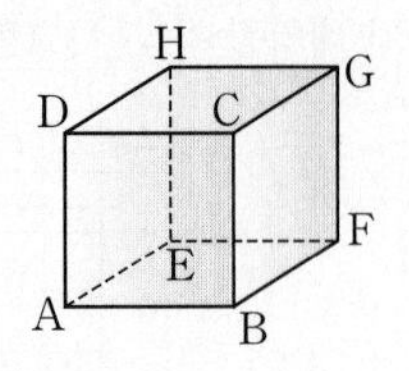

그림처럼 꼭짓점을 정하고 큐빅 면 ABCD, BCGF, DAEH,CDHG, ABFE, EFGH를 각각 편의상 앞, 오른쪽, 왼쪽, 위, 바닥, 뒤로 구분해 보자. 이때 면 3개를 거쳐 가면 최단 경로가 될 수 없고 면 2개만 지나가야 최단 경로가 될 수 있다.

(i) 면 2개를 지나는 경우

A에서 G로 갈 때 지나는 면을 순서쌍으로 나타내면

① (앞, 오른쪽) ② (앞, 위)
③ (바닥, 오른쪽) ④ (바닥, 뒤)
⑤ (왼쪽, 위) ⑥ (왼쪽, 뒤)

이다. 예를 들어 그림과 같이 앞과 오른쪽을 지나 A에서 G로 가는 최단 경로의 수는

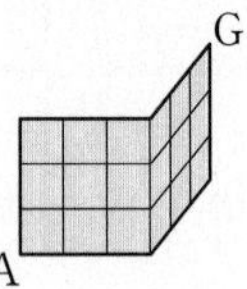

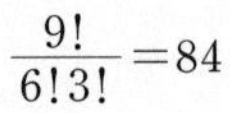

$\dfrac{9!}{6!3!}=84$

마찬가지로 ②~⑤에서도 최단 경로의 수는 각각 84이므로 면 2개를 지나는 최단 경로의 수는

$84\times6=504$

(ii) 면 2개를 지날 때 중복해서 헤아린 경로

모서리 1개를 지나는 경로 중 (i)에서 중복해서 헤아린 것이 있다. 예를 들어 오른쪽 그림처럼 모서리 CG를 지나는 경로는 ①의 경로에도 포함되었고, ②의 경로에도 포함되었으므로 중복해서 헤아린 경로이다.

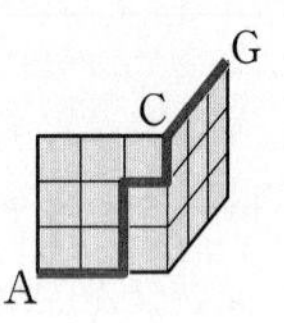

이런 경우는 A → C → G를 지나는 경로이고 그 수는

$\dfrac{6!}{3!3!}=20$이다.

실제 (i)에서 중복해서 헤아린 경로는 다음 예와 같이 모서리 CG, FG, HG, AB, AD, AE를 지나는 경우이고, 이때 그 경로의 수는 $20\times6=120$

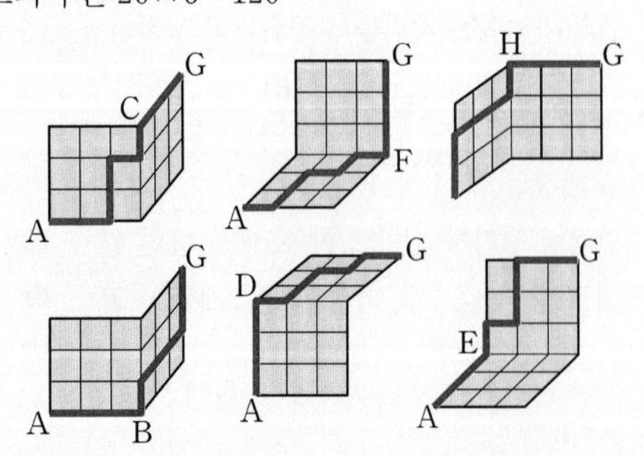

따라서 구하려는 최단 경로의 수는 $504-120=384$

참고

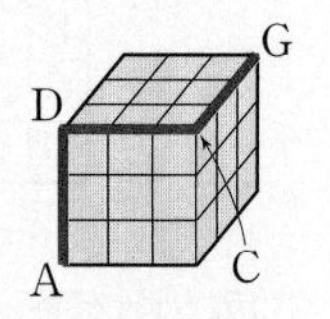

오른쪽 그림과 같이 정육면체의 모서리만을 따라 가는 경우는 ①, ② 중복으로 한 번, ②, ⑤ 중복으로 한 번 제외되었다. 이런 경로처럼 (ii)에서 중복해서 빼준 경로가 있으므로 모서리만 따라 가는 최단 경로의 수인 $3!=6$도 더해야 할 것처럼 보인다.

그런데 A → D → C → G 경로는 실제로는 1개지만 (i)의 ①, ②, ⑤에서 한 번씩 헤아렸으므로 경로 수가 3이 되었다. 하지만 (ii)에서 ①, ② 중복으로 한 번 제외되고, ②, ⑤ 중복으로 한 번 제외되면서 실제 경로 수 1과 같아졌으므로 풀이에서 모서리만 따라가는 이런 경로의 수는 더 이상 생각하지 않아도 된다.

09 답 11

GUIDE

(i)은 $y>x$인 영역을 지나는 경로를 설명하고 (ii)는 B(9, 11)에 도달하는 경로를 설명한다. 즉 원점을 출발하여 $y>x$인 영역을 지나 A(10, 10)에 도착하는 경로의 수는 원점을 출발하여 B(9, 11)에 도착하는 경로의 수와 같으므로 구하려는 경로의 수는 점 O에서 점 A로 가는 경로의 수에서 점 O에서 점 B로 가는 경로의 수를 뺀 것과 같다.

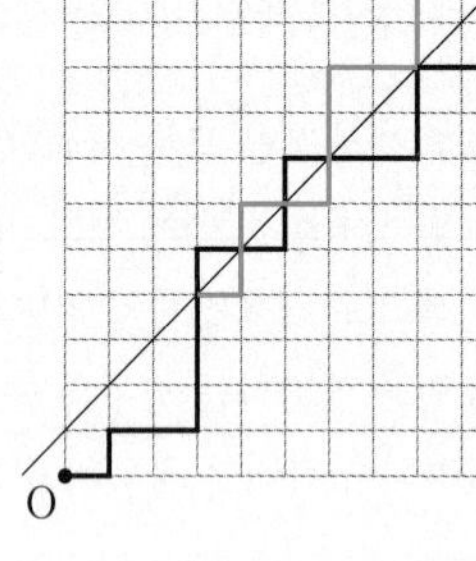

문제의 내용을 그림처럼 생각해 보면 $y>x$인 영역을 지나는 경로의 수는 원점을 출발하여 B(9, 11)에 도착하는 경로의 수와 같다.

즉 구하려는 경로의 수는

$\dfrac{20!}{10!10!}-\dfrac{20!}{9!11!}$

$=\dfrac{20!}{9!10!}\left(\dfrac{1}{10}-\dfrac{1}{11}\right)$

$=\dfrac{1}{110}\times\dfrac{20!}{9!10!}=\dfrac{1}{11}\times\dfrac{20!}{10!10!}$

$\therefore a=11$

참고

❶ ($y>x$인 영역을 지나지 않는 경로의 수)
=(전체 경로의 수)−($y>x$인 영역을 지나는 경로의 수)
=(전체 경로의 수)−(원점을 출발해 B(9, 11)에 도착하는 경로의 수)

❷ 점 (0, 0)에서 점 (n, n)까지 가는 최단 경로 중 $y>x$인 부분을 지나지 않는 경로의 수는 $\dfrac{1}{n+1}\times\dfrac{(2n)!}{n!n!}$이고, 이것을 카탈란 수 (Catalan number)라 한다.

2 중복조합과 이항정리

STEP 1 | **1등급 준비하기** p. 18~20

01 (1) 21 (2) 84		**02** ③	**03** 220
04 ①	**05** ④	**06** 49	**07** (1) 5 (2) 70
08 120	**09** 70	**10** 2	**11** 27
12 11	**13** ④	**14** 3	**15** ②
16 ⑤	**17** ④		

01 답 (1) 21 (2) 84

GUIDE

(1) $x=2x'+1$, $y=2y'+1$, $z=2z'+1$로 놓는다.
(2) (x가 홀수인 경우의 수)$\times 3$

(1) $x=2x'+1$, $y=2y'+1$, $z=2z'+1$이라 하면
x', y', z'은 음이 아닌 정수이고,
$x+y+z=2(x'+y'+z')+3=13$
즉 $x'+y'+z'=5$의 음이 아닌 정수해의 개수와 같으므로
${}_3H_5={}_7C_5=21$
(2) $x=2x'+1$, $y=2y'$, $z=2z'$이라 하면
x', y', z'은 음이 아닌 정수이고,
$x+y+z=2(x'+y'+z')+1=13$
즉 $x'+y'+z'=6$의 음이 아닌 정수해의 개수는 ${}_3H_6$
y만 홀수인 경우, z만 홀수인 경우도 생각하면 구하려는 정수해의 개수는 $3\times{}_3H_6=3\times{}_8C_6=84$

1등급 NOTE

x, y, z를 x', y', z'을 써서 나타낼 때 x', y', z'이 음이 아닌 정수가 되도록 한다.

02 답 ③

GUIDE

x, y, z가 -1 이상의 정수이므로 $x+1$, $y+1$, $z+1$은 모두 음이 아닌 정수가 됨을 이용한다.

x, y, z가 -1 이상의 정수이므로
$x+1=x'$, $y+1=y'$, $z+1=z'$으로 놓으면
$x'\ge 0$, $y'\ge 0$, $z'\ge 0$
즉 $x+y+z=4$에서 구하려는 순서쌍의 개수는
$x'+y'+z'=7$을 만족시키는 음이 아닌 정수 x', y', z'의 순서쌍 (x', y', z')의 개수와 같으므로 ${}_3H_7={}_9C_2=36$

03 답 220

GUIDE

a, b, c는 20 이하의 홀수이다.

(가)에서 $a\times b\times c$가 홀수이므로 a, b, c는 모두 홀수
(나)에서 $a\le b\le c\le 20$이므로 a, b, c의 값이 될 수 있는 것은 20 이하의 홀수이다. 그런데 20 이하의 홀수가 10개이므로 이중에서 중복을 허락하여 3개를 뽑은 다음 작은 것부터 차례로 a, b, c라 하면 된다.
따라서 구하려는 순서쌍 개수는 ${}_{10}H_3={}_{12}C_3=220$

04 답 ①

GUIDE

세 후보의 득표 수를 모두 합하면 20이다.

세 후보의 득표 수를 각각 a, b, c라 하면
$a+b+c=20$이 되는 음이 아닌 정수해의 개수와 같다.
${}_3H_{20}={}_{22}C_{20}={}_{22}C_2=231$

1등급 NOTE

문제의 내용을 음이 아닌 정수해의 개수 또는 자연수 해의 개수를 구하는 부정방정식 꼴로 나타내면 경우의 수를 더 쉽게 구할 수 있다. 이것이 어려우면 문제의 내용을 함수의 대응 관계로 생각한다.

05 답 ④

GUIDE

선택한 세 수의 합이 홀수가 되려면 (홀, 홀, 홀), (짝, 짝, 홀) 꼴이어야 한다.

(i) 홀수만 3개 택할 경우
${}_3H_3={}_5C_3=10$
(ii) 짝수 2개와 홀수 1개를 택할 경우
짝수 2개를 택하는 경우의 수는 ${}_3H_2=6$
홀수가 3개이므로 이때 경우의 수는 $6\times 3=18$
따라서 구하려는 경우의 수는 $10+18=28$

06 답 49

GUIDE

$N=1000a+100b+10c+d$로 놓으면 $a+b+c+d=7$이고, N이 홀수이므로 d가 될 수 있는 수는 1, 3, 5이다.

$N=1000a+100b+10c+d$로 놓으면 $a+b+c+d=7$이고,
N이 홀수이므로 d가 될 수 있는 수는 1, 3, 5이다.
($a=b=c=0$이고, $d=7$이면 $N=7$이므로 $N\ge 10$인 조건에 어긋난다. $a\ge 0$, $b\ge 0$, $c\ge 0$이므로 $d\ne 7$이다.)
(i) $d=1$인 경우
방정식 $a+b+c=6$의 음이 아닌 정수해의 개수는 ${}_3H_6=28$
(ii) $d=3$인 경우
방정식 $a+b+c=4$의 음이 아닌 정수해의 개수는 ${}_3H_4=15$
(iii) $d=5$인 경우
방정식 $a+b+c=2$의 음이 아닌 정수해의 개수는 ${}_3H_2=6$
따라서 구하려는 자연수 N의 개수는 $28+15+6=49$

07 답 (1) 5 (2) 70

GUIDE

(1)은 중복 불가능하지만 (2)에서는 중복이 가능하다.

(1) 집합 B에서 원소 4개를 골라 작은 것부터 차례로 1, 2, 3, 4에 대응시키면 된다. 즉 구하려는 함수의 개수는 ${}_5C_4=5$

(2) 집합 B에서 중복을 허락해서 원소 4개를 골라 작은 것부터 차례로 1, 2, 3, 4에 대응시키면 된다. 즉 구하려는 함수의 개수는 ${}_5H_4={}_8C_4=70$

08 답 120

GUIDE

반지 7개를 한 줄로 나열한 다음 중복을 네 묶음으로 나눈다고 생각한다.

집게손가락부터 새끼손가락까지 순서대로 반지를 낀다고 생각하자. 이때 반지 7개를 한 줄로 나열한 다음 각 손가락에 낄 반지 개수에 따라 차례로 끼우면 된다.

즉 구하려는 경우의 수는 $7!\times{}_4H_7=7!\times{}_{10}C_3=120\times7!$

따라서 $a=120$

09 답 70

GUIDE

색깔이 같은 바둑돌을 하나의 묶음으로 생각하면 4묶음으로 나눌 때 색깔 변화가 3번 생긴다.

색깔이 같은 바둑돌을 하나의 묶음으로 생각하면 다음과 같은 경우일 때 색깔 변화가 3번 생긴다. 이때 각 묶음에 있는 바둑돌 개수를 차례로 a, b, c, d라 하면, a, b, c, d는 자연수이다.

(i) 흑, 백, 흑, 백으로 묶음이 정해질 때

$a+c=8$, $b+d=6$

즉 ${}_2H_6\times{}_2H_4={}_7C_6\times{}_5C_4=35$

(ii) 백, 흑, 백, 흑으로 묶음이 정해질 때

$a+c=6$, $b+d=8$

즉 ${}_2H_4\times{}_2H_6={}_5C_4\times{}_7C_6=35$

(i), (ii)에서 구하려는 경우의 수는 $35+35=70$

10 답 2

GUIDE

$\left(1+\dfrac{x}{n}\right)^n$의 일반항 ${}_nC_r\left(\dfrac{x}{n}\right)^r$에서 $r=3$인 경우를 구한다.

$\left(1+\dfrac{x}{n}\right)^n$ 의 일반항은 ${}_nC_r\left(\dfrac{x}{n}\right)^r$ 이므로

$r=3$이면 ${}_nC_3\left(\dfrac{x}{n}\right)^3$, 즉 $\dfrac{n(n-1)(n-2)}{6n^3}x^3$에서

$a_n=\dfrac{n(n-1)(n-2)}{6n^3}$이고, $a_5=\dfrac{5\times4\times3}{6\times5^3}=\dfrac{2}{25}$

따라서 $25a_5=2$

11 답 27

GUIDE

$(1+x)^n={}_nC_0+{}_nC_0x+\cdots+{}_nC_nx^n$의 양변에 $x=\dfrac{1}{5}$을 대입하면 a^n이 됨을 이용한다.

$$a_n=\sum_{r=0}^{n}\frac{{}_nC_r}{5^r}={}_nC_0+\frac{{}_nC_1}{5}+\frac{{}_nC_2}{5^2}+\cdots+\frac{{}_nC_n}{5^n}$$

또 $(1+x)^n={}_nC_0+{}_nC_1x+\cdots+{}_nC_nx^n$의 양변에 $x=\dfrac{1}{5}$을 대입하면 $\left(\dfrac{6}{5}\right)^n={}_nC_0+\dfrac{{}_nC_1}{5}+\dfrac{{}_nC_2}{5^2}+\cdots+\dfrac{{}_nC_n}{5^n}$

$\therefore a_n=\left(\dfrac{6}{5}\right)^n$

즉 $a_1+a_2+\cdots+a_{10}=\dfrac{\dfrac{6}{5}\left\{\left(\dfrac{6}{5}\right)^{10}-1\right\}}{\dfrac{6}{5}-1}=\dfrac{6^{11}}{5^{10}}-6$

에서 $l+m+n=27$

12 답 11

GUIDE

k번째 항과 $(k+1)$번째 항의 대소를 비교해 수열 $\{a_n\}$이 증가하는 구간을 찾는다.

$a_k={}_{13}C_k4^k$이고, $\dfrac{a_{k+1}}{a_k}=\dfrac{{}_{13}C_{k+1}4^{k+1}}{{}_{13}C_k4^k}=\dfrac{52-4k}{k+1}$에서

$k\le10$이면 $a_{k+1}>a_k$이고, $k\ge11$이면 $a_{k+1}<a_k$이다.

즉 $a_1<a_2<\cdots<a_{10}<a_{11}>a_{12}>a_{13}$

따라서 $M=11$

1등급 NOTE

$(ax+b)^n$의 전개식에서 x^k의 계수가 최대인 경우는 $k=\left[\dfrac{a(n+1)}{a+b}\right]$일 때이다. (단, $[x]$는 x보다 크지 않은 가장 큰 정수이다.)

문제는 $a=4$, $b=1$, $n=13$인 경우이므로 $k=\left[\dfrac{4\times14}{4+1}\right]=[11.2]=11$일 때 최대인 것을 확인할 수 있다.

13 답 ④

GUIDE

${}_nC_0+{}_nC_2+{}_nC_4+\cdots={}_nC_1+{}_nC_3+{}_nC_5+\cdots=2^{n-1}$

$2({}_{19}C_1+{}_{19}C_3+{}_{19}C_5+\cdots+{}_{19}C_{19})$

$={}_{19}C_0+{}_{19}C_1+{}_{19}C_2+{}_{19}C_3+\cdots+{}_{19}C_{19}$

$=2^{19}$

즉 ${}_{19}C_1+{}_{19}C_3+{}_{19}C_5\ \cdots+{}_{19}C_{19}=2^{18}$이므로

$\log_2({}_{19}C_1+{}_{19}C_3+{}_{19}C_5\cdots+{}_{19}C_{19})=\log_2 2^{18}=18$

14 답 3

GUIDE

${}_{n+3}C_n={}_{n+3}C_3$임을 이용한다.

$a=\sum_{n=0}^{8}{}_{n+3}C_n=\sum_{n=0}^{8}{}_{n+3}C_3$

$={}_3C_3+{}_4C_3+\cdots+{}_{11}C_3={}_{12}C_4$

$b=\sum_{n=2}^{10}{}_nC_2={}_2C_2+{}_3C_2+\cdots+{}_{10}C_2={}_{11}C_3$

$\therefore \frac{a}{b}=\frac{{}_{12}C_4}{{}_{11}C_3}=\frac{12!}{4!8!}\times\frac{3!8!}{11!}=3$

15 답 ②

GUIDE

$\left(x+\frac{1}{x}\right)^{10}$ 의 일반항을 이용한다.

$\left(x+\frac{1}{x}\right)^{10}$ 의 일반항은 ${}_{10}C_r x^r\left(\frac{1}{x}\right)^{10-r}={}_{10}C_r x^{2r-10}$이고,

$0\le r\le 10$인 임의의 정수 r에 대하여 지수는 항상 2의 배수이므로 $\left(x+\frac{1}{x}\right)^{10}$ 의 모든 항과 $(1-x+x^2)$의 1, x^2을 곱한 항도 x의 지수가 2의 배수가 된다.

따라서 모든 계수의 합은 $2\sum_{r=0}^{10}{}_{10}C_r=2^{11}$

다른 풀이

x의 지수가 짝수인 항의 계수 총합을 A, x의 지수가 홀수인 항의 계수 총합을 B라 하자.

$x=1$을 대입하면 $2^{10}=A+B$

$x=-1$을 대입하면 $3(-2)^{10}=A-B$

$\therefore A=2^{11}, B=-2^{10}$

16 답 ⑤

GUIDE

$(1+x)^{12}(1+x)^{12}$의 전개식과 $(1+x)^{24}$의 전개식에서 x^{12}의 계수를 비교한다.

(가) $(1+x)^{24}=(1+x)^{12}(1+x)^{12}$

$=({}_{12}C_0+{}_{12}C_1x+{}_{12}C_2x^2+\cdots+{}_{12}C_{12}x^{12})$

$\times({}_{12}C_{12}x^{12}+{}_{12}C_{11}x^{11}+\cdots+{}_{12}C_0)$

에서 x^{12}의 계수는

${}_{12}C_0\times{}_{12}C_{12}+{}_{12}C_1\times{}_{12}C_{11}+\cdots+{}_{12}C_{12}\times{}_{12}C_0$

또 $(1+x)^{24}$의 전개식에서 x^{12}의 계수는 ${}_{24}C_{12}$

(나) ${}_nC_r={}_nC_{n-r}$에서 ${}_{12}C_{12}={}_{12}C_0$, ${}_{12}C_{11}={}_{12}C_1$, $\cdots$, ${}_{12}C_0={}_{12}C_{12}$

(가)와 (나)에서 $({}_{12}C_0)^2+({}_{12}C_1)^2+\cdots+({}_{12}C_{12})^2={}_{24}C_{12}$

따라서 $a=24$, $b=12$이므로 $a-b=12$

1등급 NOTE

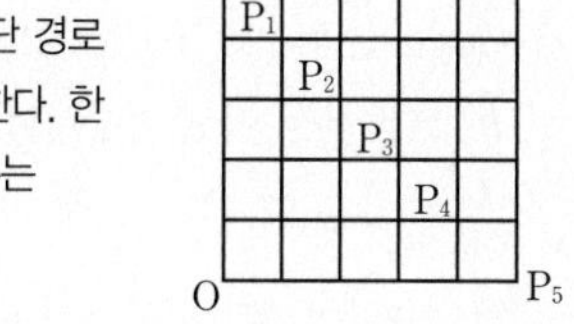

그림의 점 O에서 A까지 최단 경로로 간다고 할 때, O에서 A까지 가는 임의의 최단 경로는 $P_0\sim P_5$ 중 반드시 한 점을 포함한다. 한편 O에서 A까지 가는 최단 경로의 수는 $\frac{10!}{5!5!}={}_{10}C_5$이다.

$\therefore$ (O에서 A까지 가는 최단 경로의 수)

$=\sum_{k=0}^{5}$ (점 P_k를 지나는 최단 경로의 수)

$=\sum_{k=0}^{5}({}_5C_k\times{}_5C_{5-k})=\sum_{k=0}^{5}({}_5C_k)^2=\frac{10!}{5!5!}={}_{10}C_5$

위와 같은 방법으로 생각해 보면 다음을 알 수 있다.

$({}_nC_0)^2+({}_nC_1)^2+\cdots+({}_nC_n)^2=\frac{2n!}{n!n!}={}_{2n}C_n$

17 답 ④

GUIDE

$\sum_{k=0}^{7}({}_{10}C_k\times{}_7C_k)$는 $(1+x)^{10}(1+x)^7$의 전개식에서 x^7의 계수와 같다.

$(1+x)^{10}$에서 x^k의 계수는 ${}_{10}C_k$이고

$(1+x)^7$에서 x^{7-k}의 계수는 ${}_7C_{7-k}={}_7C_k$이므로

$(1+x)^{10}(1+x)^7$에서 x^7의 계수는 $\sum_{k=0}^{7}({}_{10}C_k\times{}_7C_k)$

$(1+x)^{17}$에서 x^7의 계수는 ${}_{17}C_7$

$\therefore \sum_{k=0}^{7}({}_{10}C_k\times{}_7C_k)={}_{17}C_7$

STEP 2 | 1등급 굳히기

p. 21~28

01 ②	02 36	03 210	
04 (1) 540 (2) 56		05 10	06 490
07 ①	08 455	09 ⑤	10 ③
11 56	12 30	13 70	14 517
15 (1) 15 (2) 126		16 228	17 ⑤
18 ③	19 ④	20 ⑤	21 ⑤
22 ⑤	23 40	24 355	25 ①
26 17	27 252	28 254	29 ①
30 ③	31 22	32 1001	33 ①
34 ③	35 1023		

01 답 ②

GUIDE

세 바구니에 담는 과일 개수를 차례로 a, b, c라 놓고, $a=2a'+1$, $b=2b'+1$, $c=2c'+1$임을 이용한다.

각 바구니에 담긴 과일 개수를 a, b, c라 하면, $a+b+c=17$이고, a, b, c는 홀수이므로

$a=2a'+1$, $b=2b'+1$, $c=2c'+1$이라 하면

a', b', c'은 음이 아닌 정수이고,

$a'+b'+c'=\frac{17-3}{2}=7$

즉 구하려는 경우의 수는 ${}_3H_7=36$

02 답 36

GUIDE

삼각형의 세 변의 길이를 a, b, c라 할 때, 가장 긴 변의 길이는 $\frac{a+b+c}{2}$보다 작아야 한다.

※ 가장 긴 변의 길이가 c이면 $c<a+b$이므로

$2c<a+b+c$에서 $c<\frac{a+b+c}{2}$

둘레 길이가 20인 삼각형이면 가장 긴 변의 길이가 10보다 작아야 한다. 즉 구하려는 순서쌍 개수는

$a+b+c=20$이고, $1\le a, b, c\le 9$인 자연수 해의 개수와 같으므로 $9-a=a'$, $9-b=b'$, $9-c=c'$이라 하면

$0\le a', b', c'\le 8$이고, $a'+b'+c'=27-20=7$에서

${}_3H_7={}_9C_2=36$

다른 풀이

$a+b+c=20$ $(a\le b\le c)$라 하면 $c\ge 7$

또 $a+b>c$에서 $20-c>c$ $\quad\therefore 7\le c<10$

(i) $c=7$일 때 $a+b=13$ $(a\le b\le 7)$에서 $(a, b)=(6, 7)$

(ii) $c=8$일 때 $a+b=12$ $(a\le b\le 8)$에서

$(a, b)=(4, 8), (5, 7), (6, 6)$

(iii) $c=9$일 때 $a+b=11$ $(a\le b\le 9)$에서

$(a, b)=(2, 9), (3, 8), (4, 7), (5, 6)$

이때 순서쌍 (a, b, c)는 다음과 같다.

① $(6, 7, 7)$, $(4, 8, 8)$, $(6, 6, 8)$, $(2, 9, 9)$일 때 각 순서쌍에서 배열하는 경우의 수는 $\frac{3!}{2!}=3$이므로 이 경우 순서쌍의 개수는 $4\times 3=12$

② $(5, 7, 8)$, $(3, 8, 9)$, $(4, 7, 9)$, $(5, 6, 9)$일 때 각 순서쌍에서 배열하는 경우의 수는 $3!=6$이므로 이 경우 순서쌍의 개수는 $4\times 6=24$

따라서 구하려는 순서쌍 개수는 $12+24=36$

03 답 210

GUIDE

3으로 나눈 나머지가 1인 두 수를 선택하면 나머지 두 개 모두 3으로 나눈 나머지가 2이다.

자연수 x, y, z, w 중에서 3으로 나눈 나머지가 1인 수 2개를 택하고 3으로 나눈 나머지가 2인 수 2개를 택하는 경우의 수는

${}_4C_2\times{}_2C_2=6$이다.

한편 3으로 나눈 나머지가 1인 수가 x, y이고, 3으로 나눈 나머지가 2인 수가 z, w인 경우를 생각해 보자.

이때 $x=3x'+1$, $y=3y'+1$, $z=3z'+2$, $w=3w'+2$

(단, x', y', z', w'은 음이 아닌 정수)라 하면

$(3x'+1)+(3y'+1)+(3z'+2)+(3w'+2)=18$

이때 $x'+y'+z'+w'=4$이 되는 음이 아닌 정수해의 개수는

${}_4H_4={}_7C_3=35$이므로

모든 순서쌍 (x, y, z, w)의 개수는 $6\times 35=210$

04 답 (1) 540 (2) 56

GUIDE

(1) 두 수가 동시에 10 이상인 경우는 없음을 이용한다.

(2) 각 자리수를 a, b, c, d라 하고, 9 이하의 음이 아닌 정수를 정의한다.

(1) $x+y+z+w=14$를 만족시키는 음이 아닌 정수해의 개수는

${}_4H_{14}={}_{17}C_3=680$

이중에서 $x\ge 10$인 것은

${}_3H_0+{}_3H_1+{}_3H_2+{}_3H_3+{}_3H_4=1+3+6+10+15=35$

$y\ge 10$, $z\ge 10$, $w\ge 10$인 것도 마찬가지로 각각 35개

따라서 구하려는 자연수 개수는 $680-35\times 4=540$

(2) 0과 10000은 두 물음을 만족시키지 않으므로 0000부터 9999까지의 자연수에서 각 자리 수를 a, b, c, d라 하면 a, b, c, d 모두 0 이상 9 이하인 정수이다.

이때 $9-a=a'$, $9-b=b'$,

$9-c=c'$, $9-d=d'$이라 하면

$0\le a', b', c', d'\le 9$이고 $a+b+c+d=31$에서

$a'+b'+c'+d'=36-31=5$

즉 ${}_4H_5={}_8C_3=56$

1등급 NOTE

❶ 이항계수의 성질을 이용하면

${}_3H_0+{}_3H_1+{}_3H_2+{}_3H_3+{}_3H_4$

$={}_2C_0+{}_3C_1+{}_4C_2+{}_5C_3+{}_6C_4={}_7C_4=35$

❷ $a\ge 10$인 것의 개수는 $a-10=a'$으로 놓으면 $a'+b+c+d=4$의 음이 아닌 정수해의 개수와 같으므로 ${}_4H_4={}_7C_4=35$

❸ (2)를 $x+y+z+w=31$로 놓고 (1)처럼 풀려면 두 개의 수가 10 이상인 경우와 3개의 수가 10 이상인 경우도 함께 따져야 하므로 틀리기 쉽다.

❹ $a+b+c+d=31$이 되는 음이 아닌 정수해의 개수는 ${}_4H_{31}={}_{34}C_3$이고, 이중에는 $a\ge 10$인 것도 포함한다. b, c, d에 대해서도 마찬가지다. 따라서 $a+b+c+d=31$인 것 중에서 $0\le a, b, c, d\le 9$인 경우만 생각할 수 있는 스킬이 필요하다. 풀이와 같은 스킬을 이용하면 $a'+b'+c'+d'=5$에서 $a'\ge 10$인 경우는 없다. b', c', d'일 때도 마찬가지다.

05 답 10

GUIDE

방정식 $x_1+x_2+\cdots+x_n=r$에서 음이 아닌 정수해는 ${}_n\mathrm{H}_r$(쌍),
자연수(양의 정수) 해는 ${}_n\mathrm{H}_{r-n}$(쌍) (단, $r\geq n$)

$x+y+z=11$의 자연수해의 개수는 ${}_3\mathrm{H}_8={}_{10}\mathrm{C}_2=45$
이중에서 $x=y$인 것, $y=z$인 것, $z=x$인 것이 각각 5개이고, $x=y=z$인 것은 없다. 즉 세 수가 모두 다른 자연수해는 30개, 어느 두 수가 같은 자연수해는 15개다.
$(2, 4, 5)$처럼 세 수가 모두 다른 경우는 $a<b<c$, $a+b+c=11$의 자연수해 하나마다 $x+y+z=11$의 자연수해 6개가 대응하고, $(3, 3, 5)$처럼 두 수가 같은 경우는 $a\leq b\leq c$, $a+b+c=11$의 자연수해 하나마다 $x+y+z=11$의 자연수해 3개가 대응한다.

따라서 순서쌍 (a, b, c)의 개수는 $\frac{30}{6}+\frac{15}{3}=10$

참고

$a<b<c$, $a+b+c=11$인 경우, 예를 들어 $a=2$, $b=4$, $c=5$이면 순서쌍 (a, b, c)는 $(2, 4, 5)$로 한 개지만, $a<b<c$를 무시한 부정방정식 $a+b+c=11$에서는 해가 $(2, 4, 5)$, $(2, 5, 4)$, $(4, 5, 2)$, $(4, 2, 5)$, $(5, 2, 4)$, $(5, 4, 2)$로 6개를 생각할 수 있다. 즉 중복조합을 써서 $x+y+z=11$의 자연수해를 구할 수 있지만 이렇게 구한 위와 같은 해 6개는 $a<b<c$인 조건에서 한 가지로 정리됨을 생각하면 된다.

1등급 NOTE

$11=a+b+c\leq c+c+c$에서 $c\geq 4$임을 이용하면 다음과 같이 생각해서 구하려는 순서쌍이 10개임을 알 수 있다.
$c=4$일 때 $a+b=7$ $(a\leq b\leq 4)$에서 $(a, b)=(3, 4)$
$c=5$일 때 $a+b=6$ $(a\leq b\leq 5)$에서 $(a, b)=(1, 5), (2, 4), (3, 3)$
$c=6$일 때 $a+b=5$ $(a\leq b\leq 6)$에서 $(a, b)=(1, 4), (2, 3)$
$c=7$일 때 $a+b=4$ $(a\leq b\leq 7)$에서 $(a, b)=(1, 3), (2, 2)$
$c=8$일 때 $a+b=3$ $(a\leq b\leq 8)$에서 $(a, b)=(1, 2)$
$c=9$일 때 $a+b=2$ $(a\leq b\leq 9)$에서 $(a, b)=(1, 1)$

06 답 490

GUIDE

다섯 개의 다항식 묶음에서 택한 항을 각각 x^a, x^b, x^c, x^d, x^e라 하면 $x^{a+b+c+d+e}$에서 $a+b+c+d+e=8$인 경우에서 생각할 수 있다.

$$\underbrace{(1+x+\cdots+x^7)(1+x+\cdots+x^7)\cdots(1+x+\cdots+x^7)}_{5\text{개}}$$

에서 전개식은 다섯 묶음에서 각각 하나씩을 뽑아서 곱한 8^5개의 결과를 모두 더한 것과 같다. 다섯 묶음에서 뽑힌 항을 각각 x^a, x^b, x^c, x^d, x^e라 하고, 이것들을 모두 곱한 $x^{a+b+c+d+e}$이 x^8이 되는 경우의 수가 전개식에서 x^8의 계수이다.
(단, $0\leq a, b, c, d, e\leq 7$)
즉 $a+b+c+d+e=8$의 음이 아닌 정수해의 개수가 ${}_5\mathrm{H}_8$이므로 구하려는 x^8의 계수는 ${}_5\mathrm{H}_8-5={}_{12}\mathrm{C}_4-5=490$

1등급 NOTE

$a+b+c+d+e=8$이 되는 음이 아닌 정수해의 개수 ${}_5\mathrm{H}_8$만 생각하지 말고, $a+b+c+d+e=8$에서 조건 $0\leq a, b, c, d, e\leq 7$에 어긋나는 경우를 꼭 생각해야 한다. 즉 $0\leq a, b, c, d, e\leq 7$이므로 $a=8$인 경우, $b=8$인 경우, $c=8$인 경우, $d=8$인 경우, $e=8$인 경우, 이 5가지를 제외한다.

07 답 ①

GUIDE

남자 3명이 받은 사과 개수를 x, y, z라 하고, 여자 3명이 받은 사과 개수를 a, b, c라 하면 $x+y+z=a+b+c$, $x+y+z>a+b+c$, $x+y+z<a+b+c$인 세 가지 경우로 나눌 수 있다. 이때 $x+y+z>a+b+c$인 것과 $x+y+z<a+b+c$인 것의 개수는 서로 같다.

남자 3명이 받은 사과 개수를 x, y, z라 하고, 여자 3명이 받은 사과 개수를 a, b, c라 하자.
이때 $x+y+z+a+b+c=10$의 음이 아닌 정수해의 개수는
${}_6\mathrm{H}_{10}={}_{15}\mathrm{C}_5=3003$
또 $x+y+z=a+b+c=5$인 음이 아닌 정수해의 개수는
${}_3\mathrm{H}_5\times{}_3\mathrm{H}_5={}_7\mathrm{C}_2\times{}_7\mathrm{C}_2=441$
그런데 $x+y+z\neq a+b+c$인 경우 중 $x+y+z>a+b+c$인 것과 $x+y+z<a+b+c$인 것의 개수는 서로 같으므로
구하려는 경우의 수는
$\frac{3003-441}{2}=1281$

08 답 455

GUIDE

세 학생이 선택한 색연필 개수를 a, b, c라 하고 부등식을 세운다. 이때 $a+b+c+d=15$가 되는 음이 아닌 가상의 정수 d를 이용한다.

선택한 빨간색, 파란색, 노란색 색연필 개수를 차례로 a, b, c라 하면 구하려는 경우의 수는 $a+b+c\leq 15$인 자연수 해의 개수와 같다.
이때 $15-(a+b+c)=d$라 하면 $a+b+c+d=15$이고, a, b, c는 자연수, d는 음이 아닌 정수이다.
$a-1=a'$, $b-1=b'$, $c-1=c'$이라 하면
$a'+b'+c'+d=12$의 음이 아닌 정수해의 개수와 같으므로 이 값은 ${}_4\mathrm{H}_{12}={}_{15}\mathrm{C}_3=455$

다른 풀이

빨강, 파랑, 노랑 색연필을 하나씩 선택하고 남은 색연필을 12개 이하로 선택한다고 생각하면

$$\begin{aligned}{}_3\mathrm{H}_0+{}_3\mathrm{H}_1+{}_3\mathrm{H}_2+\cdots+{}_3\mathrm{H}_{12}&={}_2\mathrm{C}_0+{}_3\mathrm{C}_1+{}_4\mathrm{C}_2+\cdots+{}_{14}\mathrm{C}_{12}\\&={}_2\mathrm{C}_2+{}_3\mathrm{C}_2+{}_4\mathrm{C}_2+\cdots+{}_{14}\mathrm{C}_2\\&={}_{15}\mathrm{C}_3=455\end{aligned}$$

09 답 ⑤

GUIDE

네 학생이 받은 사탕 개수를 각각 a, b, c, d라 하고 부등식을 세운다. 이때 $a+b+c+d+e=16$이 되는 음이 아닌 가상의 정수 e를 이용한다.

A, B, C, D 네 학생이 받은 사탕 개수를 각각 a, b, c, d라 하면 $8\le a+b+c+d\le 16$이고, a, b, c, d는 음이 아닌 정수이다.
$16-(a+b+c+d)=e$라 하면 $a+b+c+d+e=16$이고 $0\le e\le 8$이다.
$a+b+c+d+e=16$의 음이 아닌 정수해의 개수는
${}_5H_{16}={}_{20}C_4=4845$
$e-9=e'$이라 하면 이중에서 $e\ge 9$인 것의 개수는
$a+b+c+d+e'=7$
의 음이 아닌 정수해의 개수와 같으므로 ${}_5H_7={}_{11}C_4=330$
따라서 구하려는 경우의 수는 $4845-330=4515$

10 ③

GUIDE

❶ $a<b$이면 $f(a)\le f(b)$는 ($f(a)$의 십의 자리 수)$<$($f(b)$의 십의 자리 수)라 할 수 있다.
❷ 조건에 맞게 일의 자리 수를 택하고, 십의 자리 수를 택하는 사건이 함께 일어난다고 생각한다.

$f(1), f(2), \cdots, f(6)$의 일의 자리 수를 결정하는 경우의 수는
${}_5H_6={}_{10}C_4=210$
그런데 ㈎에서 $a<b$이면 $f(a)\le f(b)$이므로
($f(a)$의 십의 자리 수)$\le$($f(b)$의 십의 자리 수)이다.
$f(1), f(2), \cdots, f(6)$의 십의 자리 수는 1, 2에서 중복을 허락하여 6개를 뽑은 다음 작은 것부터 나열하면 된다.
즉 $f(1), f(2), \cdots, f(6)$의 십의 자리 수를 결정하는 경우의 수는 ${}_2H_6={}_7C_1=7$
이상에서 구하려는 함수 f는 모두 $210\times 7=1470$(개)

11 답 56

GUIDE

$f(1)\le f(2)\le f(3)\le f(4)\le f(5)$에서 $f(1)<f(2)\le f(3)<f(4)\le f(5)$와 맞지 않는 함수를 제외하고, 중복해서 제외한 것은 더한다.

$f(1)\le f(2)\le f(3)\le f(4)\le f(5)$인 함수의 개수는
${}_6H_5={}_{10}C_5=252$
$f(1)=f(2)\le f(3)\le f(4)\le f(5)$인 함수의 개수는
${}_6H_4={}_9C_4=126$
$f(1)\le f(2)\le f(3)=f(4)\le f(5)$인 함수의 개수는
${}_6H_4={}_9C_4=126$
$f(1)=f(2)\le f(3)=f(4)\le f(5)$인 함수의 개수
${}_6H_3={}_8C_3=56$
포함 배제의 원리에서 구하려는 함수의 개수는
$252-126-126+56=56$

다른 풀이

$f(1)<f(2)<f(3)<f(4)<f(5)$인 함수의 개수는 ${}_6C_5=6$
$f(1)<f(2)=f(3)<f(4)<f(5)$인 함수의 개수는 ${}_6C_4=15$
$f(1)<f(2)<f(3)<f(4)=f(5)$인 함수의 개수는 ${}_6C_4=15$
$f(1)<f(2)=f(3)<f(4)=f(5)$인 함수의 개수는 ${}_6C_3=20$
따라서 $6+15+15+20=56$

1등급 NOTE

공역이 연속한 자연수이므로 $f(2)\le f(3)$과 $f(2)<f(3)+1$은 같다. 즉 주어진 조건은 $f(1)<f(2)<f(3)+1<f(4)+1<f(5)+2$와 같다. 이때 3부터 10까지 자연수 8개 중에서 서로 다른 자연수 5개를 뽑아 작은 것부터 차례로 $f(1), f(2), \cdots, f(5)$라 하면 주어진 조건을 만족시키므로 구하려는 함수의 개수는 ${}_8C_5={}_8C_3=56$

12 답 30

GUIDE

치역의 원소가 약수 관계를 만족시킨다는 점을 생각하면 가능한 치역으로는 $\{1, 2, 4\}$, $\{1, 2, 6\}$, $\{1, 3, 6\}$ 뿐이다. 즉 이 세 가지 경우로 나누어 생각한다.

$f(1)$이 $f(2)$의 약수, $f(2)$가 $f(3)$의 약수, $\cdots$, $f(5)$가 $f(6)$의 약수이어야 하고, 치역의 원소가 3개이므로, 가능한 치역은 $\{1, 2, 4\}$, $\{1, 2, 6\}$, $\{1, 3, 6\}$의 세 가지이다.
이 세 가지 치역에 대해 작은 수는 큰 수의 약수이므로 $f(a)$가 $f(b)$의 약수라는 것과 $f(a)\le f(b)$는 같다.
치역이 $\{1, 2, 4\}$일 때, 집합 A의 6개의 원소가 1, 2, 4에 대응되는 것의 개수를 각각 x, y, z라 하면
$x+y+z=6$이고 x, y, z는 자연수이므로 $x'=x-1$, $y'=y-1$, $z'=z-1$이라 하면
음이 아닌 정수 x', y', z'에 대하여 $x'+y'+z'=3$
따라서 가능한 경우의 수는 ${}_3H_3={}_5C_2=10$
치역이 $\{1, 2, 6\}$, $\{1, 3, 6\}$일 때도 마찬가지이므로
가능한 함수 f의 개수는 $3\times 10=30$

주의

공역이 $\{1, 2, 4\}$인 함수라 생각해서 ${}_3H_6$이라 구하지 않도록 한다.

13 답 70

GUIDE

$f(1)+1<f(2)$, $f(2)+2<f(3)$, $f(3)+3<f(4)$를 만족시키는 경우를 생각한다.

주어진 조건에 따라 함숫값을 대응시킬 때
$f(1)+1<f(2)$, $f(2)+2<f(3)$, $f(3)+3<f(4)$에서

$f(1)=x$, $f(2)-2=y$, $f(3)-5=z$, $f(4)-9=w$라 하면
$1\le x\le y\le z\le w\le 5$이므로
1, 2, 3, 4, 5 중에서 중복을 허락하여 4개를 뽑는 경우의 수는
${}_5H_4={}_8C_4=70$

참고
$f(1)=4=x$라 하면 $f(2)\ge 6$이어야 하고, $f(2)-2=y$라 하면 $y\ge x$임을 알 수 있다.
또 $f(3)\ge 9$, $f(4)\ge 13$에서 $f(3)-5=z$, $f(4)-9=w$라 하면
$1\le x\le y\le z\le w\le 5$를 얻는다.

14 답 517

GUIDE
$f(1)<f(2)<f(3)<f(4)\ge f(5)\ge f(6)\ge f(7)$이므로 $f(4)$의 값에 따라 경우를 나누어 생각한다.

$f(4)\ge 4$이므로 다음과 같이 경우를 나눌 수 있다.
(i) $f(4)=7$일 때
1~6 중에서 $f(1)$, $f(2)$, $f(3)$을 골라 작은 것부터 나열하면 되므로 이때 경우의 수는 ${}_6C_3=20$
$f(1)$, $f(2)$, $f(3)$을 제외한 나머지 4개의 수에서
$f(5)$, $f(6)$, $f(7)$을 고르는 경우의 수는 ${}_4H_3={}_6C_3=20$
즉 조건에 맞는 $f(4)=7$인 함수는 $20\times 20=400$(개)
(ii) $f(4)=6$일 때
1~5 중에서 $f(1)$, $f(2)$, $f(3)$을 고르므로 이때 경우의 수는 ${}_5C_3=10$
$f(1)$, $f(2)$, $f(3)$과 7을 제외한 나머지 3개의 수에서
$f(5)$, $f(6)$, $f(7)$을 고르는 경우의 수는 ${}_3H_3={}_5C_2=10$
즉 조건에 맞는 $f(4)=6$인 함수는 $10\times 10=100$(개)
(iii) $f(4)=5$일 때
1~4 중에서 $f(1)$, $f(2)$, $f(3)$을 고르므로 이때 경우의 수는 ${}_4C_3=4$
$f(1)$, $f(2)$, $f(3)$과 6, 7을 제외한 나머지 2개의 수에서
$f(5)$, $f(6)$, $f(7)$을 고르는 경우의 수는 ${}_2H_3={}_4C_1=4$
즉 조건에 맞는 $f(4)=5$인 함수는 $4\times 4=16$(개)
(iv) $f(4)=4$일 때
1~3 중에서 $f(1)$, $f(2)$, $f(3)$을 고르므로 이때 경우의 수는 ${}_3C_3=1$
이때 $f(5)$, $f(6)$, $f(7)$은 모두 4만 가능하므로 경우의 수는 1
즉 조건에 맞는 $f(4)=4$인 함수는 $1\times 1=1$(개)
(i)~(iv)에서 구하려는 함수 f의 개수는
$400+100+16+1=517$

1등급 NOTE
$f(4)=n$이면 $f(1)$, $f(2)$, $f(3)$을 고르는 경우의 수는 ${}_{n-1}C_3$,
$f(5)$, $f(6)$, $f(7)$을 고르는 경우의 수는 ${}_{n-3}H_3={}_{n-1}C_3$이므로
결국 구하려는 답은 $\sum_{n=4}^{7}({}_{n-1}C_3)^2$과 같다.

15 답 (1) 15 (2) 126

GUIDE
점 각각에 번호를 붙여 보고 함수의 대응으로 생각할 때, 조건과 같은 경우는 어떤 함수 꼴인지 판단한다.

(1) 그림처럼 직선 l 위의 점을 왼쪽부터 1, 2, 3, 4라 하고, 직선 m 위의 점을 왼쪽부터 1, 2, 3, 4, 5, 6이라 하자.

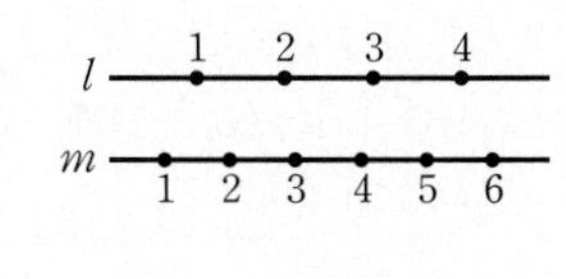

여기서 직선 l 위의 점과 직선 m 위의 점을 연결하는 것을 $L=\{1, 2, 3, 4\}$에서 $M=\{1, 2, 3, 4, 5, 6\}$으로 가는 함수 $f: L\longrightarrow M$으로 생각할 수 있다. 이때 네 선분이 만나지 않으려면 함수 f가 증가하는 함수이면 된다. 즉 1, 2, 3, 4, 5, 6 중 4개를 골라 크기순으로 나열하는 경우의 수와 같으므로
${}_6C_4=15$
(2) 함수 f에서 $a>b$일 때 $f(a)\ge f(b)$이면 되므로 이때 경우의 수는 ${}_6H_4={}_9C_4=126$

16 답 228

GUIDE
공끼리 구분되지 않고, 개수만 따질 때는 미리 조건을 만족시키도록 나누어주고 남은 것을 다시 나누어주는 것으로 생각한다. 즉 빨간 공을 받은 학생이 1명, 2명, 3명일 때로 경우를 나누어 생각한다.

(i) 빨간 공을 받은 학생이 1명 ⇨ 1명이 빨간 공 5개를 받은 경우이므로 빨간 공을 받지 못한 학생 두 명에게 파란 공을 하나씩 준 다음, 남은 파란 공 2개를 3명에게 나누어주면 된다. 이때 경우의 수는 $3\times{}_3H_2=18$
(ii) 빨간 공을 받은 학생이 2명 ⇨ 2명이 빨간 공 1개씩을 받은 다음 남은 빨간 공 3개를 2명에게 나누어주면 된다. 이때 경우의 수는 ${}_3C_2\times{}_2H_3=12$
이때 빨간 공을 받지 못한 학생에게 파란 공을 하나 준 다음 남은 파란 공 3개를 세 명에게 나누어주면 된다. 이 경우의 수는 ${}_3H_3$이므로 두 명만 빨간 공을 받는 경우의 수는
$12\times{}_3H_3=120$
(iii) 빨간 공을 받은 학생이 3명
빨간 공을 나누어주는 경우의 수는 $x+y+z=5$의 자연수 해의 개수와 같으므로 ${}_3H_{5-3}={}_3H_2=6$
이때 남은 파란 공 4개를 학생 3명에게 나누어주면 된다. 이 경우의 수는 ${}_3H_4$이므로
세 명이 빨간 공을 받는 경우의 수는 $6\times{}_3H_4=90$
따라서 구하려는 경우의 수는 $18+120+90=228$

17 답 ⑤

GUIDE
x가 짝수인 경우, 홀수인 경우로 나누어 생각한다.

(ⅰ) $x=2m$(m은 자연수)인 경우

→ 방향으로 움직이는 것과 ↑ 방향으로 움직이는 것이 연속해 있는 것을 하나의 묶음으로 각각 [→], [↑]이라 하면 방향을 $2m$번 바꾸는 경우는 다음과 같을 때이다.

① [↑], [→], ⋯, [↑]

([↑]은 $(m+1)$개, [→]은 m개)

② [→], [↑], ⋯, [→]

([→]은 $(m+1)$개, [↑]은 m개)

이때 ①은 $(m+1)$개의 [↑]에 ↑ 7개가 나누어 들어간 것이므로 $a_1+a_2+\cdots+a_{m+1}=7$의 자연수 해의 개수

${}_{m+1}\mathrm{H}_{7-m-1}={}_6\mathrm{C}_{6-m}={}_6\mathrm{C}_m$

또 m개의 [→]에 → 7개가 나누어 들어간 것이므로

$b_1+b_2+\cdots+b_m=7$의 자연수 해의 개수

${}_m\mathrm{H}_{7-m}={}_6\mathrm{C}_{7-m}={}_6\mathrm{C}_{m-1}$

②도 같은 방법으로 생각할 수 있으므로

$f(2m)=2\times{}_6\mathrm{C}_m\times{}_6\mathrm{C}_{m-1}$

(ⅱ) $x=2m-1$(m은 자연수)인 경우

① [↑], [→], ⋯, [→]([↑]와 [→]은 모두 m개)

② [→], [↑], ⋯, [↑]([→]와 [↑]은 모두 m개)

(ⅰ)처럼 생각하면 $f(2m-1)=2\times{}_6\mathrm{C}_{m-1}\times{}_6\mathrm{C}_{m-1}$

ㄱ. $f(1)=2\times{}_6\mathrm{C}_0\times{}_6\mathrm{C}_0=2$ (○)

ㄴ. $f(2)=2\times{}_6\mathrm{C}_1\times{}_6\mathrm{C}_0=12$

$f(12)=2\times{}_6\mathrm{C}_6\times{}_6\mathrm{C}_5=12$ (○)

ㄷ. ${}_6\mathrm{C}_x$ 꼴 중 최대인 것은 ${}_6\mathrm{C}_3$이므로

$m=4$이고, $x=2m-1$일 때, $f(7)=2\times{}_6\mathrm{C}_3\times{}_6\mathrm{C}_3$이 최대이다. (○)

18 답 ③

GUIDE

$(x^2+2x+1)=x\left(x+\frac{1}{x}+2\right)$임을 이용해 전개한 식에서 $\frac{1}{x}$의 계수를 구한다.

$(x^2+2x+1)=x\left(x+\frac{1}{x}+2\right)$이므로

$$(x^2+2x+1)\left(x+\frac{1}{x}\right)^6=x\left(x+\frac{1}{x}+2\right)\left(x+\frac{1}{x}\right)^6$$
$$=x\left(x+\frac{1}{x}\right)^7+2x\left(x+\frac{1}{x}\right)^6$$

(ⅰ) $\left(x+\frac{1}{x}\right)^7=\sum_{k=0}^{7}{}_7\mathrm{C}_k x^k\left(x+\frac{1}{x}\right)^{7-k}=\sum_{k=0}^{7}{}_7\mathrm{C}_k x^{2k-7}$

에서 $\frac{1}{x}$의 계수는 $k=3$일 때 ${}_7\mathrm{C}_3=35$

(ⅱ) $\left(x+\frac{1}{x}\right)^6=\sum_{k=0}^{6}{}_6\mathrm{C}_k x^k\left(\frac{1}{x}\right)^{6-k}=\sum_{k=0}^{6}{}_6\mathrm{C}_k x^{2k-6}$

에서 $\frac{1}{x}$항은 없다.

따라서 $x\left(x+\frac{1}{x}\right)^7+2x\left(x+\frac{1}{x}\right)^6$의 상수항은 35

19 답 ④

GUIDE

$(x+3)^{12}=\sum_{k=0}^{12}{}_{12}\mathrm{C}_k x^k\times 3^{12-k}$의 양변을 미분한다.

$(x+3)^{12}=\sum_{k=0}^{12}{}_{12}\mathrm{C}_k x^k\times 3^{12-k}$의 양변을 미분하면

$12(x+3)^{11}=\sum_{k=0}^{12}k{}_{12}\mathrm{C}_k x^{k-1}\times 3^{12-k}$

이 식의 양변에 $x=1$을 대입하면

$\sum_{k=0}^{12}k{}_{12}\mathrm{C}_k 3^{12-k}=12\times 4^{11}=3\times 2^{24}$

따라서 $p=3$, $q=24$이므로 $p+q=27$

다른 풀이

$$k{}_{12}\mathrm{C}_k=k\frac{12!}{k!(12-k)!}=\frac{12!}{(k-1)!(12-k)!}$$
$$=12\frac{11!}{(k-1)!(12-k)!}=12{}_{11}\mathrm{C}_{k-1}$$

$$\therefore \sum_{k=0}^{12}k{}_{12}\mathrm{C}_k 3^{12-k}=\sum_{k=1}^{12}k{}_{12}\mathrm{C}_k 3^{12-k}$$
$$=\sum_{k=1}^{12}12{}_{11}\mathrm{C}_{k-1}3^{12-k}\times 1^{k-1}$$
$$=12\sum_{i=0}^{11}{}_{11}\mathrm{C}_i 3^{11-i}\times 1^i$$
$$=12(3+1)^{11}=3\times 2^{24}$$

20 답 ⑤

GUIDE

$(x+1)^7=\sum_{k=0}^{7}{}_7\mathrm{C}_k x^k$의 양변을 적분한다.

$(x+1)^7=\sum_{k=0}^{7}{}_7\mathrm{C}_k x^k$의 양변을 적분하면

$\frac{1}{8}(x+1)^8+C=\sum_{k=0}^{7}\frac{1}{k+1}{}_7\mathrm{C}_k x^{k+1}$이고,

양변에 $x=0$을 대입하면 $C=-\frac{1}{8}$

양변에 $x=2$를 대입하면 $\frac{1}{8}(3^8-1)=\sum_{k=0}^{7}\frac{1}{k+1}{}_7\mathrm{C}_k 2^{k+1}$

$\therefore \sum_{k=0}^{7}\frac{1}{k+1}{}_7\mathrm{C}_k 2^k=\frac{1}{16}(3^8-1)$

다른 풀이

$$\frac{1}{k+1}{}_7\mathrm{C}_k=\frac{1}{k+1}\times\frac{7!}{k!(7-k)!}=\frac{7!}{(k+1)!(7-k)!}$$
$$=\frac{1}{8}\times\frac{8!}{(k+1)!(7-k)!}=\frac{1}{8}{}_8\mathrm{C}_{k+1}$$

$$\therefore \sum_{k=0}^{7}\frac{1}{k+1}\,{}_7C_k 2^k=\frac{1}{8}\sum_{k=0}^{7}{}_8C_{k+1}2^k=\frac{1}{8}\sum_{i=1}^{8}{}_8C_i 2^{i-1}$$
$$=\frac{1}{16}\sum_{i=1}^{8}{}_8C_i 2^i\times 1^{8-i}$$
$$=\frac{1}{16}\{(2+1)^8-1\}=\frac{1}{16}(3^8-1)$$

21 답 ⑤

GUIDE

$4^{17}=(5-1)^{17}=\sum_{k=0}^{17}{}_{17}C_k 5^k(-1)^{17-k}$

$6^{17}=(5+1)^{17}=\sum_{k=0}^{17}{}_{17}C_k 5^k$

$4^{17}=(5-1)^{17}=\sum_{k=0}^{17}{}_{17}C_k 5^k(-1)^{17-k}$에서

$k\geq 2$이면 항은 항상 25의 배수이므로

4^{17}을 25로 나눈 나머지는

${}_{17}C_1 5^1(-1)^{16}+{}_{17}C_0 5^0(-1)^{17}=84$를 25로 나눈 나머지인 9

또 $6^{17}=(5+1)^{17}=\sum_{k=0}^{17}{}_{17}C_k 5^k$에서 위와 같이 생각하면

6^{17}을 25로 나눈 나머지는

${}_{17}C_1 5^1+{}_{17}C_0 5^0=86$을 25로 나눈 나머지인 11

따라서 $4^{17}+6^{17}$을 25로 나눈 나머지는 $9+11=20$

22 답 ⑤

GUIDE

$(1+x)^2+(1+x)^3+(1+x)^4+\cdots+(1+x)^{100}$을 미분하면 주어진 식과 같다.

주어진 식은 $(1+x)^2+(1+x)^3+(1+x)^4+\cdots+(1+x)^{100}$을 미분한 것과 같다.

$(1+x)^2+(1+x)^2+\cdots+(1+x)^{100}$

$$=\frac{(1+x)^2\{(1+x)^{99}-1\}}{(1+x)-1}=\frac{(1+x)^{101}-(1+x)^2}{x}$$

에서 x^3의 계수는 분자의 x^4의 계수와 같으므로 ${}_{101}C_4$

즉 $(1+x)^2+(1+x)^3+(1+x)^4+\cdots+(1+x)^{100}$에서

x^3의 계수는 ${}_{101}C_4$이므로 이 식을 미분한 식, 즉 문제에 주어진 식에서 x^2의 계수는 $3\times{}_{101}C_4$

다른 풀이

$2(1+x)+3(1+x)^2+4(1+x)^3+\cdots+100(1+x)^{99}$

$$=\sum_{k=1}^{99}(k+1)(1+x)^k$$

이고, $(1+x)^k$에서 x^2의 계수는 ${}_kC_2$이므로 구하려는 답은

$$\sum_{k=1}^{99}(k+1){}_kC_2=\sum_{k=1}^{99}\frac{(k+1)k(k-1)}{2}$$
$$=\sum_{k=1}^{99}3\times{}_{k+1}C_3$$
$$=3({}_3C_3+{}_4C_3+\cdots+{}_{100}C_3)=3\times{}_{101}C_4$$

23 답 40

GUIDE

$k^2=k(k-1)+k$임을 이용한다.

$$\sum_{k=0}^{18}k^2\,{}_{18}C_k\left(\frac{1}{3}\right)^k\left(\frac{2}{3}\right)^{18-k}$$
$$=\sum_{k=1}^{18}k^2\,{}_{18}C_k\left(\frac{1}{3}\right)^k\left(\frac{2}{3}\right)^{18-k}$$
$$=\sum_{k=1}^{18}k(k-1)\,{}_{18}C_k\left(\frac{1}{3}\right)^k\left(\frac{2}{3}\right)^{18-k}+\sum_{k=1}^{18}k\,{}_{18}C_k\left(\frac{1}{3}\right)^k\left(\frac{2}{3}\right)^{18-k}$$
$$=\sum_{k=2}^{18}k(k-1)\,{}_{18}C_k\left(\frac{1}{3}\right)^k\left(\frac{2}{3}\right)^{18-k}+\sum_{k=1}^{18}k\,{}_{18}C_k\left(\frac{1}{3}\right)^k\left(\frac{2}{3}\right)^{18-k}$$

이때 $k(k-1){}_{18}C_k=k(k-1)\dfrac{18!}{k!(18-k)!}$

$$=\frac{18!}{(k-2)!(18-k)!}=18\times17\,{}_{16}C_{k-2}$$

$$k\,{}_{18}C_k=k\frac{18!}{k!(18-k)!}=\frac{18!}{(k-1)!(18-k)!}=18\,{}_{17}C_{k-1}$$

(주어진 식)

$$=\sum_{k=2}^{18}18\times17\,{}_{16}C_{k-2}\left(\frac{1}{3}\right)^k\left(\frac{2}{3}\right)^{18-k}+\sum_{k=1}^{18}18\,{}_{17}C_{k-1}\left(\frac{1}{3}\right)^k\left(\frac{2}{3}\right)^{18-k}$$
$$=18\times17\sum_{i=0}^{16}{}_{16}C_i\left(\frac{1}{3}\right)^{i+2}\left(\frac{2}{3}\right)^{16-i}+18\sum_{i=0}^{17}{}_{17}C_i\left(\frac{1}{3}\right)^{i+1}\left(\frac{2}{3}\right)^{17-i}$$
$$=34\sum_{i=0}^{16}{}_{16}C_i\left(\frac{1}{3}\right)^i\left(\frac{2}{3}\right)^{16-i}+6\sum_{i=0}^{17}{}_{17}C_i\left(\frac{1}{3}\right)^i\left(\frac{2}{3}\right)^{17-i}$$
$$=34\left(\frac{1}{3}+\frac{2}{3}\right)^{16}+6\left(\frac{1}{3}+\frac{2}{3}\right)^{17}$$
$$=34\times1^{16}+6\times1^{17}=40$$

1등급 NOTE

확률변수 X가 이항분포 $B(n, p)$를 따를 때, 이 방법으로

$E(X^2)=n(n-1)p^2+np$, $V(X)=E(X^2)-\{E(X)\}^2=np(1-p)$

를 구할 수 있다.

24 답 355

GUIDE

$(x^2+3x+1)^5$의 일반항은 $\dfrac{5!}{p!q!r!}(x^2)^p(3x)^q(1)^r$

(단, $p+q+r=5$이고, p, q, r는 음이 아닌 정수)

$$(x^2+3x+1)^5=\sum\frac{5!}{p!q!r!}(x^2)^p(3x)^q\times1^r$$
$$=\sum\frac{5!\times3^q}{p!q!r!}x^{2p+q}\text{에서}$$

(i) x^3의 계수는 $2p+q=3$인 경우이다. 즉

$(p, q, r)=(0, 3, 2)$일 때 $\dfrac{5!\times3^3}{0!3!2!}=270$

$(p, q, r)=(1, 1, 3)$일 때 $\dfrac{5!\times3}{1!1!3!}=60$

이므로 x^3의 계수는 $270+60=330=a$

(ii) x^4의 계수는 $2p+q=4$인 경우이다. 즉

$(p, q, r)=(0, 4, 1)$일 때 $\frac{5! \times 3^4}{0!4!1!}=405$

$(p, q, r)=(1, 2, 2)$일 때 $\frac{5! \times 3^2}{1!2!2!}=270$

$(p, q, r)=(2, 0, 3)$일 때 $\frac{5! \times 3^0}{2!0!3!}=10$

이므로 x^4의 계수는 $405+270+10=685=b$

따라서 $b-a=355$

참고

$(x^2+3x+1)^5=\sum \frac{5!}{p!q!r!}(x^2)^p(3x)^q \times (1)^r$에서 $\sum$는 음이 아닌 정수 p, q, r에 대하여 $p+q+r=5$가 되는 모든 경우를 더한 것을 나타낸다.

25 답 ①

GUIDE

$\frac{k(k-1)}{2}={}_kC_2$이므로 $k(k-1)=2{}_kC_2$임을 이용한다.

$$\sum_{k=2}^{8} k(k-1)=\sum_{k=2}^{8} 2{}_kC_2$$
$$=2({}_2C_2+{}_3C_2+\cdots+{}_8C_2)$$
$$=2{}_9C_3=168=2^3 \times 3 \times 7$$

$\therefore a+b+p=3+1+7=11$

참고

자연수 거듭제곱의 합 공식을 써서 풀 수도 있지만 이항계수의 성질을 이용하는 것이 더 간단하다.

26 답 17

GUIDE

$\frac{9!(12-k)!}{12!(9-k)!}$을 조합으로 나타낸다.

$$\frac{9!(12-k)!}{12!(9-k)!}=\frac{(12-k)(11-k)(10-k)}{12 \times 11 \times 10}$$
$$=\frac{1}{220} \times \frac{(12-k)(11-k)(10-k)}{6}$$
$$=\frac{1}{220} \times {}_{12-k}C_3$$

$$\therefore \sum_{k=0}^{9} \frac{9!(12-k)!}{12!(9-k)!}=\frac{1}{220} \sum_{k=0}^{9} {}_{12-k}C_3$$
$$=\frac{1}{220}({}_3C_3+{}_4C_3+\cdots+{}_{12}C_3)$$
$$=\frac{1}{220} \times {}_{13}C_4$$
$$=\frac{13}{4}$$

따라서 $p=4, q=13$이므로 $p+q=17$

27 답 252

GUIDE

${}_nC_r=\frac{n}{r}{}_{n-1}C_{r-1}$을 이용해 ${}_{k-1}C_3$을 간단한 꼴로 고친다.

${}_kC_4=\frac{k}{4}{}_{k-1}C_3$에서 ${}_{k-1}C_3=\frac{4}{k}{}_kC_4$이고, 이때

$$\sum_{k=4}^{10}(10-k){}_{k-1}C_3$$
$$=\sum_{k=4}^{10} 10{}_{k-1}C_3-\sum_{k=4}^{10} k{}_{k-1}C_3$$
$$=10({}_3C_3+{}_4C_3+\cdots+{}_9C_3)-\sum_{k=4}^{10} 4{}_kC_4$$
$$=10{}_{10}C_4-4({}_4C_4+{}_5C_4+\cdots+{}_{10}C_4)$$
$$=10 \times {}_{10}C_4-4 \times {}_{11}C_5$$
$$=10 \times 210-4 \times 462=252$$

참고

${}_kC_4=\frac{k}{4}{}_{k-1}C_3$에서 ${}_{k-1}C_3=\frac{4}{k}{}_kC_4$이므로 $k{}_{k-1}C_3=4{}_kC_4$임을 이용하였다.

28 답 254

GUIDE

가장 큰 수인 9를 기준으로 생각한다.

숫자 9개를 배열하는데 9보다 먼저 배열할 것만 택하고 그 수들은 증가하는 순서로 배열하면 된다. (9가 맨 앞에 오거나 맨 뒤에 오는 경우는 제외한다.)

이때 나머지는 9 뒤에서 감소하는 순서로 배열하면 된다.

즉 9보다 먼저 배열할 것을 택하는 경우의 수와 같다.

9보다 먼저 배열하는 것이 1개, 2개, ⋯, 7개일 때 그 경우의 수는 차례로 ${}_8C_1, {}_8C_2, \cdots, {}_8C_7$이므로 구하려는 배열의 개수는

${}_8C_1+{}_8C_2+\cdots+{}_8C_7=2^8-2=254$

29 답 ①

GUIDE

$f(n, k)=\frac{n!}{(n-k)k!}={}_nC_k$이므로

$\sum_{k=0}^{n} f(n, k)={}_nC_0+{}_nC_1+{}_nC_2+\cdots+{}_nC_n=2^n$

ㄱ. $f(10, 6)={}_{10}C_6={}_9C_6+{}_9C_5=f(9, 6)+f(9, 5)$ (○)

ㄴ. $f(20, 9)={}_{20}C_9={}_{20}C_{11}=f(20, 11)$ (×)

ㄷ. $\sum_{k=0}^{n} f(n, k)={}_nC_0+{}_nC_1+{}_nC_2+\cdots+{}_nC_n=2^n$이므로

$$\sum_{n=1}^{20}\left(\sum_{k=0}^{n} f(n, k)\right)=\sum_{n=1}^{20} 2^n$$
$$=\frac{2(2^{20}-1)}{2-1}=2^{21}-2 \text{ (×)}$$

30 답 ③

GUIDE

두 다항식 $P(x)$, $Q(x)$에서 x^k의 계수를 각각 a_k, b_k라 하면 $P(x)\times Q(x)$에서 x^{n-1}의 계수는 $\sum_{k=0}^{n-1} a_k b_{n-1-k}=\sum_{k=1}^{n} a_{k-1}b_{n-k}$

두 다항식 $P(x)$, $Q(x)$에서 x^k의 계수를 각각 a_k, b_k라 하면
$P(x)\times Q(x)$에서 x^{n-1}의 계수는

$\sum_{k=0}^{n-1} a_k b_{n-1-k}=\sum_{k=1}^{n} a_{k-1}b_{n-k}$

$(1+x)^{2n-1}$에서 x^{n-1}의 계수는 (가)$={}_{2n-1}C_{n-1}$

$(1+x)^{n-1}$에서 x^{k-1}의 계수는 $a_{k-1}={}_{n-1}C_{k-1}$

$(1+x)^{n}$에서 x^{n-k}의 계수는 $b_{n-k}={}_{n}C_{n-k}$

이므로 $(1+x)^n(1+x)^{n-1}$에서 x^{n-1}의 계수는

$\sum_{k=1}^{n}({}_{n-1}C_{k-1}\times{}_{n}C_{n-k})$, 즉 (나)$={}_{n}C_{n-k}$

$\therefore {}_{2n-1}C_{n-1}=\sum_{k=1}^{n}({}_{n-1}C_{k-1}\times{}_{n}C_{n-k})$

한편 $k\times{}_{n}C_k=n\times{}_{n-1}C_{k-1}$이므로

$$\sum_{k=1}^{n}k({}_{n}C_k)^2=\sum_{k=1}^{n}(k\times{}_{n}C_k\times{}_{n}C_k)$$
$$=\sum_{k=1}^{n}\{(n\times{}_{n-1}C_{k-1})\times{}_{n}C_{n-k}\}$$
$$=n\sum_{k=1}^{n}({}_{n-1}C_{k-1}\times{}_{n}C_{n-k})$$
$$=n\times{}_{2n-1}C_{n-1}$$

이때 $n\times{}_{2n-1}C_{n-1}=n\dfrac{(2n-1)!}{(n-1)!n!}$

$$=\frac{n\times n}{n}\times\frac{(2n-1)!}{(n-1)!n!}$$
$$=n\times\frac{n\times(2n-1)!}{n!n!}$$
$$=\frac{n}{2}\times\frac{(2n)!}{n!n!}$$
$$=\frac{n}{2}\times{}_{2n}C_n$$

$\therefore$ (다)$=\dfrac{n}{2}\times{}_{2n}C_n$

31 답 22

GUIDE

${}_8C_k\times{}_{8-k}C_{4-k}={}_8C_4\times{}_4C_k$임을 이용한다.

$${}_8C_k\times{}_{8-k}C_{4-k}=\frac{8!}{k!(8-k)!}\times\frac{(8-k)!}{(4-k)!4!}$$
$$=\frac{8!}{4!k!(4-k)!}$$
$$={}_8C_4\times{}_4C_k$$

$$\therefore \sum_{k=0}^{4}({}_8C_k\times{}_{8-k}C_{4-k})=\sum_{k=0}^{4}({}_8C_4\times{}_4C_k)$$
$$=70\sum_{k=0}^{4}{}_4C_k$$
$$=70\times2^4=2^5(2\times17+1)$$

따라서 $a=5$, $b=17$이므로 $a+b=22$

1등급 NOTE

8명 중에서 대표 k명을 뽑고, 남은 $(8-k)$명 중에서 후보 $(4-k)$명을 뽑는 경우의 수는 ${}_8C_k\times{}_{8-k}C_{4-k}$
그런데 이것은 8명 중에서 4명을 뽑고, 이중에서 k명을 대표로 뽑는 경우의 수 ${}_8C_4\times{}_4C_k$와 같다.

32 1001

GUIDE

$\sum_{k=0}^{4}({}_5H_{4-k}\times{}_6H_k)$를 설명할 수 있는 적당한 모델을 생각한다.

남학생 5명, 여학생 6명에게 중복을 허락해서 연필 4자루를 나누어주는 경우의 수는 ${}_{11}H_4={}_{14}C_4=1001$
이 경우를 남학생, 여학생에 따라 나누어 생각하면
남학생 5명에게 연필 $(4-k)$자루를 나누어 주고, 남은 연필 k자루를 여학생 6명에게 나누어주는 경우를 모두 더한 것과 같다.

$$\therefore \sum_{k=0}^{4}({}_5H_{4-k}\times{}_6H_k)={}_{11}H_4=1001$$

다른 풀이

$\sum_{k=0}^{4}({}_5H_{4-k}\times{}_6H_k)=\sum_{k=0}^{4}({}_{8-k}C_4\times{}_{5+k}C_5)$

라 놓고 다음과 같이 생각할 수 있다.
1번부터 14번까지의 학생 14명 중에서 청소당번 10명을 뽑을 때, 10명의 번호 중에서 6번째로 작은 수를 n이라 하면 $6\le n\le10$이다. 이때 6번째로 작은 수가 n인 경우의 수는 ${}_{n-1}C_5\times{}_{14-n}C_4$

$${}_{14}C_{10}=\sum_{n=6}^{10}({}_{n-1}C_5\times{}_{14-n}C_4)$$
$$=\sum_{k=0}^{4}({}_{k+5}C_5\times{}_{8-k}C_4)$$
$$=\sum_{k=0}^{4}({}_6H_k\times{}_5H_{4-k})$$

33 답 ①

GUIDE

$(1-x^2)^{10}$과 $(1+x)^{10}(1-x)^{10}$에서 구한 x^{10}의 계수가 서로 같음을 이용한다.

$$(1-x^2)^{10}=(x^2-1)^{10}=\sum_{k=0}^{10}{}_{10}C_k\times(x^2)^k(-1)^{10-k}$$

에서 x^{10}의 계수는 ${}_{10}C_5(-1)^5=-252$ $\cdots\cdots$ ㉠

한편 $(1+x)^{10}(1-x)^{10}$에서 x^{10}의 계수는

$((1+x)^{10}$에서 x^k의 계수$)\times((1-x)^{10}$에서 x^{10-k}의 계수$)$를 모두 합한 것이므로

$$\sum_{k=0}^{10}\{{}_{10}C_k\times{}_{10}C_{10-k}\times(-1)^{10-k}\}$$

$$=\sum_{k=0}^{10}\{{}_{10}C_k\times{}_{10}C_k\times(-1)^k\}\quad\cdots\cdots ㉡$$

㉠=㉡이므로 $\sum_{k=0}^{10}(-1)^k({}_{10}C_k)^2=-{}_{10}C_5=-252$

34 답 ③

GUIDE

$(x+1)^{40}$의 전개식에 $x=i=\sqrt{-1}$을 대입하는 것을 생각한다.

$C={}_{40}C_1+{}_{40}C_5+\cdots+{}_{40}C_{37}$

$D={}_{40}C_3+{}_{40}C_7+\cdots+{}_{40}C_{39}$

라 하고, $(x+1)^{40}=\sum_{k=0}^{40}{}_{40}C_kx^k$에 $x=i$를 대입하면

(좌변)$=(1+i)^{40}=\{(1+i)^2\}^{20}=2^{20}$

(우변)$=\sum_{k=0}^{40}{}_{40}C_ki^k=A+Ci+Bi^2+Di^3$

$=(A-B)+(C-D)i$

A, B, C, D는 실수이므로 복소수가 서로 같을 조건에서

$A-B=2^{20}$

참고

$A+B=C+D=2^{39}$을 이용하면

$A=2^{38}+2^{19}$, $B=2^{38}-2^{19}$, $C=D=2^{38}$임을 알 수 있다.

35 답 1023

GUIDE

$A\cup B\cup C$의 원소가 k개 $(3\le k\le 8)$일 때, k개의 원소를 작은 것부터 크기순으로 나열한 다음 3개의 집합으로 나누고 차례대로 A, B, C라 하면 된다.

$A\cup B\cup C$의 원소가 k개 $(3\le k\le 8)$일 때, k개의 원소를 작은 것부터 크기순으로 나열한 다음 3개의 집합으로 나누어 차례로 A, B, C라 하면 된다.

$n(A)=a$, $n(B)=b$, $n(C)=c$일 때, 나누는 경우의 수는 $a+b+c=k$의 자연수 해의 개수와 같으므로 ${}_3H_{k-3}={}_{k-1}C_2$

이때 구하려는 순서쌍의 개수는

$$\sum_{k=3}^{8}({}_8C_k\times{}_{k-1}C_2)=\frac{1}{2}\sum_{k=1}^{8}\{(k-1)(k-2){}_8C_k\}\quad\cdots\cdots ㉠$$

한편 $(x+1)^8=\sum_{k=0}^{8}{}_8C_k\times x^k$의 양변을 미분하면

$$8(x+1)^7=\sum_{k=0}^{8}k\,{}_8C_k\times x^{k-1}\quad\cdots\cdots ㉡$$

㉡에 $x=1$을 대입하면

$$8\times2^7=\sum_{k=0}^{8}k\,{}_8C_k=\sum_{k=1}^{8}k\,{}_8C_k\quad\cdots\cdots ㉢$$

㉡을 또 미분하면

$$56(x+1)^6=\sum_{k=0}^{8}\{k(k-1){}_8C_k\times x^{k-2}\}\quad\cdots\cdots ㉣$$

㉣에 $x=1$을 대입하면

$$56\times2^6=\sum_{k=0}^{8}k(k-1){}_8C_k=\sum_{k=1}^{8}k(k-1){}_8C_k\quad\cdots\cdots ㉤$$

한편 $\sum_{k=1}^{8}{}_8C_k=2^8-1\quad\cdots\cdots ㉥$

㉢, ㉤, ㉥에서

$$\sum_{k=1}^{8}(k-1)(k-2){}_8C_k$$

$$=\sum_{k=1}^{8}k(k-1){}_8C_k-2\sum_{k=1}^{8}k\,{}_8C_k+2\sum_{k=1}^{8}{}_8C_k$$

$$=56\times2^6-2\times8\times2^7+2(2^8-1)=2^{11}-2$$

이 값을 ㉠에 대입하면

$$\sum_{k=3}^{8}({}_8C_k\times{}_{k-1}C_2)=2^{10}-1=1023$$

1등급 NOTE

㉠까지 구한 다음 $k=3$부터 $k=8$까지 여섯 개의 값을 더해서 구해도 된다.

STEP 3 1등급 뛰어넘기

p. 29~31

01 1430	**02** ⑤	**03** (1) 225 (2) 198 (3) 33	
04 126	**05** 63	**06** 210	**07** 812
08 3			

01 답 1430

GUIDE

D, E 중 한 명이 가진 연필 개수는 짝수이다.

A, B, C, D, E가 가져간 연필 개수를 차례로 a, b, c, d, e라 하자.

이때 $a+b+c+d+e=19$이고, a, b, c는 모두 짝수이므로 $d+e$는 홀수이다. 즉 d, e 중 하나는 홀수, 하나는 짝수이다.

(i) d가 짝수일 때

$a=2a'$, $b=2b'$, $c=2c'$, $d=2d'$, $e=2e'+1$이라 하면 $a'+b'+c'+d'+e'=9$이고, a', b', c', d', e'은 음이 아닌 정수이므로 ${}_5H_9={}_{13}C_4=715$

(ii) e가 짝수일 때

$a=2a'$, $b=2b'$, $c=2c'$, $d=2d'+1$, $e=2e'$이라 하면 $a'+b'+c'+d'+e'=9$이고, a', b', c', d', e'은 음이 아닌 정수이므로 ${}_5H_9={}_{13}C_4=715$

따라서 구하려는 경우의 수는 $715+715=1430$

02 답 ⑤

GUIDE

$(x+1)^{30}=\sum_{k=0}^{30} {}_{30}C_k x^k$에 $x=\omega$를 대입한 것을 이용한다.

$x^3=1$의 한 허근을 ω라 하면 $\omega^2+\omega+1=0$

$A={}_{30}C_0+{}_{30}C_3+\cdots+{}_{30}C_{30}$

$B={}_{30}C_1+{}_{30}C_4+\cdots+{}_{30}C_{28}$

$C={}_{30}C_2+{}_{30}C_5+\cdots+{}_{30}C_{29}$

라 하면 $A+B+C=2^{30}$

$(x+1)^{30}=\sum_{k=0}^{30} {}_{30}C_k x^k$에 $x=\omega$를 대입하면

(좌변)$=(\omega+1)^{30}=(\omega^2+2\omega+1)^{15}=\omega^{15}=1$

(우변)$=\sum_{k=0}^{30} {}_{30}C_k \omega^k=A+B\omega+C\omega^2$

$=A+B\omega+C(-\omega-1)=A-C+(B-C)\omega$

A, B, C는 실수이고, ω는 허수이므로

복소수가 서로 같을 조건에서 $A-C=1$, $B=C$

$A+B+C=2^{30}$에 대입하면

$A+(A-1)+(A-1)=2^{30}$ $\quad\therefore\ A=\frac{1}{3}(2^{30}+2)$

03 답 (1) 225 (2) 198 (3) 33

GUIDE

$a=2^{m_1}\times3^{n_1}$, $b=2^{m_2}\times3^{n_2}$, $c=2^{m_3}\times3^{n_3}$으로 놓을 수 있다.

$a\times b\times c=2^4\times3^4$이므로 a, b, c에서 소인수는 2, 3 외에 다른 것은 없다.

즉 $a=2^{m_1}\times3^{n_1}$, $b=2^{m_2}\times3^{n_2}$, $c=2^{m_3}\times3^{n_3}$으로 놓으면 지수는 모두 음이 아닌 정수이다.

(1) $a=2^{m_1}\times3^{n_1}$, $b=2^{m_2}\times3^{n_2}$, $c=2^{m_3}\times3^{n_3}$이라 하자. 이때 $m_1+m_2+m_3=4$, $n_1+n_2+n_3=4$인 음이 아닌 정수해의 개수와 같으므로 구하려는 경우의 수는

${}_3H_4\times{}_3H_4={}_6C_2\times{}_6C_2=225$

(2) 세 자연수 a, b, c에 대하여 $a\times b\times c=2^4\times3^4$이므로

$a=b=c$인 경우는 없다.

$a=b\neq c$인 경우의 수는

$2m_1+m_3=4$, $2n_1+n_3=4$인 음이 아닌 정수해의 개수이므로 $3\times3=9$

$a\neq b=c$, $c=a\neq b$인 경우도 마찬가지이므로 세 수 중 어느 두 수가 같은 경우의 수는 $9\times3=27$

따라서 세 수 모두 다른 경우의 수는 $225-27=198$

(3) 세 수가 모두 다른 자연수일 때, 세 수를 크기순으로 $x<y<z$라 하면 a, b, c가 되는 것은

(x, y, z), (x, z, y), (y, x, z), (y, z, x), (z, x, y), (z, y, x)의 6가지이다.

따라서 $a<b<c$인 경우의 수는 $198\div6=33$

04 답 126

GUIDE

❶ 마지막에 오는 수는 왼쪽에 그 수에 해당하는 빈칸이 있고, 맨앞의 1 오른쪽에는 빈칸이 1개 붙어 있다고 생각한다.

❷ 양 끝을 제외한 자리에서는 그 수에 해당하는 빈칸이 왼쪽과 오른쪽에 있다고 생각한다.

❸ 마지막에 오는 수에 따라 경우를 나눈다.

(i) 마지막에 1이 올 경우

맨 앞이 1☐이고, ☐☐2☐☐, ☐☐☐3☐☐☐, ☐☐☐☐4☐☐☐☐, ☐1 중에 ☐1이 맨 마지막에 오도록 나열한다. 그런데 이 경우는 25칸이 필요하므로 조건에 어긋난다.

(ii) 마지막에 2가 올 경우

맨 앞이 1☐이고, ☐1☐, ☐☐☐3☐☐☐, ☐☐☐☐4☐☐☐☐, ☐☐2 중에 ☐☐2가 맨 마지막에 오도록 나열한다. 이때는 24칸이 되므로 이렇게 나열하는 경우의 수는 $3!=6$

(iii) 마지막에 3이 올 경우

맨 앞이 1☐이고, ☐1☐, ☐☐2☐☐, ☐☐☐☐4☐☐☐☐, ☐☐☐3 중에 ☐☐☐3이 맨 마지막에 오도록 나열한다. 이때 23칸이 필요하므로 한 칸이 남는데, 다음과 같이 생각하면

A ∨ B ∨ C ∨ D ∨ E ∨

(단, A는 1☐, E는 ☐☐☐3)

B, C, D를 나열하는 것과 표시한 부분에 빈칸을 넣는 경우의 수와 같다.

즉 $3!\times{}_5C_1=30$

(iv) 마지막에 4가 올 경우

맨 앞이 1☐이고, ☐1☐, ☐☐2☐☐, ☐☐☐3☐☐☐, ☐☐☐☐4 중에 ☐☐☐☐4가 맨 마지막에 오도록 나열하면 두 칸이 남는데, 다음과 같이 생각하면

A ∨ B ∨ C ∨ D ∨ E ∨

(단, A는 1☐, E는 ☐☐☐☐4)

B, C, D를 나열하는 것과 표시한 부분에 중복을 허락하여 2개를 골라 빈칸을 넣는 경우의 수와 같다.

즉 $3!\times{}_5H_2=90$

(i)~(iv)에서 구하려는 경우의 수는 $6+30+90=126$

05 답 63

GUIDE

$\sum_{k=r}^{n} {}_kC_r={}_rC_r+{}_{r+1}C_r+\cdots+{}_nC_r={}_{n+1}C_{r+1}$을 이용해

$\sum_{k=1}^{n} k^4=24\sum_{k=1}^{n} {}_kC_4+36\sum_{k=1}^{n} {}_kC_3+14\sum_{k=1}^{n} {}_kC_2+\sum_{k=1}^{n} {}_kC_1$을 정리한다.

$$\sum_{k=1}^{n} k^4 = 24\sum_{k=1}^{n} {}_kC_4 + 36\sum_{k=1}^{n} {}_kC_3 + 14\sum_{k=1}^{n} {}_kC_2 + \sum_{k=1}^{n} {}_kC_1$$

이때 $\sum_{k=1}^{n} {}_kC_4 = {}_4C_4 + {}_5C_4 + \cdots + {}_nC_4 = {}_{n+1}C_5$

$\sum_{k=1}^{n} {}_kC_3 = {}_3C_3 + {}_4C_3 + \cdots + {}_nC_3 = {}_{n+1}C_4$

$\sum_{k=1}^{n} {}_kC_2 = {}_2C_2 + {}_3C_2 + \cdots + {}_nC_2 = {}_{n+1}C_3$

$\sum_{k=1}^{n} {}_kC_1 = {}_{n+1}C_2$

$$\begin{aligned}\sum_{k=1}^{n} k^4 &= 24{}_{n+1}C_5 + 36{}_{n+1}C_4 + 14{}_{n+1}C_3 + {}_{n+1}C_2 \\ &= \frac{n(n+1)(n-1)(n-2)(n-3)}{5} \\ &\quad + \frac{3n(n+1)(n-1)(n-2)}{2} + \frac{7n(n+1)(n-1)}{3} \\ &\quad + \frac{n(n+1)}{2} \\ &= \frac{n(n+1)}{30}(6n^3+9n^2+n-1) \\ &= \frac{1}{30}n(n+1)(2n+1)(3n^2+3n-1)\end{aligned}$$

$\therefore f(n) = 3n^2+3n-1$

이때 $f'(n) = 6n+3$이므로 $f'(10) = 63$

06 답 210

GUIDE

❶ 어떤 경우에 △가 3개가 되는지 확인한다.

❷ 앞면을 H, 뒷면을 T로 나타내면 T ⟶ H일 때 △가 생긴다.

문제의 예시는 다음과 같다.

H T H H T T T H H
△ △ △

이때 H 묶음의 맨 앞을 △로 나타낼 수 있음을 추정할 수 있고, 이 추정은 조건에 맞다.

즉 H 묶음이 3개 있으면 된다. H 묶음을 H, T 묶음을 T로 나타내면 다음과 같이 H 사이에 T가 있어야 하고, 양 끝의 H 바깥쪽에 T는 있어도 되고 없어도 된다.

T	H	T	H	T	H	T
a	b	c	d	e	f	g

이때 각 묶음에 포함된 앞, 뒷면 개수를 차례로 a, b, c, d, e, f, g라 하면 a, g는 음이 아닌 정수이고, b, c, d, e, f는 자연수이다.

$a+b+c+d+e+f+g=9$에서

$b-1=b', c-1=c', d-1=d', e-1=e', f-1=f'$이라 하면

$a+b'+c'+d'+e'+f'+g=4$의 음이 아닌 정수해의 개수를 구하면 된다.

즉 구하려는 경우의 수는 ${}_7H_4 = {}_{10}C_4 = 210$

07 답 812

GUIDE

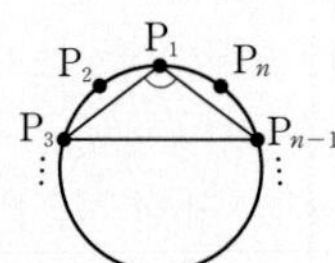

❶ 원주 위의 세 점을 택해 생긴 삼각형의 각 내각 크기는 $\frac{\pi}{n}$의 배수이다.

❷ 한 점 P_1을 둔각으로 하는 둔각삼각형은 P_1에 대한 원주(그림에서 호 P_3P_{n-1}의 큰 부분)가 전체 원주 길이의 절반보다 크다는 것을 생각한다. 원주 위의 세 꼭짓점을 택할 때 반복해서 생기는 둔각삼각형은 없다.

원주 위의 한 점을 A_1이라 하고 $\angle A_1$이 둔각이 되는 두 점 P, Q를 잡아 보자.

(i) $n=2m$일 때

세 내각 $\angle A_1$, $\angle P$, $\angle Q$는 모두 $\frac{\pi}{2m}$의 배수이므로

$\angle A_1 = \frac{x\pi}{2m}$, $\angle P = \frac{y\pi}{2m}$, $\angle Q = \frac{z\pi}{2m}$라 하면

$x+y+z=2m$이고, $x>m$이어야 한다.

$x-m=x'$이라 하면 $x'+y+z=m$인 자연수 해의 개수와 $\angle A_1$이 둔각인 둔각삼각형의 개수가 서로 같다. 즉 $\angle A_1$이 둔각인 둔각삼각형의 개수는

${}_3H_{m-3} = {}_{m-1}C_2 = \frac{(m-1)(m-2)}{2}$

$\therefore f(m) = 2m \times \frac{(m-1)(m-2)}{2} = m(m-1)(m-2)$

(ii) $n=2m-1$일 때

$\angle A_1$, $\angle P$, $\angle Q$는 모두 $\frac{\pi}{2m-1}$의 배수이므로

$\angle A_1 = \frac{x\pi}{2m-1}$, $\angle P = \frac{y\pi}{2m-1}$, $\angle Q = \frac{z\pi}{2m-1}$라 하면

$x+y+z=2m-1$이고, $x \ge m$이어야 한다.

$x-(m-1)=x'$이라 하면 $x'+y+z=m$인 자연수 해의 개수와 $\angle A_1$이 둔각인 둔각삼각형의 개수가 서로 같다. 즉 $\angle A_1$이 둔각인 둔각삼각형의 개수는

${}_3H_{m-3} = {}_{m-1}C_2 = \frac{(m-1)(m-2)}{2}$

$\therefore g(m) = \frac{(2m-1)(m-1)(m-2)}{2}$

따라서 $f(8)+g(9) = 336+476 = 812$

참고

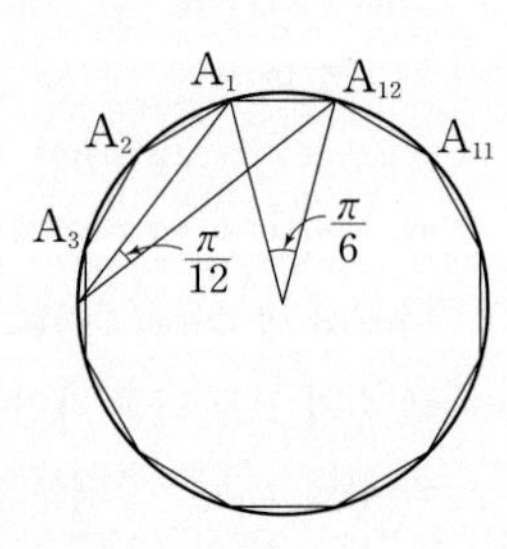

예를 들어 원에 내접하는 정십이각형을 생각해 보자. 이때 한 변에 대한 중심각의 크기가 $\frac{\pi}{6}$이므로 한 변에 대한 원주각의 크기는 $\frac{\pi}{12}$이다.

이와 같이 생각하면 원둘레를 n등분하는 점 n개 중에서 3개를 택하여 삼각형을 만들면 각 내각의 크기는 $\frac{\pi}{n}$의 배수가 된다.

08 답 3

GUIDE

원소가 4개인 집합에서

(i) 가장 작은 원소가 1인 집합의 개수는 1을 뽑고 1을 제외한 원소 13개 중 3개를 뽑는 경우의 수는 ${}_{13}C_3$

(ii) 가장 작은 원소가 2인 집합의 개수는 2를 뽑고, 1, 2를 제외한 원소 12개 중 3개를 뽑는 경우의 수 ${}_{12}C_3$

(iii) 가장 작은 원소가 k인 집합의 개수는 k를 뽑고 1, 2, …, k를 제외한 원소 $(14-k)$ 중 3개를 뽑는 경우의 수 ${}_{14-k}C_3$ (단, $1\le k\le 11$)

$a={}_{14}C_4$이고, 이 ${}_{14}C_4$개의 집합 중에서 가장 작은 원소가 k $(1\le k\le 11)$인 집합의 개수는 $k+1$, $k+2$, …, 14에서 원소 3개를 뽑는 경우의 수와 같다.

즉 가장 작은 원소가 k인 집합의 개수는 ${}_{14-k}C_3$이고, 이때 가장 작은 원소의 합은 $\sum_{k=1}^{11} k\,{}_{14-k}C_3$이다.

$$\sum_{k=1}^{11} k\,{}_{14-k}C_3=\sum_{k=1}^{11}(k-15+15)\,{}_{14-k}C_3$$
$$=15\sum_{k=1}^{11}{}_{14-k}C_3-\sum_{k=1}^{11}(15-k)\,{}_{14-k}C_3$$

이때 $\sum_{k=1}^{11}{}_{14-k}C_3={}_3C_3+{}_4C_3+\cdots+{}_{13}C_3={}_{14}C_4$

$$\sum_{k=1}^{11}(15-k)\,{}_{14-k}C_3$$
$$=\sum_{k=1}^{11}\frac{(15-k)(14-k)(13-k)(12-k)}{6}$$
$$=4\sum_{k=1}^{11}{}_{15-k}C_4$$
$$=4({}_4C_4+{}_5C_4+\cdots+{}_{14}C_4)=4\times{}_{15}C_5$$

$$\therefore m_1+m_2+\cdots+m_a=15\times{}_{14}C_4-4\times{}_{15}C_5$$
$$=15\times{}_{14}C_4-4\times\frac{15}{5}\times{}_{14}C_4$$
$$=3\times{}_{14}C_4$$

따라서 $\dfrac{m_1+m_2+\cdots+m_a}{a}=\dfrac{3\times{}_{14}C_4}{{}_{14}C_4}=3$

3 확률의 뜻과 활용

STEP 1 1등급 준비하기 p. 34~35

01 ③	02 ⑤	03 16	04 26
05 ③	06 20	07 ②	08 ④
09 63	10 3	11 ⑤	12 ③
13 ③			

01 답 ③

GUIDE

3의 배수가 나오는 사건을 A라 하면 $A^C=\{1, 2, 4, 5\}$이므로 A^C의 부분집합은 사건 A의 배반사건이다.

3의 배수가 나오는 사건을 A라 하면 $A=\{3, 6\}$

전사건이 $\{1, 2, 3, 4, 5, 6\}$이므로 A와 배반사건을 B라 하면 가능한 집합 B의 개수는 $2^{6-2}=2^4=16$

02 답 ⑤

GUIDE

ㄴ. $A\cap(B\cup C)=\varnothing$인지 확인한다.

ㄷ. $P(A-B)=P(A)-P(A\cap B)$임을 이용한다.

ㄱ. $P(A\cup B)=P(A)+P(B)-P(A\cap B)$에서
$P(A\cap B)=0$이므로 $P(A\cup B)=P(A)+P(B)$ (○)

ㄴ. $A\cap(B\cup C)=(A\cap B)\cup(A\cap C)=\varnothing\cup\varnothing=\varnothing$
즉 A와 $(B\cup C)$도 배반사건이다. (○)

ㄷ. $A\supset B$이면 $A\cap B=B$이므로
$P(A-B)=P(A)-P(A\cap B)=P(A)-P(B)$ (○)

03 답 16

GUIDE

칸을 기준으로 생각한다.

○가 표시되는 칸은 4개이므로

구하려는 확률 $p=\dfrac{4}{9}$ $\therefore 36p=16$

참고

칸을 기준으로 생각하면 각 칸에 ○를 표시할 확률은 모두 $\dfrac{4}{9}$이고, ×를 표시할 확률은 모두 $\dfrac{1}{3}$이다.

04 답 26

GUIDE

A가 앉는 자리를 고정시켜 놓고 생각한다.

A가 앉을 자리를 정하면 남은 5자리 중 A의 이웃 자리는 2곳,

A와 마주보는 자리는 1곳이므로 $p_1=\frac{2}{5}$, $p_2=\frac{1}{5}$

즉 $\frac{2}{5}-\frac{1}{5}=\frac{a}{b}$에서 $a=5$, $b=1$이므로 $a^2+b^2=26$

05 답 ③

GUIDE

$572=2^2\times11\times13$에서 약수는 모두 12개이고, 이중 홀수는 11×13의 약수이므로 4개다.

572의 약수 12개 중 홀수가 4개이므로 짝수는 8개다.
(짝수+짝수), (홀수+홀수)일 때 두 수의 합이 짝수가 되므로

구하려는 확률은 $\frac{{}_8C_2+{}_4C_2}{{}_{12}C_2}=\frac{28+6}{66}=\frac{17}{33}$

06 답 20

GUIDE

구역 관리자가 남은 4자리에 남자 승객 2명과 여자 승객 2명을 배정한다고 생각한다.

A구역에 들어갈 2명을 고르는데 둘 다 남자일 확률

$p=\frac{{}_2C_2}{{}_4C_2}=\frac{1}{6}$ $\quad\therefore 120p=20$

07 답 ②

GUIDE

A, B, C 3명인 경우에서 생각해 보자. 악수가 1번 있었다고 할 때 A, B가 악수했을 확률은 3개 중 1개를 고르는 확률과 같다.

10명이 악수를 한 번씩 하는 모든 경우의 수는 ${}_{10}C_2=45$
이중 실제로 일어난 악수 횟수는 20이므로

A, B가 악수했을 확률은 $\frac{20}{45}=\frac{4}{9}$

08 답 ④

GUIDE

A, B를 다른 조에 배치한 다음 남은 4명을 2명씩 각 조에 배치하는 경우의 수를 구한다.

6명을 3명씩 두 조로 나누는 경우의 수는

${}_6C_3\times{}_3C_3\times\frac{1}{2!}=10$

이때 A, B를 다른 조에 넣고 남은 4명을 2명씩 각 조에 배치하는 경우의 수는 ${}_4C_2\times{}_2C_2=6$

따라서 구하려는 확률은 $\frac{6}{10}=\frac{3}{5}$

참고

A, B를 이미 각 조에 배치했으므로 두 조는 구별된다.

다른 풀이

B, C, D, E, F 중에서 A와 같은 조가 되는 사람은 2명이므로

B가 A와 같은 조가 될 확률은 $\frac{{}_4C_1}{{}_5C_2}=\frac{2}{5}$

따라서 A, B가 다른 조에 배치될 확률은 $1-\frac{2}{5}=\frac{3}{5}$

※ 조별 인원이 같을 때 이 풀이 방법이 쉽다.

09 답 72

GUIDE

흰 구슬 3개, 검은 구슬 1개, 빨간 구슬 1개를 써서 처음 5개를 나열한다.

구슬 10개를 일렬로 나열하는 전체 경우의 수는 $\frac{10!}{6!2!2!}=1260$

이때 좌우 대칭이 되려면 처음에 나열하는 5개를 흰 구슬 3개, 검은 구슬 1개, 빨간 구슬 1개로 나열한 다음 나머지 구슬 5개를 처음과 대칭이 되도록 나열하면 된다.

이때 경우의 수는 $\frac{5!}{3!1!1!}=20$

따라서 구하려는 확률은 $\frac{20}{1260}=\frac{1}{63}$

10 답 3

GUIDE

$\tan\theta=m$이라 하고, $x^2-mx+\frac{1}{4}=0$의 판별식을 이용한다.

$\tan\theta=m$이라 하자.

$y=x^2+\frac{1}{4}$과 $y=mx$가 만나려면 이차방정식 $x^2-mx+\frac{1}{4}=0$의 실근이 존재해야 하므로 $D=m^2-1\ge0$에서 $|m|\ge1$

즉 $|\tan\theta|\ge1$에서 $\frac{\pi}{4}\le\theta\le\frac{3}{4}\pi$

따라서 구하려는 확률은 $\frac{\frac{3}{4}\pi-\frac{\pi}{4}}{\pi}=\frac{1}{2}$이므로 $p+q=3$

11 답 ⑤

GUIDE

$\angle POQ=\angle POA-\angle QOA$임을 생각한다.

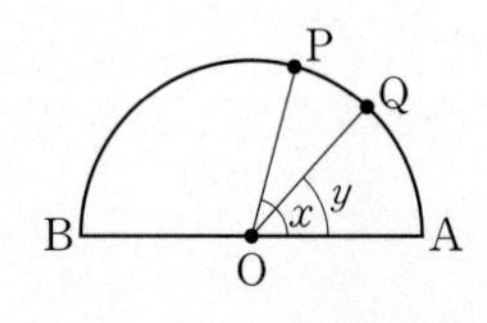

그림처럼 두 점 P, Q가 시초선 OA와 이루는 각의 크기를 각각 x, y라 하면 $\angle POQ=|x-y|$이므로 $\angle POQ$가 예각이면 $|x-y|<\frac{\pi}{2}$

$\therefore y<x+\frac{\pi}{2}$, $y>x-\frac{\pi}{2}$ $(0\le x\le\pi,\ 0\le y\le\pi)$

따라서 구하려는 확률은

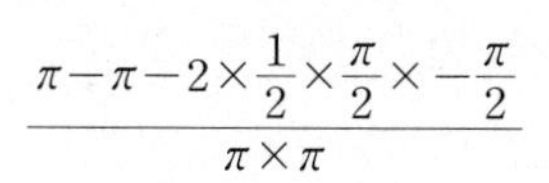

$=\dfrac{3}{4}$

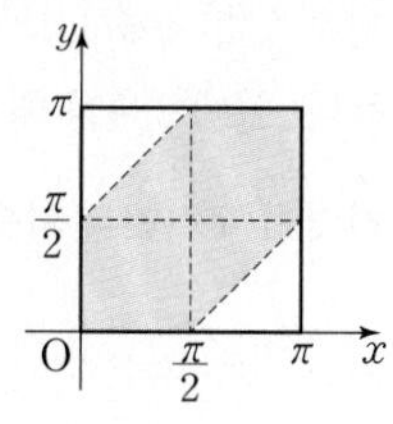

12 답 ③

GUIDE

색깔이 같은 양말이 나오는 사건을 A라 하면 A^C은 뽑은 양말 3개 모두 색깔이 다른 사건이다.

(색깔이 같은 양말이 나온다)=(3개 모두 다른 색은 아니다.)이므로 여사건은 뽑은 양말 3개 모두 색깔이 다른 사건이다.
따라서 구하려는 확률은

$$1-\frac{{}_4C_1\times{}_6C_1\times{}_6C_1}{{}_{16}C_3}=1-\frac{144}{560}=\frac{26}{35}$$

13 답 ③

GUIDE

c가 이웃하는 사건을 A, o가 이웃하는 사건을 B라 하면 A^C과 B^C이 함께 일어나야 하므로 구하려는 확률은
$P(A^C\cap B^C)=P((A\cup B)^C)=1-P(A\cup B)$

알파벳 9개 중에서 c, o가 각각 2개, h, l, a, t, e가 각각 1개씩 있다. 두 번 쓰인 c, o를 c_1, c_2, o_1, o_2라 하고, c가 이웃하는 사건을 A, o가 이웃하는 사건을 B라 하자.

c_1, c_2가 이웃할 확률, 즉 $P(A)=\dfrac{8!\times2}{9!}=\dfrac{2}{9}$

o_1, o_2가 이웃할 확률, 즉 $P(B)=\dfrac{8!\times2}{9!}=\dfrac{2}{9}$

c_1, c_2도 이웃하고, o_1, o_2도 이웃할 확률, 즉

$P(A\cap B)=\dfrac{7!\times2\times2}{9!}=\dfrac{1}{18}$

$$\begin{aligned}\therefore\ P((A\cup B)^C)&=1-P(A\cup B)\\&=1-P(A)-P(B)+P(A\cap B)\\&=1-\frac{2}{9}-\frac{2}{9}+\frac{1}{18}=\frac{11}{18}\end{aligned}$$

다른 풀이

c, h, o, c, o, l, a, t, e를 나열하는 전체 경우의 수는 $\dfrac{9!}{2!2!}$

이때 c가 이웃하는 경우의 수는 $\dfrac{8!}{2!}$이고, o가 이웃하는 경우의 수도 $\dfrac{8!}{2!}$, 또 c도 이웃하고, o도 이웃하는 경우의 수는 $7!$

포함과 배제의 원리에서 구하려는 확률은

$$1-\frac{\frac{8!}{2!}+\frac{8!}{2!}-7!}{\frac{9!}{2!2!}}=1-\frac{4+4-1}{18}=\frac{11}{18}$$

※ c가 3개 이상인 경우에는 c가 2개 이웃하는 경우, c가 3개 이웃하는 경우, …를 모두 생각해야 하므로 이 방법으로 풀기 어렵다.

STEP 2 | 1등급 굳히기

p. 36~41

01 ②	02 13	03 19	04 ②
05 ⑤	06 53	07 131	08 13
09 35	10 38	11 ③	12 31
13 ②	14 ③	15 90	16 (1) 32 (2) 24
17 ⑤	18 ④	19 ④	20 ②
21 37	22 ③	23 9	24 (1) 85 (2) 42
25 33	26 8		

01 답 ②

GUIDE

11, 12, 13, …, 20이 적힌 카드 중에서 11번 카드가 맨 먼저 뽑히면 된다.

자연수 n이 적힌 카드를 n번 카드라 하자.
11보다 더 큰 수가 적힌 카드를 11번 카드보다 먼저 뽑으면 11번 카드는 버려진다. 즉 11번 카드가 배열에 남아 있으려면 11, 12, 13, …, 20이 적힌 카드 중에서 11번 카드가 가장 먼저 뽑히면 된다.

따라서 구하려는 확률은 $\dfrac{1}{10}$

02 답 13

GUIDE

10개의 자리 중 3곳에 당첨 제비를 배열할 때, 특정 자리에 당첨 제비가 놓일 확률은 자리에 상관없이 $\dfrac{3}{10}$이다.

열 명이 제비를 뽑고, 뽑은 순서대로 일렬로 나열한다고 생각하자. 이때 구하려는 확률은 세 번째 제비가 당첨 제비일 확률과 같다. 10개의 자리 중 3곳에 당첨 제비를 배열할 때, 특정 자리에 당첨 제비가 놓일 확률은 자리에 상관없이 $\dfrac{3}{10}$이다.

따라서 C가 당첨될 확률도 $\dfrac{3}{10}$이므로 $a+b=13$

다른 풀이

- A당첨, B당첨일 때: $\left(\dfrac{3}{10}\times\dfrac{2}{9}\right)\times\dfrac{1}{8}=\dfrac{6}{720}$
- A당첨, B낙첨일 때: $\left(\dfrac{3}{10}\times\dfrac{7}{9}\right)\times\dfrac{2}{8}=\dfrac{42}{720}$
- A낙첨, B당첨일 때: $\left(\dfrac{7}{10}\times\dfrac{3}{9}\right)\times\dfrac{2}{8}=\dfrac{42}{720}$
- A낙첨, B낙첨일 때: $\left(\dfrac{7}{10}\times\dfrac{6}{9}\right)\times\dfrac{3}{8}=\dfrac{126}{720}$

따라서 C가 당첨될 확률은 $\dfrac{6+42+42+126}{720}=\dfrac{3}{10}$

03 답 19

GUIDE

B가 던져 나온 특정 수에 대하여 A, B 각각이 이기는 경우가 몇 가지씩인지 생각해본다.

변형 주사위에 적힌 수를 a, b, c, d, e, f라 하자.
B가 던진 주사위에서 a의 눈이 나왔을 때
A가 이기는 경우는 $(6-a)$가지,
B가 이기는 경우는 $(a-1)$가지, 비기는 경우는 1가지
b, c, d, e, f의 눈이 나왔을 때도 마찬가지로 생각하면
A가 이기는 경우의 수는
$36-(a+b+c+d+e+f)=14$
B가 이기는 경우의 수는 $(a+b+c+d+e+f)-6=16$
즉 $p_B=\frac{16}{36}$, $p_A=\frac{14}{36}$이므로 $p_B-p_A=\frac{1}{18}$
따라서 $m+n=18+1=19$

04 답 ②

GUIDE
짝수가 2개 나왔을 때는 그 중 하나가 4가 되어야 세 수의 곱이 8의 배수가 된다.

짝수가 3번 나오면 세 수의 곱은 항상 8의 배수이고, 이때 경우의 수는 $3^3=27$
짝수가 2번 나오면 짝수 중 적어도 하나는 4가 되어야 세 수의 곱이 8의 배수다. 이때 경우의 수는
홀수가 나오는 순서를 결정하는 3가지 경우, 홀수를 결정하는 3가지 경우, 두 짝수 중 4가 적어도 한 번 나오는 $3^2-2^2=5$(가지) 경우가 있으므로 $3\times3\times5=45$
따라서 구하려는 확률은 $\frac{27+45}{6^3}=\frac{1}{3}$

참고
짝수가 2번 나올 경우이고, 만약 홀수가 1이면 $(1, 2, 4)$, $(1, 4, 4)$, $(1, 4, 6)$ 세 가지가 조건에 맞다. 각 순서쌍에서 경우의 수는 $3!+\frac{3!}{2!}+3!=15$이고, 홀수가 3, 5일 때도 마찬가지로 생각하면 $3\times15=45$

다른 풀이
(짝수 3번)+(홀수 1번, 짝수 2번 중 4 포함)
$=\left(\frac{1}{2}\right)^3+3\times\frac{1}{2}\left\{\left(\frac{1}{2}\right)^2-\left(\frac{1}{3}\right)^2\right\}=\frac{1}{8}+\frac{3}{2}\times\frac{5}{36}=\frac{1}{3}$

05 답 ⑤

GUIDE
2, 4, 6은 서로 이웃하면 안 되고, 3과 6도 서로 이웃하지 않도록 한다.

원순열이므로 6을 고정시키면 전체 경우의 수는 $5!$
2, 4, 6은 서로 이웃하면 안 되고, 3, 6도 서로 이웃하지 않아야 하므로 6의 양옆에는 1, 5가 와야 한다.
이때 1, 5를 배열하는 경우의 수는 $2!$
남은 2, 3, 4에서 2와 4가 이웃하면 안 되므로 6 맞은편에 3을 놓는다. 이때 2, 4를 배열하는 경우의 수는 $2!$
따라서 구하려는 확률은 $\frac{2\times2}{5!}=\frac{1}{30}$

06 답 53

GUIDE
가상의 존재 E가 있다고 생각한다.

투명인간 E가 있다고 생각하면 완전순열 문제가 된다.
(i) A, B, C, D, E가 모두 완전순열일 때 44(가지)
(ii) E만 이틀 연속 같은 자리에 앉고 다른 4명은 완전순열일 때 9(가지)
따라서 구하려는 확률 $p=\frac{44+9}{5!}=\frac{53}{120}$
$\therefore 120p=53$

07 답 131

GUIDE
똑같은 사탕을 서로 다르다고 생각하고, 사탕을 정의역, 세 사람이 공역인 함수에서 공역과 치역이 같은 함수의 개수를 구한다.

똑같은 사탕이지만 확률 문제이므로 서로 다른 사탕 C_1, C_2, C_3, C_4, C_5라 생각해 보자.
사탕을 A, B, C에게 나눠주는 것은
$X=\{C_1, C_2, C_3, C_4, C_5\}$, $Y=\{A, B, C\}$라 할 때 X에서 Y로의 함수와 같다.
이때 모든 함수의 개수는 $3^5=243$
세 사람 각각 적어도 하나의 사탕을 받는 것은 치역과 공역이 같은 함수이므로 그 개수는 $3^5-3\times2^5+3=150$
따라서 구하려는 확률은 $\frac{150}{243}=\frac{50}{81}=\frac{a}{b}$
$\therefore a+b=50+81=131$

1등급 NOTE
이 문제를 중복조합으로 생각하여 $\frac{{}_3H_2}{{}_3H_5}=\frac{6}{21}=\frac{2}{7}$로 풀면 안 된다.
그 이유는 서로 다른 사탕이라 생각하면 A, B, C 세 사람이 받는 사탕 개수가
$(5, 0, 0)$일 때 ⇨ 1가지
$(2, 2, 1)$일 때 ⇨ 30가지
즉 위와 같이 두 경우는 기대되는 정도가 다르기 때문에 근원사건의 개수로 확률을 구할 수 없으므로 중복조합으로 풀면 안 된다.

08 답 13

GUIDE
f는 일대일함수이고, g는 치역과 공역이 같은 함수이다.

f는 일대일함수이므로 함수의 개수는 ${}_4\mathrm{P}_3=24$

g는 치역과 공역이 같으므로 함수의 개수는 $2^4-2=14$

이때 다음과 같이 합성함수 $g \circ f$의 치역이 Z이 아닌 경우를 생각해 보자.

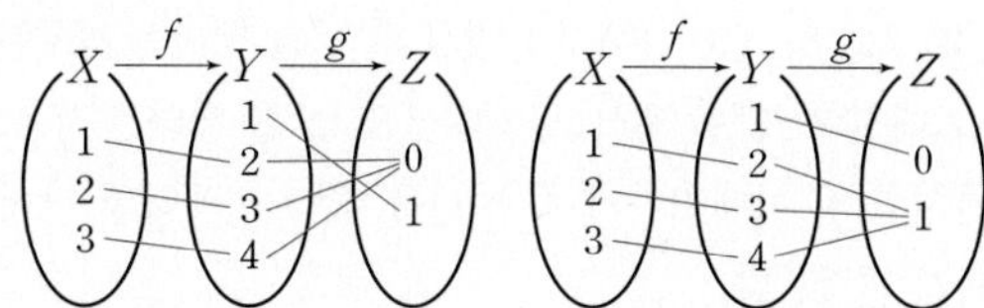

집합 Y의 원소 중 f의 치역이 아닌 원소 a가 반드시 하나 존재하는데, 위 예시처럼 a가 아닌 모든 Y의 원소 x에 대해 $g(x) \neq g(a)$이면 $g(Y)$의 치역은 Z, $g(Y-\{a\})$의 치역은 $Z-\{g(a)\}$가 되어 $g \circ f$의 치역은 Z가 아니다.

즉 Y의 원소 중 적당한 a에 대해 $f: X \longrightarrow Y-\{a\}$는 일대일 대응이고, 함수 g는 $a \neq x$이면 $g(a) \neq g(x)$라야 한다.

각각의 f에 대해 함수 g는 $g(a)=0$ 또는 $g(a)=1$, 두 가지가 있으므로 $g \circ f$의 치역이 Z가 아닌 경우의 수는 24×2

따라서 구하려는 확률은 $1-\dfrac{24 \times 2}{24 \times 14}=\dfrac{6}{7}$이므로

$p+q=7+6=13$

1등급 NOTE

풀이의 설명을 '외톨이'로 생각하면 이해하기 쉽다. 즉 그림처럼 f의 치역에서 외톨이가 된 Y의 원소가 g에서도 외톨이가 되면 문제에서 주어진 사건의 여사건이 된다.

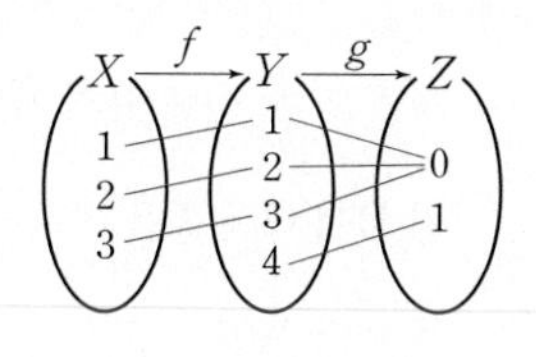

09 답 35

GUIDE

$a<b=c<d$일 때와 $a<b<c<d$일 때로 나눈다.

순서쌍 (a, b, c, d)에 대해 $a<b \leq c<d$인 순서쌍의 개수는 다음과 같다.

(i) $a<b=c<d$일 때 ${}_6\mathrm{C}_3$

(ii) $a<b<c<d$일 때 ${}_6\mathrm{C}_4$

이때 $p=\dfrac{{}_6\mathrm{C}_3+{}_6\mathrm{C}_4}{6^4}$이므로 $6^4 \times p={}_6\mathrm{C}_3+{}_6\mathrm{C}_4=35$

참고

주사위를 던져 나온 결과가 $(1, 2, 3, 5)$인 경우와 $(1, 1, 1, 1)$인 경우 모두 확률은 $\dfrac{1}{6^4}$로 같으므로 위 풀이처럼 경우의 수로 풀어도 상관없다.

10 답 38

GUIDE

입력할 수 있는 숫자는 모두 몇 개인지 생각해 보자.

비밀번호가 $abc7(a<b<c<7)$ 꼴이므로 0부터 6까지의 정수 7개 중 임의로 세 개를 골라 크기순으로 배열한 것이 abc와 일치하면 된다.

비밀번호를 세 번까지 입력할 수 있으므로 돈을 찾을 수 없는 확률은 $\dfrac{34}{35} \times \dfrac{33}{34} \times \dfrac{22}{33}=\dfrac{32}{35}$이다.

따라서 구하려는 확률은 $1-\dfrac{32}{35}=\dfrac{3}{35}$이므로 $p+q=38$

11 답 ③

GUIDE

$4=2^2$, $16=2^4$, $64=2^6$, $256=2^8$, $\cdots$처럼 3으로 나눈 나머지가 1인 수는 2^{2m} (m은 자연수) 꼴이다.

$2^a \times 2^b \times 2^c=2^{a+b+c}$를 3으로 나눈 나머지가 1이 될 필요충분조건은 $(a+b+c)$가 짝수이다. 이런 경우는

(짝, 짝, 짝), (짝, 홀, 홀), (홀, 짝, 홀), (홀, 홀, 짝)일 때이므로 구하려는 확률은

$\dfrac{1 \times 2 \times 1+1 \times 1 \times 2+2 \times 2 \times 2+2 \times 1 \times 1}{3^3}=\dfrac{14}{27}$

12 답 31

GUIDE

여섯 번째와 일곱 번째에 뽑는 공이 모두 검은 공이면 $\mathrm{P}(X \leq 5)$를 만족시킨다.

뽑은 순서대로 공 7개를 나열했을 때, 6번째와 7번째에 있는 공이 모두 검은 공이면 문제의 조건을 만족시킨다.

따라서 구하려는 확률은 $\dfrac{{}_5\mathrm{C}_2}{{}_7\mathrm{C}_2}=\dfrac{10}{21}$ $\quad \therefore p+q=31$

1등급 NOTE

❶ 같은 색 공이라 해도 모두 다르다고 생각한다.

❷ $\mathrm{P}(X=2)+\mathrm{P}(X=3)+\mathrm{P}(X=4)+\mathrm{P}(X=5)$를 이용해 풀 수도 있지만 위 풀이처럼 생각하면 더 간단하다.

참고

$X=2$인 경우는 1가지이고 이때 확률은 $\dfrac{2}{7} \times \dfrac{1}{6}=\dfrac{1}{21}$이다.

$X=5$인 경우는 4가지이고, 각각에서 확률은 $\dfrac{1}{21}$이다.

13 답 ②

GUIDE

세 카드에 적힌 수를 작은 것부터 a, b, c라 하면 $a+1<b$, $b+1<c$임을 이용한다.

세 카드에 적힌 수를 작은 것부터 a, b, c라 하면

$a+1<b$, $b+1<c$이어야 한다.

$b-1=b'$이라 하면 $b=b'+1$이므로 $b'+2<c$

이때 $c'=c-2$로 놓으면 $b'<c'$에서 $1 \leq a<b'<c' \leq 8$

이므로 (a, b, c)의 순서쌍 개수는 ${}_8C_3=56$

따라서 구하려는 확률은 $\frac{{}_8C_3}{{}_{10}C_3}=\frac{56}{120}=\frac{7}{15}$

14 답 ③

GUIDE

$p_k=\frac{{}_{k-1}C_1\times{}_{10-k}C_1}{{}_{10}C_3}$ 임을 이용한다.

ㄱ. p_3은 선택된 수 3개 중에서 3보다 작은 수가 1개이고, 3보다 큰 수가 1개일 때의 확률이므로

$p_3=\frac{{}_2C_1\times{}_7C_1}{{}_{10}C_3}=\frac{14}{120}=\frac{7}{60}$ (○)

ㄴ. $p_4=\frac{{}_3C_1\times{}_6C_1}{{}_{10}C_3}$, $p_6=\frac{{}_5C_1\times{}_4C_1}{{}_{10}C_3}$ 이므로 $p_4\neq p_6$ (×)

ㄷ. 1부터 10까지의 자연수 10개 중에서 3개를 뽑을 때, 두 번째로 작은 수로는 2부터 9까지의 수만 올 수 있으므로

$\sum_{k=2}^{9} p_k=p_2+p_3+\cdots+p_9=1$

이때 $p_k=\frac{{}_{k-1}C_1\times{}_{10-k}C_1}{{}_{10}C_3}=\frac{(k-1)(10-k)}{120}$ 이므로

$p_k=p_{11-k}$ $(k=2, 3, 4, 5)$이다.

즉 $p_2=p_9$, $p_3=p_8$, $p_4=p_7$, $p_5=p_6$이므로

$p_2+p_3+p_4+p_5=\frac{1}{2}(p_2+p_3+\cdots+p_9)=\frac{1}{2}$ (○)

참고

$p_k=\frac{(k-1)(10-k)}{120}$에 k 대신 $(11-k)$를 대입하면

$p_{11-k}=\frac{(10-k)(k-1)}{120}$ 이므로 $p_k=p_{11-k}$

15 답 90

GUIDE

주어진 상황이 모두 같으므로 임의로 두 팀을 뽑았을 때, 특정 두 팀이 포함될 확률과 특정 두 팀이 결승에 진출할 확률이 서로 같다.

일곱 팀의 실력이 모두 같고, 대진표도 결정되지 않았으므로 주어진 상황은 일곱 팀 모두 동일하다. 즉 모든 팀에 대해 결승 진출 확률은 같으므로 일곱 팀 중에서 임의로 결승에 진출하는 두 팀을 뽑는 것으로 생각할 수 있다. 즉

$p_1=\frac{{}_5C_2}{{}_7C_2}=\frac{10}{21}$, $p_2=\frac{{}_2C_2}{{}_7C_2}=\frac{1}{21}$ $\quad\therefore 210(p_1-p_2)=90$

16 답 (1) 32 (2) 24

GUIDE

(1) 각각의 조는 (1, 2), (2, 3), (3, 1) 꼴이어야 한다. 이때 같은 번호끼리 구분해 본다.
(2) 각각의 조는 (♠, ♥)가 되어야 한다.

(1) 6장의 카드를 $1'$, $1''$, $2'$, $2''$, $3'$, $3''$이라 하자.

카드 6장을 세 조로 나눌 때 같은 번호가 없으려면 각각의 조는 (1, 2), (2, 3), (3, 1) 꼴이어야 한다.

2와 같은 조가 되는 1과, 3과 같은 조가 되는 1은 구별되므로 (1, 2), (2, 3), (3, 1)에서 1 대신 $1'$, $1''$를 택하는 경우는 2가지, 2 대신 $2'$, $2''$을 택하고, 3 대신 $3'$, $3''$을 택하는 경우도 마찬가지이다. 이때 2가지 중 하나를 각각 선택하면 나머지는 따라서 결정된다.

세 조로 나누는 경우의 수가 ${}_6C_2\times{}_4C_2\times\frac{1}{3!}=15$이므로

구하려는 확률 $p_1=\frac{2\times2\times2}{15}=\frac{8}{15}$

$\therefore 60p_1=32$

(2) 카드 6장을 세 조로 나눌 때, 각각의 조는 (♠, ♥)가 되어야 한다. ♠와 ♥를 짝짓는 경우의 수는 $A=\{1, 2, 3\}$일 때 A에서 A로의 일대일함수의 개수와 같으므로 $3!=6$

따라서 구하려는 확률 $p_2=\frac{6}{15}=\frac{2}{5}$

$\therefore 60p_2=24$

다른 풀이

(2) A가 처음 뽑은 카드와 두 번째 뽑은 카드의 무늬가 서로 다를 확률은 $\frac{3}{5}$, 이때 남은 카드는 ♠ 2장, ♥ 2장이므로 두 번째 사람 B에 대해 처음 뽑은 카드와 두 번째 뽑은 카드의 무늬가 서로 다를 확률은 $\frac{2}{3}$

이때 세 번째 사람 C는 항상 무늬가 다른 카드 2장을 받게 되므로 구하려는 확률은 $\frac{3}{5}\times\frac{2}{3}=\frac{2}{5}$

17 답 ⑤

GUIDE

공을 정의역, 상자를 공역이라 생각해서 함수의 개수를 구하는 모델로 바꿔 조건에 맞는 경우를 만들어 보자.

공에 1부터 10까지 번호가 붙어 있다고 생각하자.
공을 상자에 넣는 것은 $X=\{1, 2, \cdots, 10\}$에서
$Y=\{A, B, C, D, E, F\}$의 함수와 같고, 함수 전체의 개수는 6^{10}
이때 A, B, C에 공이 4개 들어가는 경우는 공 10개 중에서 4개를 뽑아 $Y_1=\{A, B, C\}$에 대응시키고, 남은 공 6개를
$Y_2=\{D, E, F\}$에 대응시키는 함수와 같다.
이런 함수의 개수는 ${}_{10}C_4\times3^4\times3^6$
따라서 구하려는 확률은 $\frac{{}_{10}C_4\times3^4\times3^6}{6^{10}}=\frac{{}_{10}C_4}{2^{10}}=\frac{105}{512}$

1등급 NOTE

다음과 같이 생각하면 틀린 풀이가 된다.

A, B, C, D, E, F에 들어가는 공 개수를 각각 a, b, c, d, e, f라 하면

$a+b+c=4$, $d+e+f=6$이 되어야 하므로 확률은 $\frac{{}_3H_4 \times {}_3H_6}{{}_6H_{10}}$

이 풀이는 서로 다른 공이라는 점을 생각하지 않은 잘못된 풀이이다. 확률에서 가장 기본이 되는 전제 조건인 '근원사건의 기대되는 정도가 같다.'는 사실에 어긋나기 때문이다. 예를 들어 A, B, C 세 상자에 서로 다른 공 4개를 넣을 때, 들어간 공 개수가 (1, 1, 2)인 사건과 (0, 0, 4)인 사건은 기대되는 정도가 다르므로 이것을 각각 한 가지의 근원사건으로 생각해서 풀면 안 된다.

18 답 ④

GUIDE

색깔 변화가 짝수 번 생기면 양 끝에 놓이는 바둑돌 색깔이 서로 같음을 이용한다.

다음과 같은 경우이다.

즉 색깔 변화가 짝수 번 생기면 양 끝의 바둑돌 색깔이 같다. 이때 양 끝에 놓이는 바둑돌이

(i) 둘 다 검은색일 확률은 $\frac{{}_6C_2}{{}_{10}C_2}=\frac{15}{45}$

(ii) 둘 다 흰색일 확률은 $\frac{{}_4C_2}{{}_{10}C_2}=\frac{6}{45}$

따라서 구하려는 확률은 $\frac{15+6}{45}=\frac{7}{15}$

19 답 ④

GUIDE

1이 적힌 공 3개를 서로 다르다고 생각해 보자.

공 6개에 적힌 수를 $1'$, $1''$, $1'''$, 2, 4, 5라 하자. 이때 공 4개를 뽑아 일렬로 나열하는 경우의 수는 ${}_6P_4=360$이고, 이중에서 $a\le b\le c\le d$인 경우는 다음과 같다.

(i) 1이 하나 뽑힐 때

(1을 뽑는 경우)×(배열하는 경우)$={}_3C_1\times 1=3$

(ii) 1이 두 개 뽑힐 때

(1을 뽑는 경우)×(2, 4, 5 중 두 개 뽑는 경우)

×(배열하는 경우)

$={}_3C_2\times{}_3C_2\times 2!=18$

(iii) 1이 세 개 뽑힐 때

(1을 뽑는 경우)×(2, 4, 5 중 한 개 뽑는 경우)

×(배열하는 경우)

$={}_3C_3\times{}_3C_1\times 3!=18$

따라서 구하려는 확률은 $\frac{39}{360}=\frac{13}{120}$

다른 풀이

1이 한 개 뽑힐 확률은 $\frac{{}_3C_1\times{}_3C_3}{{}_6C_4}=\frac{1}{5}$

1이 두 개 뽑힐 확률은 $\frac{{}_3C_2\times{}_3C_2}{{}_6C_4}=\frac{3}{5}$이고

1이 세 개 뽑힐 확률은 $\frac{{}_3C_3\times{}_3C_1}{{}_6C_4}=\frac{1}{5}$

1이 한 개 뽑혔을 때 조건에 맞을 확률은 $\frac{1}{4!}=\frac{1}{24}$

1이 두 개 뽑혔을 때 조건에 맞을 확률은 $\frac{2!}{4!}=\frac{2}{24}$

1이 세 개 뽑혔을 때 조건에 맞을 확률은 $\frac{3!}{4!}=\frac{6}{24}$

따라서 구하려는 확률은

$\frac{1}{5}\times\frac{1}{24}+\frac{3}{5}\times\frac{2}{24}+\frac{1}{5}\times\frac{6}{24}=\frac{13}{120}$

1등급 NOTE

6개 중 4개를 나열하는 경우의 수는 $4!+{}_3C_2\times\frac{4!}{2!}+{}_3C_1\times\frac{4!}{3!}=72$

조건을 만족시키는 (a, b, c, d)는 (1, 2, 4, 5), (1, 1, 2, 4), (1, 1, 2, 5), (1, 1, 4, 5), (1, 1, 1, 2), (1, 1, 1, 4), (1, 1, 1, 5)로 7가지이므로 구하려는 확률은 $\frac{7}{72}$

이렇게 풀면 잘못이다. 그 까닭은 근원사건으로 간주한 (1, 2, 4, 5), (1, 1, 2, 4)가 기대되는 정도가 다르기 때문이다. (다른 풀이 참고)

따라서 확률 문제에서는 같은 것도 다르게 생각하여 근원사건이 기대되는 정도를 같게 만드는 것이 필요하다.

20 답 ②

GUIDE

❶ 정육각형과 같은 간단한 경우에서 생각해 보면 세 점을 택해 만들어진 삼각형이 예각삼각형일 때 삼각형의 내부에 외심이 포함된다.

(직각삼각형은 외심을 포함한다.)

❷ 변 6개에 대한 원주각의 크기는 90°보다 크고 변 5개에 대한 원주각의 크기는 90°보다 작음을 이용해 어느 한 꼭짓점을 포함하는 예각삼각형 개수를 구한다.

세 점을 택해 만들어진 삼각형이 예각삼각형일 때 삼각형의 내부에 외심이 포함된다.

P_1을 포함하는 예각삼각형 개수는 $1+2+3+4+5=15$

마찬가지로 P_2, P_3, $\cdots$, P_{11}을 포함하는 예각삼각형도 각각 15개이고, 하나의 예각삼각형은 이때 3번 중복해서 헤아려졌으므로

예각삼각형 개수는 $\frac{11\times 15}{3}=55$

따라서 구하려는 확률은 $\frac{55}{{}_{11}C_3}=\frac{1}{3}$

참고

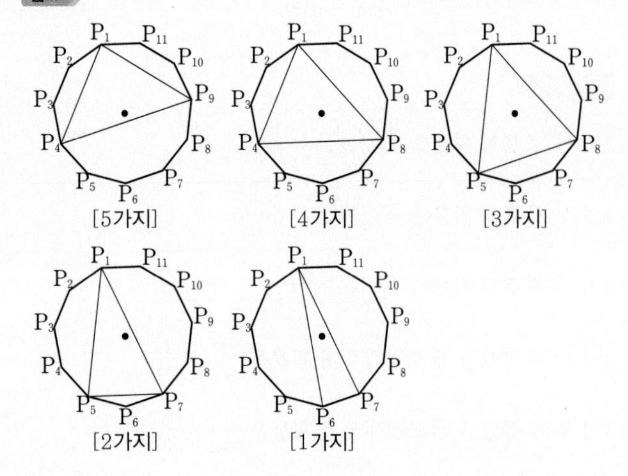

21 답 37

GUIDE

원 C_3이 원 C_1, C_2와 만나는 경우를 생각한다.

원 C_3이 원 C_1과 만나려면 $\overline{OP} \geq 4$

원 C_3이 원 C_2와 만나려면 $\overline{OP} \leq 2$

원 C_3이 원 C_1, C_2와 만나지 않으려면 점 P가 그림의 색칠한 영역에 있으면 된다. 즉 $2 < \overline{OP} < 4$

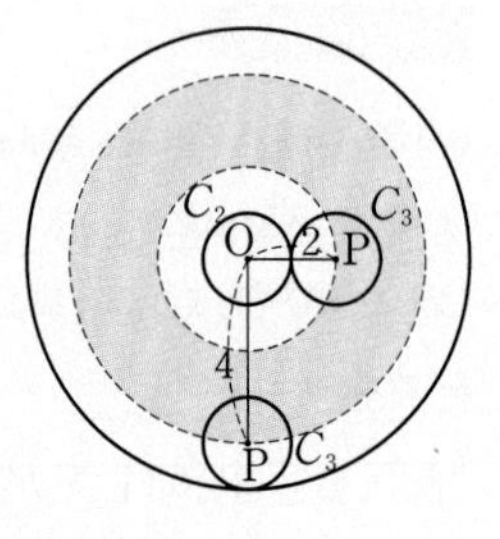

따라서 구하려는 확률은

$\dfrac{16\pi - 4\pi}{25\pi} = \dfrac{12}{25}$ $\therefore p+q = 25+12 = 37$

22 답 ③

GUIDE

a를 반올림하면 1이므로 $\frac{1}{2} \leq a < \frac{3}{2}$이고 b를 반올림하면 2이므로 $\frac{3}{2} \leq b < \frac{5}{2}$이다.

$\dfrac{1}{2} \leq a < \dfrac{3}{2}$, $\dfrac{3}{2} \leq b < \dfrac{5}{2}$ …… ㉠

㉠에서 $a+b$를 반올림해서 3이 되는 경우는

$\dfrac{5}{2} \leq a+b < \dfrac{7}{2}$ 일 때이다.

즉 $-a+\dfrac{5}{2} \leq b$ …… ㉡

$b < -a + \dfrac{7}{2}$ …… ㉢

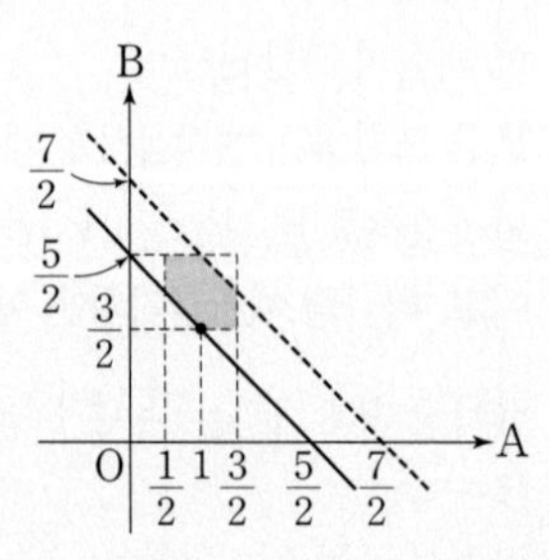

㉠, ㉡, ㉢을 좌표평면에 나타내면 그림과 같으므로 구하려는 확률은

$\dfrac{1-\frac{1}{4}}{1\times 1} = \dfrac{3}{4}$

23 답 ③

GUIDE

$\overline{PB} < \overline{PC} < \overline{PA}$일 확률을 계산한다.

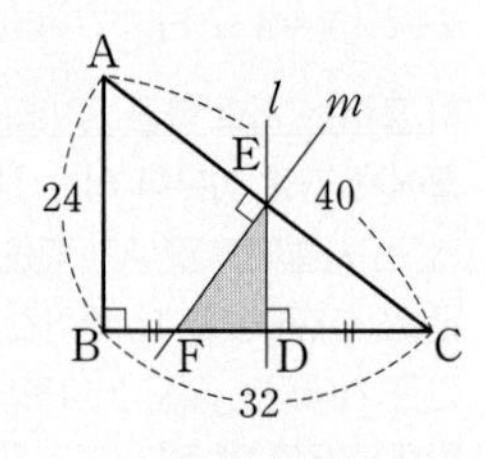

△ABC에서 변 BC의 중점을 D라 하고, 점 D를 지나 변 BC에 수직인 직선 l이 변 AC와 만나는 점을 E라 하자. 또 점 E를 지나 변 AC에 수직인 직선 m이 변 BC와 만나는 점을 F라 하자.

이때 점 P가 l 위에 있으면 $\overline{PB} = \overline{PC}$이므로 $\overline{PB} < \overline{PC}$이려면 점 P는 직선 l의 왼쪽에 있어야 한다. 마찬가지로 $\overline{PC} < \overline{PA}$이려면 점 P는 직선 m의 오른쪽에 있어야 한다. 즉 조건을 만족시키는 점 P는 그림에서 색칠한 부분인 △DEF의 내부에 위치해야 한다.

$\overline{DE} = \dfrac{1}{2}\overline{AB} = 12$, △DEF∽△BCA에서 $\overline{DF} = 9$

$\therefore$ △DEF$= \dfrac{1}{2} \times 12 \times 9 = 54$

따라서 구하려는 확률은 $\dfrac{\triangle DEF}{\triangle ABC} = \dfrac{54}{384} = \dfrac{9}{64}$

1등급 NOTE

△ABC와 △FDE의 닮음비가 32 : 12=8 : 3이므로 두 삼각형의 넓이비는 64 : 9임을 이용해도 된다.

24 답 (1) 85 (2) 42

GUIDE

(1) 여사건은 뽑은 세 수 모두 3의 배수가 아닐 때이다.

(2) 세 수 각각을 3으로 나눈 나머지가 모두 같거나 모두 달라야 한다.

(1) 여사건은 뽑은 세 수 모두 3의 배수가 아닐 때이다.

즉, 3, 6, 9를 제외한 나머지 수 7개 중 3개를 뽑는 경우이다.

따라서 구하려는 확률 $p_1 = 1 - \dfrac{{}_7C_3}{{}_{10}C_3} = \dfrac{85}{120}$

$\therefore 120p_1 = 85$

(2) 세 수의 합이 3의 배수이려면 세 수 각각을 3으로 나눈 나머지가 모두 같거나 모두 달라야 한다.

(i) 셋 다 같을 확률은 $\dfrac{{}_4C_3 + {}_3C_3 + {}_3C_3}{{}_{10}C_3} = \dfrac{6}{120}$

(ii) 셋 다 다를 확률은 $\dfrac{{}_4C_1 \times {}_3C_1 \times {}_3C_1}{{}_{10}C_3} = \dfrac{36}{120}$

따라서 구하려는 확률은 $p_2 = \dfrac{6+36}{120} = \dfrac{42}{120}$

$\therefore 120p_2 = 42$

25 답 33

GUIDE

자동차 B에 탔던 두 사람 각각에 대하여 원래 앉았던 자리에 다시 앉는 확률을 구한다.

처음에 자동차 B에 탔던 운전자를 제외한 두 명을 C, D라 하자. 이때 휴게소에서 새로 자리를 앉으면서 C가 원래 앉았던 자리에 앉을 확률은 $\frac{1}{5}$, D가 원래 앉았던 자리에 앉을 확률도 $\frac{1}{5}$이다.
그런데 C, D 모두 원래 앉았던 자리에 앉을 확률은
$\frac{1}{5}\times\frac{1}{4}=\frac{1}{20}$이므로
구하려는 확률은 $1-\frac{1}{5}-\frac{1}{5}+\frac{1}{20}=\frac{13}{20}$

1등급 NOTE

$P(A^C\cap B^C)=P\{(A\cup B)^C\}=1-P(A\cup B)$
$=1-P(A)-P(B)+P(A\cap B)$
풀이는 위 내용을 이용한 것이다.
이와 같이 $P(A^C\cap B^C)$이 복잡하면 $P(A\cup B)$를 생각해 보자.

26 답 8

GUIDE

$240=2^4\times3\times5$이므로, 240과 서로소라면 소인수 2, 3, 5를 가지면 안 된다. 즉 2의 배수도, 3의 배수도, 5의 배수도 아닐 확률을 구하면 된다.

240 이하의 자연수 중 하나의 수를 골랐을 때 n의 배수일 사건을 A_n, n의 배수일 확률을 p_n이라 하면,

$p=P(A_2{}^C\cap A_3{}^C\cap A_5{}^C)$
$=P\{(A_2\cup A_3\cup A_5)^C\}$
$=1-P(A_2\cup A_3\cup A_5)$
$=1-(p_2+p_3+p_5-p_6-p_{10}-p_{15}+p_{30})$
$=1-\left(\frac{1}{2}+\frac{1}{3}+\frac{1}{5}-\frac{1}{6}-\frac{1}{10}-\frac{1}{15}+\frac{1}{30}\right)$
$=\frac{30-(15+10+6-5-3-2+1)}{30}=\frac{8}{30}$

따라서 $30p=8$

STEP 3 1등급 뛰어넘기 p. 42~43

01 ②	02 ①	03 ③	04 63
05 20	06 24		

01 답 ②

GUIDE

간단한 경우에서 생각해 보자. 이때 두 정사각형이 경계를 이웃하는 경우는 ①②, ①④, ②③, ⋯, ⑧⑨, 즉 12개다. 이것은 색으로 표시한 선분의 개수와 같다. 즉 두 도형이 경계를 공유하는 경우의 수와 두 도형의 경계선의 개수가 서로 같음을 이용한다.

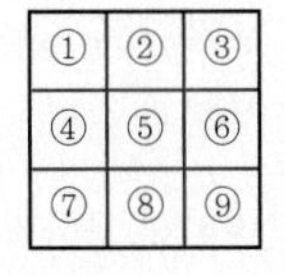

[그림 1]에서 경계선은 큰 정사각형 내부의 모든 선분이므로
$p_1=\frac{90+90}{{}_{100}C_2}=\frac{180}{{}_{100}C_2}$
[그림 2]에서 경계선은 큰 정삼각형 내부의 모든 선분이므로
$p_2=\frac{3(1+2+\cdots+9)}{{}_{100}C_2}=\frac{135}{{}_{100}C_2}$
$\therefore p_1-p_2=\frac{180-135}{{}_{100}C_2}=\frac{1}{110}$

02 답 ①

GUIDE

A에서 세 번 이동했을 때 이동 거리가 1이 아닌 경우를 찾는다.

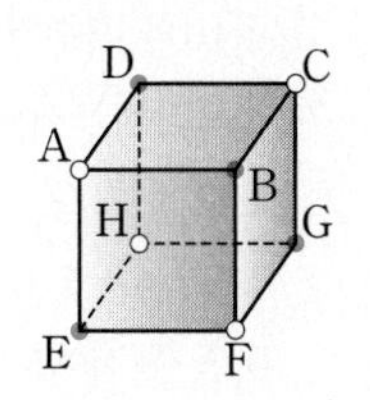

그림과 같이 각 꼭짓점을 구분해 보면 문제의 이동 규칙은 색점에서는 반드시 빈점으로, 빈점에서는 반드시 색점으로 이동하는 것과 같음을 알 수 있다. 즉 A에서 출발하여 세 번 이동하면 반드시 색점에 도착하게 된다.
이중에서 A와의 거리가 1이 아닌 점은 G뿐이다.
세 번의 이동으로 G까지 이동할 확률은
$\frac{3!}{1!1!1!}\times\left(\frac{1}{3}\right)^3=\frac{2}{9}$
이므로 구하려는 확률은 $1-\frac{2}{9}=\frac{7}{9}$

참고

빈점 → 색점 → 빈점 → 색점이므로 점 A에서 세 번 이동하면 그림의 색점인 B, D, E, G 중 한 점에 도착하게 된다.

03 답 ③

GUIDE

푸른색 정육면체 2개가 들어가는 열이 반드시 하나 있다.

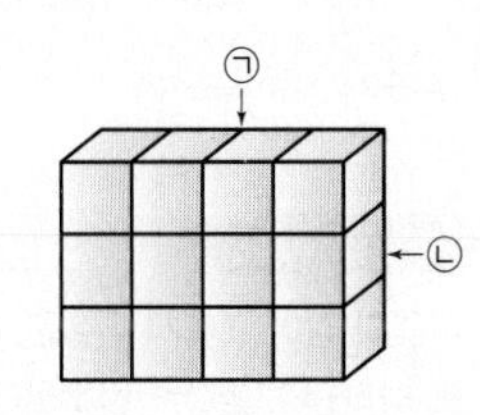

㉡방향을 행, ㉠방향을 열이라 하자.
4개의 열에 푸른색 정육면체 5개가 들어가야 하므로 어느 한 열에는 푸른색 정육면체 2개가 들어가야 한다.
이 열을 선택하는 경우의 수는 ${}_4C_1=4$
이 열에서 푸른색 정육면체가 2개가 들어갈 행을 선택하는 경우의 수는 ${}_3C_2=3$이고, 이 열에서 푸른색 정육면체가 들어가지 않은 하나의 행에 푸른색 정육면체가 들어가면 ㉡ 방향에서 모든 면이 푸른색으로 보인다.
나머지 세 열에서 푸른색 정육면체가 들어가지 않은 하나의 행에 적어도 하나 들어가야 하므로 남은 세 열에 푸른색 정육면체를 배열하는 경우의 수는 $3^3-2^3=19$
따라서 구하려는 확률은 $\frac{4\times3\times19}{{}_{12}C_5}=\frac{228}{{}_{12}C_5}$

참고

제1열이 푸른색 정육면체 2개가 들어가는 열이라 하자. 제1열에서 제1행과 제3행에 푸른색 정육면체를 배열하면 남은 세 열에서 푸른색 정육면체를 배열하는 경우의 수는 3^3이지만 이때 제1행과 제3행만 선택하는 경우는 제외해야 한다.

04 답 63

GUIDE

$1+7+2=10$처럼 이미 누른 1, 7, 4 중 두 수를 포함해서 10의 배수가 되는 경우가 있고, $8+7+5=20$처럼 1, 7, 4 중 한 수만 포함해서 10의 배수가 되는 경우가 있다.

합이 10의 배수가 되는 세 수가 있을 때, 이미 누른 1, 7, 4 중 몇 개를 포함하느냐에 따라 분류해보자.

(i) 1, 7, 4 중 두 개를 포함할 경우

$1+7=8$, $7+4=11$, $1+4=5$이므로 나머지 두 수 중에서 2, 9, 5 중 적어도 하나를 포함하면 되므로 경우의 수는

$10^2-7^2=51$

(ii) 1, 7, 4 중 하나를 포함할 경우

나머지 두 수의 합이 9, 19, 3, 13, 6, 16 중 하나면 되고, 이러한 경우의 수는 각각 10, 0, 4, 6, 7, 3이다.

이때 경우의 수는 $10+4+6+7+3=30$

(i), (ii)를 모두 만족시키는 경우는 2, 9, 5 중 적어도 하나를 포함해서 두 수의 합이 9, 3, 13, 6, 16이 될 때이다.

이 경우의 수는 18

(i)일 때의 확률은 $\frac{51}{100}$

(ii)일 때의 확률은 $\frac{30}{100}$

(i), (ii)에서 중복되는 경우의 확률은 $\frac{18}{100}$이므로

$p=\frac{51}{100}+\frac{30}{100}-\frac{18}{100}=\frac{63}{100}$

따라서 $100p=63$

1등급 NOTE

다음과 같이 표에서 색칠한 부분 (2, 5, 9 중 하나를 포함하는 경우)과 ○로 나타낸 부분(두 수의 합이 9, 3, 13, 6, 16 중 하나가 되는 경우)이 중복하는 경우가 (i), (ii)를 모두 만족시키는 경우의 수와 같다.

	0	1	2	3	4	5	6	7	8	9
0				○			○			○
1			○			○			○	
2		○			○			○		
3	○			○			○			
4			○			○				○
5		○			○				○	
6	○			○				○		
7			○				○			○
8		○				○			○	
9	○				○			○		

05 답 20

GUIDE

❶ $x^{24}=(x^4)^6=(x^6)^4$임을 생각한다.

❷ 두 방정식 $x^4=1$, $x^6=1$의 해집합에서 교집합을 생각한다.

$x^{24}=(x^4)^6$이므로 $x^4=1$의 해는 항상 $x^{24}=1$의 해가 된다.

$x^6=1$의 해도 마찬가지로 항상 $x^{24}=1$의 해가 된다.

즉 $x^{24}=1$의 해 24개 중에는 $x^4=1$의 해 4개, $x^6=1$의 해 6개가 있다. 그런데 $x^4=(x^2)^2$, $x^6=(x^2)^3$이므로 $x^2=1$의 해는 항상 $x^4=1$과 $x^6=1$의 해가 된다. 거꾸로 생각하면 $x^4=1$, $x^6=1$을 동시에 만족시킬 때 $x^2=x^6\times\left(\frac{1}{x^4}\right)=1$이다.

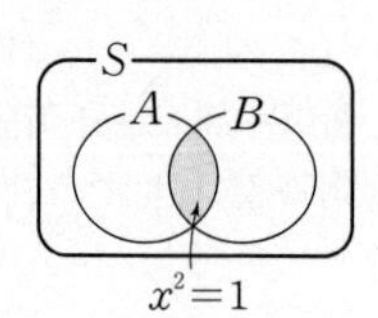

즉 두 방정식 $x^4=1$과 $x^6=1$의 해집합의 교집합은 $x^2=1$의 해집합과 같다.

두 방정식 $x^4=1$, $x^6=1$의 해가 되는 사건을 각각 A, B라 하고, $x^{24}=1$의 해가 되는 사건을 S라 하면

p는 $\mathrm{P}(A\cup B)$와 같다. (벤 다이어그램 참고)

$$\mathrm{P}(A\cup B)=\mathrm{P}(A)+\mathrm{P}(B)-\mathrm{P}(A\cap B)$$

$$=\frac{4}{24}+\frac{6}{24}-\frac{2}{24}=\frac{8}{24}=\frac{1}{3}$$

즉 $p=\frac{1}{3}$이므로 $60p=20$

06 답 24

GUIDE

$\triangle\mathrm{ABC}=\triangle\mathrm{PAB}+\triangle\mathrm{PBC}+\triangle\mathrm{PCA}$이고, 한 변의 길이가 a인 정삼각형의 높이가 $\frac{\sqrt{3}a}{2}$임을 이용한다.

$\triangle\mathrm{ABC}=\triangle\mathrm{PBC}+\triangle\mathrm{PCA}+\triangle\mathrm{PAB}$에서

$$\frac{\sqrt{3}a^2}{4}=\frac{1}{2}ah_1+\frac{1}{2}ah_2+\frac{1}{2}ah_3$$

즉 $h_1+h_2+h_3=\frac{\sqrt{3}a}{2}$이고, $\frac{\sqrt{3}a}{2}$는 $\triangle\mathrm{ABC}$의 높이다. 이때 h_1, h_2, h_3을 세 변의 길이로 하는 삼각형이 존재하려면

$h_1<h_2+h_3=\frac{\sqrt{3}a}{2}-h_1\qquad\therefore\ h_1<\frac{\sqrt{3}a}{4}$

마찬가지로 $h_2<\frac{\sqrt{3}a}{4}$, $h_3<\frac{\sqrt{3}a}{4}$

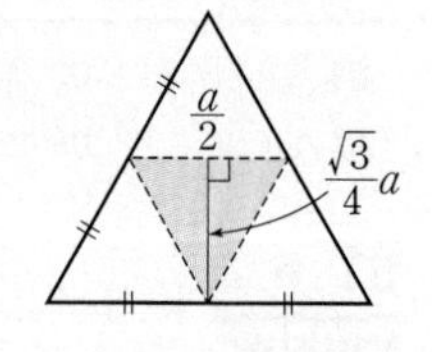

한 변의 길이가 $\frac{a}{2}$인 정삼각형의 높이가 $\frac{\sqrt{3}a}{4}$이므로 조건을 만족시키는 점 P가

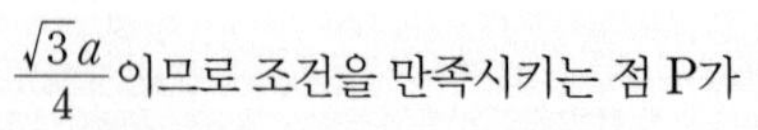

존재할 수 있는 영역을 그림처럼 $\triangle\mathrm{ABC}$에서 생각하면 색칠한 부분과 같다.

따라서 구하려는 확률 $p=\frac{1}{4}$

$\therefore\ 96p=24$

4 조건부확률

STEP 1 | **1등급 준비하기** p. 46~47

01 ①	02 ④	03 ②	04 ④
05 ㄱ, ㄴ, ㄷ	06 ②	07 15	08 120
09 ⑤	10 60	11 5	12 ①

01 답 ①

GUIDE

두 사건 A, B가 배반이면 그림과 같은 벤 다이어그램을 그려 놓고 생각할 수 있다. 이때 주어진 조건을 이용해 $\mathrm{P}(B^C)$을 구한다.

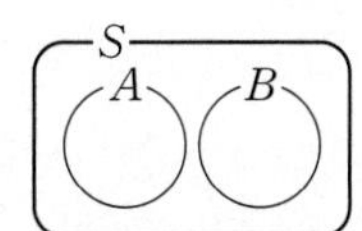

두 사건 A, B가 배반이므로 $A\cap B=\varnothing$

즉 $A\subset B^C$에서 $A\cup B^C=B^C$, $A\cap B^C=A$이므로

$\mathrm{P}(A)=\frac{1}{3}$, $\mathrm{P}(B^C)=\frac{5}{6}$

$\therefore \mathrm{P}(A|B^C)=\frac{\mathrm{P}(A\cap B^C)}{\mathrm{P}(B^C)}=\frac{\mathrm{P}(A)}{\mathrm{P}(B^C)}=\frac{2}{5}$

02 답 ④

GUIDE

휴대폰을 잃어버릴 확률이 아니라 이미 잃어버렸으므로 잃어버렸다는 조건이 발생했다.

세 집 A, B, C에서 휴대폰을 잃어버릴 사건을 각각 A, B, C라 하고, 누군가의 집에서 휴대폰을 잃어버릴 확률을 $\mathrm{P}(X)$라 하면 $\mathrm{P}(X)=\mathrm{P}(A)+\mathrm{P}(B)+\mathrm{P}(C)$이다.

휴대폰을 잃을 확률이 $\frac{1}{4}$이므로

$\mathrm{P}(A)=\frac{1}{4},\ \mathrm{P}(B)=\frac{3}{4}\times\frac{1}{4},\ \mathrm{P}(C)=\frac{3}{4}\times\frac{3}{4}\times\frac{1}{4}$

이때 $\mathrm{P}(X)=\frac{1}{4}+\frac{3}{16}+\frac{9}{64}=\frac{37}{64}$이고,

C집에서 휴대폰을 잃어버렸을 확률은

$\mathrm{P}(C|X)=\frac{\mathrm{P}(X\cap C)}{\mathrm{P}(X)}=\frac{\mathrm{P}(C)}{\mathrm{P}(A)+\mathrm{P}(B)+\mathrm{P}(C)}=\frac{9}{37}$

03 답 ②

GUIDE

조립라인 A, B에서 만든 제품인 사건을 각각 A, B, 불량품인 사건을 C라 하면 구하려는 것은 $\mathrm{P}(A|C)$이고, 조건에서 $\mathrm{P}(C|A)=0.03$, $\mathrm{P}(C|B)=0.01$임을 이용한다.

한 제품이 A, B에서 만든 것인 사건을 각각 A, B, 불량품인 사건을 C라 하면

$\mathrm{P}(A)=0.6$, $\mathrm{P}(C|A)=0.03$이므로

$\mathrm{P}(A\cap C)=\mathrm{P}(A)\mathrm{P}(C|A)=0.018$

또 $\mathrm{P}(B)=0.4$, $\mathrm{P}(C|B)=0.01$이므로

$\mathrm{P}(B\cap C)=\mathrm{P}(B)\mathrm{P}(C|B)=0.004$

$\mathrm{P}(C)=\mathrm{P}(A\cap C)+\mathrm{P}(B\cap C)=0.022$

이때 불량품이 A에서 만든 제품일 확률은

$\mathrm{P}(A|C)=\frac{\mathrm{P}(A\cap C)}{\mathrm{P}(C)}=\frac{0.018}{0.022}=\frac{9}{11}$

04 답 ④

GUIDE

두 번째로 꺼낸 공이 흰 공일 때, 처음에 꺼낸 공이 흰 공인 경우와 검은 공인 경우로 나누어 생각한다.

(i) 처음 공도 흰 공, 두 번째 공도 흰 공일 확률은

$\frac{a}{a+b}\times\frac{a+2}{a+b+2}=\frac{a(a+2)}{(a+b)(a+b+2)}$ …… ㉠

(ii) 처음 공은 검은 공, 두 번째 공은 흰 공일 확률은

$\frac{b}{a+b}\times\frac{a}{a+b+2}=\frac{ab}{(a+b)(a+b+2)}$ …… ㉡

이때 구하려는 확률은

$\frac{㉠}{㉠+㉡}=\frac{a(a+2)}{a(a+2)+ab}=\frac{a+2}{a+b+2}$

05 답 ㄱ, ㄴ, ㄷ

GUIDE

두 사건 A, B가 독립이면 $\mathrm{P}(A\cap B)=\mathrm{P}(A)\mathrm{P}(B)$

ㄱ. 두 사건 A, B가 서로 독립이므로 $\mathrm{P}(B|A^C)=\mathrm{P}(B)$

이때 $\mathrm{P}(A^C\cap B)=\mathrm{P}(A^C)\mathrm{P}(B|A^C)=\mathrm{P}(A^C)\mathrm{P}(B)$

따라서 두 사건 A^C과 B는 서로 독립이다. (○)

ㄴ. 두 사건 A, B가 서로 독립이므로 $\mathrm{P}(A\cap B)=\mathrm{P}(A)\mathrm{P}(B)$

$\therefore \{1-\mathrm{P}(A)\}\{1-\mathrm{P}(B)\}$

$=1-\{\mathrm{P}(A)+\mathrm{P}(B)-\mathrm{P}(A\cap B)\}$

$=1-\mathrm{P}(A\cup B)$ (○)

ㄷ. 두 사건 A, B가 서로 독립이면

$\mathrm{P}(A)=\mathrm{P}(A|B)$, $\mathrm{P}(B)=\mathrm{P}(B|A)$이므로

$\mathrm{P}(A\cap B)=\mathrm{P}(A)\mathrm{P}(B)=\mathrm{P}(A|B)\mathrm{P}(B|A)$ (○)

06 답 ②

GUIDE

A, B가 같은 조이므로 남은 네 명을 2명씩 2개 조로 나누는 경우를 생각한다.

6명을 2명씩 짝지어 3개 조로 편성하는 경우의 수가 15이고, A, B가 같은 조로 편성되는 경우가 3가지이므로 A, B가 같은 조에 편성될 확률은 $\frac{1}{5}$이다. 이때 A, B가 같은 조이면 남은 C, D, E, F를 2명씩 2개조로 나누는 경우는

① (C, D), (E, F) ② (C, E), (D, F) ③ (C, F), (D, E)

이때 C와 D가 서로 다른 조에 편성될 확률은 $\frac{2}{3}$

따라서 구하려는 확률은 $\frac{1}{5}\times\frac{2}{3}=\frac{2}{15}$

07 답 15

GUIDE

문제에서 주어진 조건과 같은 예를 생각해 보자. 예를 들어 처음에 꺼낸 두 공에 적힌 수가 1, 3이고, 두 번째로 꺼낸 두 공에 적힌 수가 4, 4일 때 그 확률을 구해 보자.

첫 번째로 뽑은 두 구슬의 수가 서로 다를 확률은 $\frac{4}{5}$이고,

두 번째로 뽑은 두 구슬에 적힌 수가 같으려면 처음에 A, B에서 뽑은 두 수와 달라야 하므로 가능한 수는 3가지뿐이다.

즉 구하려는 확률 $p=\frac{4}{5}\left(\frac{3}{4}\times\frac{1}{4}\right)=\frac{3}{20}$ 이므로 $100p=15$

참고

(첫 번째로 뽑은 두 수가 서로 다를 확률)
$=1-$(서로 같은 수를 뽑을 확률)
$=1-\frac{5}{5\times5}=\frac{4}{5}$

다른 풀이

비복원추출이므로 뽑는 순서를 바꾸어 생각할 수 있다. 즉 첫 번째로 꺼낸 두 구슬에 적힌 수가 서로 같고, 두 번째로 꺼낸 구슬에 적힌 수가 서로 다를 확률과 같다.

따라서 구하려는 확률은 $\frac{1}{5}\left(1-\frac{1}{4}\right)=\frac{3}{20}$

08 답 120

GUIDE

전체 학생 수에서 $\mathrm{P}(A)$, $\mathrm{P}(B)$, $\mathrm{P}(A\cap B)$를 구해
$\mathrm{P}(A\cap B)=\mathrm{P}(A)\mathrm{P}(B)$임을 이용한다.

남학생일 사건이 A, 안경 낀 학생일 사건이 B이므로 각 경우에 해당하는 학생 수는 다음과 같다.

	A	A^C	계
B	n	100	$n+100$
B^C	180	$n+30$	$n+210$
계	$n+180$	$n+130$	$2n+310$

위 표에서 전체 학생 수는 $(2n+310)$이므로

$\mathrm{P}(A)=\frac{n+180}{2n+310}$, $\mathrm{P}(B)=\frac{n+100}{2n+310}$

$\mathrm{P}(A\cap B)=\frac{n}{2n+310}$

두 사건 A, B가 서로 독립이므로

$\mathrm{P}(A\cap B)=\mathrm{P}(A)\mathrm{P}(B)$에서

$\frac{n}{2n+310}=\frac{n+180}{2n+310}\times\frac{n+100}{2n+310}$

$n^2+30n-18000=0$, $(n+150)(n-120)=0$

$\therefore n=120$ ($\because n$은 자연수)

다른 풀이

두 사건 A, B가 독립이므로 $n(n+30)=180\times100$을 이용할 수 있다.

09 답 ⑤

GUIDE

최댓값이 5가 되려면 6은 나오지 않아야 하고, 5는 적어도 한 번 나오면 된다.

6이 나오지 않는 사건을 A, 5가 나오지 않는 사건을 B라 하면 구하려는 확률은

$\mathrm{P}(A\cap B^C)=\mathrm{P}(A)-\mathrm{P}(A\cap B)=\left(\frac{5}{6}\right)^3-\left(\frac{4}{6}\right)^3=\frac{61}{216}$

다른 풀이

주사위를 3번 던져 나온 눈의 최댓값이 k 이하일 확률을 $p(k)$라 하면 $p(k)=\left(\frac{k}{6}\right)^3$

(최댓값이 5일 확률)$=p(5)-p(4)=\left(\frac{5}{6}\right)^3-\left(\frac{4}{6}\right)^3=\frac{61}{216}$

참고

일반적으로 $\mathrm{P}(A-B)\neq\mathrm{P}(A)-\mathrm{P}(B)$이지만
$B\subset A$일 때는 $\mathrm{P}(A-B)=\mathrm{P}(A)-\mathrm{P}(B)$

10 답 60

GUIDE

어느 두 팀이 5번 모두 이기고 5번 모두 진 경우의 확률을 생각해 본다.

6팀을 A, B, C, D, E, F라 하고, A, B 두 팀이 치르는 9경기에서 A가 5번 모두 이기고 B가 5번 모두 졌다고 하자.

이때 9번의 경기에서 A는 전승, B가 전패일 확률은 $\left(\frac{1}{2}\right)^9$

다섯 번 모두 이기고 지는 팀이 각각 B, A일 때도 확률은 $\left(\frac{1}{2}\right)^9$

마찬가지로 다섯 번 모두 이기고 지는 팀을 모든 경우에서 생각하면

$p={}_6\mathrm{P}_2\times\left(\frac{1}{2}\right)^9$ $\quad\therefore 2^{10}p=2\times{}_6\mathrm{P}_2=60$

11 답 5

GUIDE

y좌표가 3이므로 총 3번 던졌음을 알 수 있다. 이때 두 주사위의 눈의 합이 4 이하인 사건이 두 번 일어나고, 두 주사위의 눈의 합이 5 이상인 사건이 한 번 일어나면 된다.

점 P의 처음 위치가 O(0, 0)이고, ㈎에서, 주사위를 한 번 던질 때마다 y좌표가 $+1$만큼 이동하므로 점 P가 (3, 3)에 오게 되는 경우는 주사위를 3번 던졌을 때이다.

주사위 두 개를 던져 두 눈의 합이 4 이하일 확률은 $\frac{6}{36}=\frac{1}{6}$이고,

두 눈의 합이 5 이상이 될 확률은 $1-\frac{1}{6}=\frac{5}{6}$이다.

$2+2-1=3$이므로 주사위 두 개를 3번 던질 때, 두 눈의 합이 4 이하인 경우가 2번, 두 눈의 합이 5 이상인 경우가 1번 나타나면 점 (3, 3)에 도착한다.

이때의 확률 $p={}_3C_2\left(\frac{1}{6}\right)^2\left(\frac{5}{6}\right)^1=3\times\frac{1}{36}\times\frac{5}{6}=\frac{5}{72}$이므로

$72p=5$

12 답 ①

GUIDE

주사위를 던져 나온 눈의 수가 k일 사건을 A, 동전 6개를 던져 앞면이 나온 개수가 k일 사건을 B라 하면 두 사건 A, B는 독립이므로 구하려는 확률은 $P(A\cap B)=P(A)P(B)$

주사위를 던져 나온 눈의 수가 k일 확률은 $\frac{1}{6}$이고,

동전 6개를 던져 앞면이 k개 나올 확률은 ${}_6C_k\left(\frac{1}{2}\right)^6$이므로

구하려는 확률은

$$\frac{1}{6}\times\sum_{k=1}^{6}{}_6C_k\left(\frac{1}{2}\right)^6=\frac{1}{6\times2^6}\left(\sum_{k=0}^{6}{}_6C_k-1\right)$$
$$=\frac{1}{6\times2^6}(2^6-1)$$
$$=\frac{21}{128}$$

STEP 2 | 1등급 굳히기 p. 48~54

01 95	**02** 20	**03** ④	**04** ③
05 ④	**06** (1) 16 (2) 49 (3) 9		**07** ①
08 ②	**09** ①, ③	**10** ③	**11** 15
12 ①	**13** 11	**14** ⑤	**15** 64
16 ②	**17** 63	**18** ①	**19** 411
20 644	**21** (1) 11 (2) 59		**22** 28
23 47	**24** 36	**25** ③	**26** ⑤
27 ②	**28** ④	**29** (1) 20 (2) 50	

01 답 95

GUIDE

❶ 검사 결과가 양성이라는 조건이 있으므로 조건부확률을 생각한다.

❷ $P(B)=P(B\cap A)+P(B\cap A^C)$
$=P(B|A)P(A)+P(B|A^C)P(A^C)$

❸ 검사 결과 양성 판정을 받은 사람은 '실제 병에 걸린 사람'과 '검사 판정이 잘못된 사람'으로 나눌 수 있다.

검사를 받은 사람이 병에 걸려 있을 사건을 A, 검사 결과가 양성인 사건을 B라 하자.

$$P(A|B)=\frac{P(A\cap B)}{P(B)}$$
$$=\frac{P(B|A)P(A)}{P(B|A)P(A)+P(B|A^C)P(A^C)}$$
$$=\frac{0.95\times0.005}{0.95\times0.005+0.01\times0.995}=\frac{95}{294}=p$$

따라서 $294p=95$

02 답 20

GUIDE

다현이가 당첨제비를 뽑았다는 전제가 있으므로 나현이가 당첨제비를 뽑는 확률을 구해 조건부확률을 이용한다.

각 경우에서 확률은 다음과 같다. (이때 ○는 당첨, ×는 낙첨)

가현	나현	다현		
○	○	○	$\frac{3}{10}\times\frac{2}{9}\times\frac{1}{8}=\frac{6}{720}$	…… ㉠
○	×	○	$\frac{3}{10}\times\frac{7}{9}\times\frac{2}{8}=\frac{42}{720}$	…… ㉡
×	○	○	$\frac{7}{10}\times\frac{3}{9}\times\frac{2}{8}=\frac{42}{720}$	…… ㉢
×	×	○	$\frac{7}{10}\times\frac{6}{9}\times\frac{3}{8}=\frac{126}{720}$	…… ㉣

따라서 구하려는 확률은

$$\frac{㉠+㉢}{㉠+㉡+㉢+㉣}=\frac{6+42}{6+42+42+126}=\frac{2}{9}$$

$\therefore 90p=20$

1등급 NOTE

비복원추출의 제비뽑기에서 뽑는 순서와 당첨 확률은 상관없음을 이용해 보자. 문제 상황을 바꾸어 제비를 뽑는 순서는 가현, 나현, 다현 순이지만 뽑은 제비를 공개하는 것은 다현, 나현, 가현 순이라 하면 다현이가 당첨제비를 뽑았을 때, 남은 제비 9개 중에서 나현이가 당첨될 확률은 $\frac{2}{9}$가 된다.

03 답 ④

GUIDE

{(300, 300, 300), (300, 250, 250)}이면 한 묶음은 1등급이고, 다른 묶음은 2등급이지만, {(300, 300, 250), (300, 300, 250)}이면 두 묶음 다 1등급이다.

사과 6개를 3개씩 2묶음으로 만들 때 나누는 경우의 수는

$_6C_3 \times {_3C_3} \times \frac{1}{2!}=10$

이때 {(300, 300, 300), (300, 250, 250)}으로 나누는 경우의 수는 $_4C_3=4$

{(300, 300, 250), (300, 300, 250)}으로 나누는 경우의 수는

$_4C_2 \times {_2C_1} \times \frac{1}{2!}=6$

임의로 선택한 하나의 묶음이 1등급일 사건을 A, 또 다른 묶음이 1등급일 사건을 B라 하면 $\mathrm{P}(A)$는

{(300, 300, 300), (300, 250, 250)}에서 1등급을 선택하는 경우와 {(300, 300, 250),(300, 300, 250)}에서 1등급을 선택하는 경우가 있으므로

$\mathrm{P}(A)=\frac{4}{10}\times\frac{1}{2}+\frac{6}{10}\times\frac{2}{2}=\frac{4}{5}$

이때 $\mathrm{P}(A\cap B)$는 {(300, 300, 250), (300, 300, 250)}인 묶음에서 생각할 수 있으므로 $\mathrm{P}(A\cap B)=\frac{6}{10}=\frac{3}{5}$

구하려는 확률은 $\mathrm{P}(B|A)=\frac{\mathrm{P}(A\cap B)}{\mathrm{P}(A)}=\frac{\frac{3}{5}}{\frac{4}{5}}=\frac{3}{4}$

참고

'하나의 묶음이 1등급으로 분류되었을 때'를 '임의로 선택한 하나의 묶음이 1등급일 때'로 생각해서 풀면 오해의 소지가 줄어드는 문제이다.

04 답 ③

GUIDE

주어진 조건을 사건으로 정리해보고 구하려는 것이 $\mathrm{P}(A|B)$ 꼴 조건부 확률임을 생각한다.

두 학생 A, B가 서로 다른 구역의 좌석을 배정받았으므로 남은 좌석은 ㈎ 구역에 1개, ㈏ 구역에 2개다.

두 학생 C, D가 같은 구역, 같은 열의 좌석을 배정받으려면 A, B에게 배정된 ㈏ 구역의 좌석은 1열에 있어야 하고, 이때의 확률은 $\frac{1}{3}$이다. 즉 ㈎ 구역에 1개, ㈏ 구역 같은 열에 2개의 좌석이 남아 있을 확률은 $\frac{1}{3}$이다.

이 상태에서 C, D가 모두 ㈏ 구역에 배정받으면 문제의 조건을 만족시키므로 구하려는 확률은 $\frac{1}{3}\times\frac{_2C_2}{_3C_2}=\frac{1}{9}$

다른 풀이

두 학생 A, B가 서로 다른 구역의 좌석을 배정받는 사건을 T, 두 학생 C, D가 같은 구역, 같은 열의 좌석을 배정받는 사건을 U라 하자. 이때

$\mathrm{P}(T)=\frac{_2C_1\times{_3C_1}}{_5C_2}=\frac{3}{5}$

두 학생 A, B가 서로 다른 구역의 좌석을 배정받을 때, 두 학생 C, D가 ㈏ 구역의 2열 좌석을 배정받아야 하므로

$\mathrm{P}(U\cap T)=\frac{3}{5}\times\frac{1}{3}\times\frac{1}{3}=\frac{1}{15}$

$\therefore\ \mathrm{P}(U|T)=\frac{\mathrm{P}(U\cap T)}{\mathrm{P}(T)}=\frac{1}{9}$

1등급 NOTE

조건부확률이라 해서 기계적으로 $\mathrm{P}(A|B)=\frac{\mathrm{P}(A\cap B)}{\mathrm{P}(B)}$라 생각할 수 있지만 풀이처럼 사건 B가 일어난 상황으로 문제의 조건을 다시 설정하고, 그때 사건 A가 일어날 확률을 구하는 것을 생각해 보자.

05 답 ④

GUIDE

❶ 영화 A를 관람한 사람인 사건을 A, 영화 B를 관람한 사람인 사건을 B, 여학생일 사건을 C라 하면 구하려는 확률은 $\mathrm{P}(C|A\cap B)$이다.

❷ $n(A\cap B)=n(A)+n(B)-n(A\cup B)=150+180-300=30$

$n(A\cap B\cap C)=n(A\cap C)+n(B\cap C)-n(C)$
$=45+72-100=17$

학생들 중에서 한 명을 임의로 뽑을 때,

영화 A를 관람한 사람인 사건을 A, 영화 B를 관람한 사람인 사건을 B, 여학생일 사건을 C라 하면

$\mathrm{P}(A\cap B)=\frac{150+180-300}{300}=\frac{1}{10}$

$\mathrm{P}(A\cap B\cap C)=\frac{45+72-100}{300}=\frac{17}{300}$

$\therefore\ \mathrm{P}(C|A\cap B)=\frac{\mathrm{P}(C\cap A\cap B)}{\mathrm{P}(A\cap B)}=\frac{\frac{17}{300}}{\frac{1}{10}}=\frac{17}{30}$

06 답 (1) 16 (2) 49 (3) 9

GUIDE

(1) AA, AO, OA일 때 A형이 되고, 조건부확률을 생각한다.

(2) 부모 모두 AA인 경우, 부모 중 한쪽만 AA인 경우, 두 부모 모두 AO 또는 OA인 경우를 생각한다.

(3) 두 부모 모두 AO 또는 OA이다.

주어진 표에서 혈액형을 나타내면 다음과 같다.

	A	B	C
A	A(16 %)	AB(12 %)	A(12 %)
B	AB(12 %)	B(9 %)	B(9 %)
O	A(12 %)	B(9 %)	O(9 %)

(1) 선택한 A형의 혈액형 유전자가 AA일 확률

$p_1=\frac{16}{16+12+12}=\frac{16}{40}$에서 $40p_1=16$

(2) (i) 부모가 모두 AA인 경우

(1)에서 확률은 $\frac{2}{5}\times\frac{2}{5}=\frac{4}{25}$이고, 자녀는 항상 AA

(ii) 부모 중 한 명이 AO(또는 OA), 다른 한 명이 AA인 경우,

확률은 $2\times\frac{3}{5}\times\frac{2}{5}$이고, 이때 자녀 혈액형은 항상 A이고,

유전자가 AA일 확률은 $\frac{1}{2}$

(iii) 부모가 모두 AO(또는 OA)인 경우,

확률은 $\frac{3}{5}\times\frac{3}{5}=\frac{9}{25}$이고, 이때 자녀 혈액형이 A형일 확률은 $\frac{3}{4}$, 혈액형 유전자가 AA일 확률은 $\frac{1}{4}$

$$\therefore\ p_2=\frac{\frac{4}{25}\times1+\frac{12}{25}\times\frac{1}{2}+\frac{9}{25}\times\frac{1}{4}}{\frac{4}{25}\times1+\frac{12}{25}\times1+\frac{9}{25}\times\frac{3}{4}}=\frac{49}{91}$$

따라서 $91p_2=49$

(3) 부모가 모두 AO(또는 OA)이어야 하고, 자녀 혈액형이 O형일 확률이 $\frac{1}{4}$이므로

$p_3=\frac{3}{5}\times\frac{3}{5}\times\frac{1}{4}=\frac{9}{100}$ $\quad\therefore\ 100p_3=9$

07 답 ①

GUIDE

선택되는 주머니를 기준으로 생각하면 세 번째로 흰 공이 나왔을 때 A주머니에서 나온 것일 수도 있고 B주머니에서 나온 것일 수도 있다.

세 번째 시행에서 흰 공이 나올 확률은 다음과 같다.

주머니	세 번째에 A에서 흰 공	세 번째에 B에서 흰 공
AAA	$\frac{2}{3}\times\frac{1}{2}\times1+\frac{1}{3}\times\frac{2}{2}\times1=\frac{2}{3}$	0
AAB	0	$1\times1\times\frac{1}{3}=\frac{1}{3}$
ABA	$\frac{2}{3}\times1\times\frac{1}{2}+\frac{1}{3}\times1\times1=\frac{2}{3}$	0
ABB	0	$1\times\frac{2}{3}\times\frac{1}{2}=\frac{1}{3}$
BAA	$1\times\frac{2}{3}\times\frac{1}{2}+1\times\frac{1}{3}\times\frac{2}{2}=\frac{2}{3}$	0
BAB	0	$\frac{2}{3}\times1\times\frac{1}{2}=\frac{1}{3}$
BBA	$1\times1\times\frac{2}{3}=\frac{2}{3}$	0
BBB	0	$\frac{2}{3}\times\frac{1}{2}\times1=\frac{1}{3}$

이때 구하려는 확률은

$$\frac{\frac{1}{8}\left(\frac{1}{3}+\frac{1}{3}+\frac{1}{3}+\frac{1}{3}\right)}{\frac{1}{8}\left(\frac{2}{3}+\frac{2}{3}+\frac{2}{3}+\frac{2}{3}+\frac{1}{3}+\frac{1}{3}+\frac{1}{3}+\frac{1}{3}\right)}=\frac{1}{3}$$

참고

AAB인 경우는 다음과 같이 생각할 수 있다.

(검, 흰, 흰), (흰, 검, 흰), (흰, 흰, 흰)

이때 확률은 $\frac{1}{3}\times1\times\frac{1}{3}+\frac{2}{3}\times\frac{1}{2}\times\frac{1}{3}+\frac{2}{3}\times\frac{1}{2}\times\frac{1}{3}=1\times\frac{1}{3}=\frac{1}{3}$

나머지 경우에서도 마찬가지이다.

1등급 NOTE

동전 던지기에 상관없이 A주머니에서 흰 공이 나올 확률은 항상 $\frac{2}{3}$이고, B주머니에서 흰 공이 나올 확률은 항상 $\frac{1}{3}$이다.

즉 흰 공 a개, 검은 공 b개가 든 주머니에서 n번째에 꺼낸 공이 흰 공일 확률은 항상 $\frac{a}{a+b}$이다. $(1\le n\le a+b)$

따라서 세 번째 시행에서 A주머니를 택할 때 흰 공이 나올 확률은 $\frac{2}{3}$이고, B주머니를 택할 때 흰 공이 나올 확률은 $\frac{1}{3}$이므로 구하려는 확률은

$$\frac{\frac{1}{2}\times\frac{1}{3}}{\frac{1}{2}\times\frac{2}{3}+\frac{1}{2}\times\frac{1}{3}}=\frac{1}{3}$$

08 답 ②

GUIDE

두 사건 A, B가 독립 ⇨ $\mathrm{P}(A|B)=\mathrm{P}(A)$, $\mathrm{P}(A|B^C)=\mathrm{P}(A)$

ㄱ. $\mathrm{P}(A|B^C)=\frac{\mathrm{P}(A\cap B^C)}{\mathrm{P}(B^C)}=0$에서 $\mathrm{P}(A\cap B^C)=0$

이므로 $A\subset B$ $\quad\therefore\ A\cap B=A$

$\mathrm{P}(A)=\mathrm{P}(A\cap B)=\mathrm{P}(A|B)\mathrm{P}(B)$ (○)

ㄴ. A, B가 독립이면 $\mathrm{P}(A|B)=\mathrm{P}(A)$이고,

$\mathrm{P}(A|B^C)=\mathrm{P}(A)$이므로

$\mathrm{P}(A|B)+\mathrm{P}(A|B^C)=2\mathrm{P}(A)$ (○)

ㄷ. A, B가 독립이면 $\mathrm{P}(A|B)+\mathrm{P}(A|B^C)=2\mathrm{P}(A)$이지만

$2\mathrm{P}(A)=1$이라 할 수 없다. (×)

09 답 ①, ③

GUIDE

❶ 공사건도 아니고 전사건도 아닌 두 사건 A, B, 즉 $\mathrm{P}(A)\neq0$, $\mathrm{P}(B)\neq0$일 때 A, B가 독립일 필요충분조건은 $\mathrm{P}(A\cap B)=\mathrm{P}(A)\mathrm{P}(B)$임을 이용한다.

❷ 반례를 생각해 보자.

① $\mathrm{P}(A^C\cap B^C)=1-\mathrm{P}(A\cup B)$

$=1-\mathrm{P}(A)-\mathrm{P}(B)+\mathrm{P}(A\cap B)$

$=1-\mathrm{P}(A)-\mathrm{P}(B)+\mathrm{P}(A)\mathrm{P}(B)$

$=\{1-\mathrm{P}(A)\}\{1-\mathrm{P}(B)\}$

$=\mathrm{P}(A^C)\mathrm{P}(B^C)$

즉 두 사건 A^C, B^C는 독립이다. (○)

② $P(A\cap B)=P(A)P(B)\neq 0$이므로 두 사건 A, B는 배반사건이 아니다. (×)

③ $P(A\cap B)=0$이므로 $P(A\cap B)\neq P(A)P(B)$, 즉 두 사건 A, B는 종속이다. (○)

다음과 같은 경우를 생각해 보자.

$S=\{1, 2, 3, 4, 5, 6, 7, 8\}$, $A=\{1, 2, 3, 4\}$, $B=\{1, 2, 5, 6\}$, $C=\{1, 4, 7, 8\}$이면

$P(A)=\frac{1}{2}$, $P(B)=\frac{1}{2}$, $P(A\cap B)=\frac{1}{4}$, $P(A\cap C)=\frac{1}{4}$,

$P(B\cap C)=\frac{1}{8}$, $P(B\cup C)=\frac{7}{8}$, $P(A\cap(B\cup C))=\frac{3}{8}$

④ 위 경우에서 $P(B\cap C)\neq P(B)P(C)$이므로 두 사건 B, C는 종속이다. (×)

⑤ 위 경우에서 $P(A\cap(B\cup C))\neq P(A)\ P(B\cup C)$이므로 두 사건 A, $B\cup C$는 종속이다. (×)

10 답 ③

GUIDE

$k=1, \cdots, 5$ 각각에 대하여 $P(A\cap B)=P(A)P(B)$가 성립하는지 확인한다.

$P(A)=\frac{1}{2}$, $P(B)=\frac{k}{6}$이고 두 사건 A, B가 독립이면

$P(A\cap B)=P(A)P(B)$가 성립한다.

$k=1$일 때 $P(A\cap B)=0$이므로 $P(A\cap B)\neq P(A)P(B)$

$k=2$일 때 $P(A\cap B)=\frac{1}{6}$이므로 $\frac{1}{6}=\frac{1}{2}\times\frac{2}{6}$

$\therefore\ P(A\cap B)=P(A)P(B)$

$k=3$일 때 $P(A\cap B)=\frac{1}{6}$이므로 $\frac{1}{6}\neq\frac{1}{2}\times\frac{3}{6}$

$\therefore\ P(A\cap B)\neq P(A)P(B)$

$k=4$일 때 $P(A\cap B)=\frac{1}{3}$이므로 $\frac{1}{3}=\frac{1}{2}\times\frac{4}{6}$

$\therefore\ P(A\cap B)=P(A)P(B)$

$k=5$일 때 $P(A\cap B)=\frac{1}{3}$이므로 $\frac{1}{3}\neq\frac{1}{2}\times\frac{5}{6}$

$\therefore\ P(A\cap B)\neq P(A)P(B)$

즉 $k=2, 4$일 때 조건을 만족시키므로 $2+4=6$

다른 풀이

$P(A)=\frac{1}{2}$, $P(B)=\frac{k}{6}$이고, $P(A\cap B)=\frac{1}{6}\left[\frac{k}{2}\right]$

(단, $[x]$는 x보다 크지 않은 가장 큰 정수이다.)

이므로 두 사건 A, B가 독립이려면 $\frac{1}{2}\times\frac{k}{6}=\frac{1}{6}\left[\frac{k}{2}\right]$,

즉 $\frac{k}{2}=\left[\frac{k}{2}\right]$에서 k는 짝수이므로

$1\leq k\leq 5$에서 $k=2, 4$

11 답 15

GUIDE

두 사건 A, B가 독립이면 A, B^C도 독립이고, A^C, B도 독립임을 이용한다. 이때 $P(A)=x$, $P(B)=y$로 놓고 방정식을 푼다.

두 사건 A, B가 독립이면 A, B^C도 독립이고, A^C, B도 독립이므로 $P(A)P(B^C)=\frac{1}{5}$, $P(A^C)P(B)=\frac{3}{10}$이다.

$P(A)=x$, $P(B)=y$라 하면

$x(1-y)=\frac{1}{5}$, $(1-x)y=\frac{3}{10}$

위 두 식에서 $x-y=-\frac{1}{10}$이고,

이것을 $x(1-y)=\frac{1}{5}$에 대입하면 $\left(y-\frac{1}{10}\right)(1-y)=\frac{1}{5}$

이 식을 정리하면 $(2y-1)(5y-3)=0$

방정식을 풀면 $x=\frac{4}{10}$, $y=\frac{5}{10}$ 또는 $x=\frac{5}{10}$, $y=\frac{6}{10}$

이때 $P(A\cup B)=x+y-xy$이므로

$P(A\cup B)=\frac{7}{10}$ 또는 $P(A\cup B)=\frac{8}{10}$

$\therefore\ 10(a+b)=15$

12 답 ①

GUIDE

$1+2+0+0+0=3$, $1+1+1+0+0=3$과 같은 경우를 생각할 수 있다. 이때 순서도 고려한다.

X_n으로 가능한 수는 0, 1, 2이므로

$X_1+X_2+X_3+X_4+X_5=3$이려면

(0, 0, 0, 1, 2), (0, 0, 1, 1, 1)의 조합이 가능하다.

(i) (0, 0, 0, 1, 2) 꼴인 경우의 확률

$3n$ 꼴의 수가 나올 확률은 $\frac{1}{3}$

$3n+1$ 꼴의 수가 나올 확률은 $\frac{1}{3}$

$3n+2$ 꼴의 수가 나올 확률은 $\frac{1}{3}$

0, 0, 0, 1, 2의 배열을 생각하면 이때의 확률은

$\frac{5!}{3!}\times\left(\frac{1}{3}\right)^3\times\frac{1}{3}\times\frac{1}{3}=\frac{20}{243}$

(ii) (0, 0, 1, 1, 1) 꼴인 경우의 확률

마찬가지 경우이고, 1, 1, 1, 0, 0의 배열을 생각하면 이때의 확률은

$\frac{5!}{3!2!}\times\left(\frac{1}{3}\right)^2\times\left(\frac{1}{3}\right)^3=\frac{10}{243}$

(i), (ii)에서 구하려는 확률은 $\frac{20}{243}+\frac{10}{243}=\frac{10}{81}$

13 답 11

GUIDE

❶ 각 카드에 붙은 스티커 개수 x, y, z를 각각 3으로 나눈 나머지가 r로 같다면 $x=3a+r$, $y=3b+r$, $z=3c+r$ 꼴이다. 이때 $x+y+z$를 생각한다.

❷ 세 정수의 합이 3의 배수이면 세 정수를 3으로 나눈 나머지는 모두 같거나 모두 달라야 한다.

세 카드를 X, Y, Z라 하고, 각 카드에 붙은 스티커 개수를 x, y, z라 하자. 이때 x, y, z를 각각 3으로 나눈 나머지가 r로 같다면
$x=3a+r$, $y=3b+r$, $z=3c+r$ 꼴이므로
$x+y+z=3(a+b+c)+3r=3(a+b+c+r)$
즉 스티커 총 개수는 3의 배수이고, 처음에 6개이므로 사건 A가 일어날 가능성이 있는 경우는 3회와 6회뿐이다.
n회 때 A가 일어나는 사건을 A_n이라 하면 구하려는 확률은 $P(A_3^C \cap A_6)$이다.
3회 후 x, y, z를 각각 3으로 나눈 나머지가 같은 경우는 (x, y, z)가 $(3, 3, 3)$, $(1, 4, 4)$, $(2, 2, 5)$일 때뿐이고, 각 경우는 선택한 카드가 XXY, XYX, YXX, YYZ, YZY, ZYY, XZZ, ZXZ, ZZX이다.
즉 $P(A_3)=\frac{9}{3^3}=\frac{1}{3}$
세 정수의 합이 3의 배수이면 세 정수를 3으로 나눈 나머지는 모두 같거나 모두 달라야 한다. 만약 3회 때 사건 A가 일어나지 않았다면, x, y, z를 각각 3으로 나눈 나머지는 셋 다 다르고 이것은 처음 상황과 같다.
즉 $P(A_6 | A_3^C)=P(A_3)$
$\therefore P(A_3^C \cap A_6)=P(A_3^C)\ P(A_6 | A_3^C)$
$=\left(1-\frac{1}{3}\right)\times\frac{1}{3}=\frac{2}{9}$
따라서 $p+q=11$

다른 풀이

카드에 붙어 있는 스티커 수를 3으로 나눈 나머지를 (a, b, c)로 나타내기로 하자. 이때 $(0, 1, 2)$이면 두 번의 시행으로는 $(0, 0, 0)$ 또는 $(1, 1, 1)$ 또는 $(2, 2, 2)$를 만들 수 없다.
세 번의 시행으로 나올 수 있는 모든 경우의 수는 $3\times3\times3=27$이고, 세 번의 시행에서 $(0, 0, 0)$이 되는 경우는 다음 3가지 경우이다.
$(0, 1, 2) \longrightarrow (0, 2, 2) \longrightarrow (0, 2, 0) \longrightarrow (0, 0, 0)$
$(0, 1, 2) \longrightarrow (0, 2, 2) \longrightarrow (0, 0, 2) \longrightarrow (0, 0, 0)$
$(0, 1, 2) \longrightarrow (0, 1, 0) \longrightarrow (0, 2, 0) \longrightarrow (0, 0, 0)$
마찬가지로 $(1, 1, 1)$ 또는 $(2, 2, 2)$가 될 수 있는 경우도 각각 3가지씩이다.
따라서 3번째 시행에서 사건 A가 일어나지 않을 확률은
$P(A^C)=1-\frac{3+3+3}{27}=\frac{2}{3}$
또 3번의 시행 후에는 모든 카드에 붙어 있는 스티커 수를 3으로 나눈 나머지가 모두 다르거나 같은 경우, 즉 $(0, 1, 2)$ 또는 $(0, 0, 0)$ 또는 $(1, 1, 1)$ 또는 $(2, 2, 2)$이므로 4회, 5회에서는 사건 A가 일어나지 않고, 6회에서 사건 A가 일어날 확률을 같은 방법으로 생각하면 $\frac{1}{3}$이다.
따라서 구하려는 확률은 $1\times1\times\frac{2}{3}\times1\times1\times\frac{1}{3}=\frac{2}{9}$

14 답 ⑤

GUIDE

A, B가 첫 번째 대진에서 만나지 않고 A, B가 각각 상대방과 이길 확률을 구한다.

A와 B가 결승에서 만나려면 첫 번째 대진에서 만나지 말아야 하므로 A가 주머니에서 1이 적힌 카드를 꺼내면 B는 3 또는 4가 적힌 카드를 꺼내야 한다. A가 2, 3, 4가 적힌 카드를 꺼내는 경우도 마찬가지이므로 첫 번째 대진에서 만나지 않을 확률은
$\frac{16}{4!}=\frac{2}{3}$이다.
첫 번째 대진에서 만나지 않았을 때, A가 결승에 진출할 확률이 $\frac{2}{3}$, B가 결승에 진출할 확률이 $\frac{1}{2}$이므로 A, B 모두 결승에 진출할 확률은 $\frac{2}{3}\times\frac{1}{2}=\frac{1}{3}$이다.
따라서 A와 B가 결승에서 만날 확률은 $\frac{2}{3}\times\frac{1}{3}=\frac{2}{9}$

15 답 64

GUIDE

경기가 계속 진행되었을 때 A팀이 받을 상금을 구한다.

우승팀이 가려질 때까지 경기가 계속 진행된다고 하면 A팀이 우승하는 경우와 그 확률은 다음과 같다.
(A팀이 이기는 경우를 ○, 지는 경우를 ×로 나타낸다.)

- ○○ ⇨ $\frac{1}{2}\times\frac{1}{2}=\frac{1}{4}$
- ○×○ ⇨ $\frac{1}{2}\times\frac{1}{2}\times\frac{1}{2}=\frac{1}{8}$
- ×○○ ⇨ $\frac{1}{2}\times\frac{1}{2}\times\frac{1}{2}=\frac{1}{8}$
- ○××○ ⇨ $\frac{1}{2}\times\frac{1}{2}\times\frac{1}{2}\times\frac{1}{2}=\frac{1}{16}$
- ××○○ ⇨ $\frac{1}{2}\times\frac{1}{2}\times\frac{1}{2}\times\frac{1}{2}=\frac{1}{16}$
- ×○×○ ⇨ $\frac{1}{2}\times\frac{1}{2}\times\frac{1}{2}\times\frac{1}{2}=\frac{1}{16}$

즉 A팀이 우승할 확률은 $\frac{11}{16}$이므로 준우승할 확률은 $\frac{5}{16}$이다.
총 상금을 S라 하면 우승할 때와 준우승할 때를 생각해 A팀이 받

는 상금은 $\frac{11}{16}\times\frac{5}{8}S+\frac{5}{16}\times\frac{3}{8}S=\frac{70}{128}S$

이때 B팀이 받는 상금은 $1-\frac{70}{128}S=\frac{58}{128}S$

따라서 $\frac{70}{128}S : \frac{58}{128}S=35 : 29$이고, $m+n=64$

16 답 ②

GUIDE

❶ $n=1$을 $\mathrm{P}(X>m+n|X>m)=\mathrm{P}(X>n)$에 대입해 본다.
❷ $\mathrm{P}(X=10)=\mathrm{P}(X>9)-\mathrm{P}(X>10)$임을 이용한다.

$\mathrm{P}(X>m+n|X>m)=\mathrm{P}(X>n)$에 $n=1$을 대입하면

$$\mathrm{P}(X>m+1|X>m)=\frac{\mathrm{P}(X>m+1\cap X>m)}{\mathrm{P}(X>m)}$$
$$=\frac{\mathrm{P}(X>m+1)}{\mathrm{P}(X>m)}=\mathrm{P}(X>1)=\frac{1}{2}$$

즉 $\mathrm{P}(X>m+1)=\frac{1}{2}\mathrm{P}(X>m)$이므로 $\mathrm{P}(X>n)=\left(\frac{1}{2}\right)^n$

$$\therefore\ \mathrm{P}(X=10)=\mathrm{P}(X>9)-\mathrm{P}(X>10)$$
$$=\left(\frac{1}{2}\right)^9-\left(\frac{1}{2}\right)^{10}=\left(\frac{1}{2}\right)^{10}$$

참고

❶ 확률변수 X에 대하여 X가 자연수만 취하고
$1=\mathrm{P}(X=1)+\mathrm{P}(X>1)$이므로 $\mathrm{P}(X>1)=\frac{1}{2}$임을 알 수 있다.
❷ $\mathrm{P}(X>m+1)=\frac{1}{2}\mathrm{P}(X>m)$에서 $m=1, 2, \cdots, n$을 생각하면
$\mathrm{P}(X=n)=\left(\frac{1}{2}\right)^n$

17 답 63

GUIDE

두 번째 꺼낸 공이 흰 공인 전제가 주어졌으므로 조건부확률을 이용해 p_1, p_2를 각각 구한다.

(가)에서 p_1을 다음과 같이 구할 수 있다.

(i) 처음에 흰 공, 두 번째도 흰 공일 확률은

$$\frac{6}{10}\times\frac{7}{11}=\frac{42}{110}$$

(ii) 처음에 검은 공, 두 번째는 흰 공일 확률은

$$\frac{4}{10}\times\frac{6}{11}=\frac{24}{110}$$

$$\therefore\ p_1=\frac{42}{42+24}=\frac{7}{11}$$

(나)에서 p_2를 다음과 같이 구할 수 있다.

(i) 처음에 흰 공, 두 번째도 흰 공일 확률은

$$\frac{6}{10}\times\frac{6}{11}=\frac{36}{110}$$

(ii) 처음에 검은 공, 두 번째는 흰 공일 확률은

$$\frac{4}{10}\times\frac{7}{11}=\frac{28}{110}$$

$$\therefore\ p_2=\frac{36}{36+28}=\frac{9}{16}$$

따라서 $176p_1p_2=176\times\frac{7}{11}\times\frac{9}{16}=63$

18 답 ①

GUIDE

각 꼭짓점에 유황이 없는 사건을 A, B, C, D라 하면 $A\cup B\cup C\cup D$는 네 꼭짓점 중 어느 한 꼭짓점에 유황 부분이 없음을 나타낸다. 따라서 구하려는 확률은 $1-\mathrm{P}(A\cup B\cup C\cup D)$이다.

네 꼭짓점에 유황이 없는 사건을 각각 A, B, C, D라 하면 구하려는 확률은 $1-\mathrm{P}(A\cup B\cup C\cup D)$와 같고, 정사면체의 한 꼭짓점에 모이는 모서리가 3개이므로 어느 한 꼭짓점에 유황이 없을 확률은 $\left(\frac{1}{2}\right)^3=\frac{1}{8}$이다. 즉

$$\mathrm{P}(A)=\mathrm{P}(B)=\mathrm{P}(C)=\mathrm{P}(D)=\frac{1}{8}$$

그런데 두 꼭짓점을 이은 성냥개비가 반드시 존재하므로 유황이 없는 꼭짓점은 2개 이상일 수 없다.
즉 A, B, C, D는 어느 두 사건도 배반사건이므로

$$\mathrm{P}(A\cup B\cup C\cup D)=\mathrm{P}(A)+\mathrm{P}(B)+\mathrm{P}(C)+\mathrm{P}(D)=\frac{1}{2}$$

$$\therefore\ 1-\mathrm{P}(A\cup B\cup C\cup D)=\frac{1}{2}$$

19 답 411

GUIDE

S_1, S_5, S_8을 통해서 두 단자 X, Y 사이에 전류가 흐르는 사건을 각각 A, B, C라 하면 구하려는 확률은 벤 다이어그래에서도 확인할 수 있듯이 $\mathrm{P}(A\cup B\cup C)=\mathrm{P}(A)+\mathrm{P}(B-A)+\mathrm{P}(C-(A\cup B))$이다.

S_1, S_5, S_8을 통해서 두 단자 X, Y 사이에 전류가 흐르는 사건을 각각 A, B, C라 하면 구하려는 확률은

$$\mathrm{P}(A\cup B\cup C)=\mathrm{P}(A)+\mathrm{P}(B-A)+\mathrm{P}(C-(A\cup B))$$

이다. 이때 $\mathrm{P}(A)$는 S_1이 켜질 확률이므로 $\mathrm{P}(A)=\frac{1}{2}$

$\mathrm{P}(B-A)$는 S_1이 꺼지고, S_2, S_5는 켜지고, S_3, S_4 중 적어도 하나는 켜질 확률이므로

$$\mathrm{P}(B-A)=\frac{1}{2}\times\frac{1}{2}\times\frac{1}{2}\times\left(1-\frac{1}{2}\times\frac{1}{2}\right)=\frac{3}{32}$$

$\mathrm{P}(C-(A\cup B))$는 S_1, S_5가 꺼지고, S_2, S_6, S_7, S_8은 켜지고 S_3, S_4 중 적어도 하나는 켜질 확률이므로

$$\mathrm{P}(C-(A\cup B))=\left(\frac{1}{2}\right)^6\times\left(1-\frac{1}{2}\times\frac{1}{2}\right)=\frac{3}{256}$$

$$\therefore\ \mathrm{P}(A\cup B\cup C)=\frac{1}{2}+\frac{3}{32}+\frac{3}{256}=\frac{155}{256}=\frac{q}{p}$$

따라서 $p+q=411$

20 답 644

GUIDE

$n(A\cap B)=x$, 즉 $P(A\cap B)=\frac{x}{12}$라 하고, $P(A\cap B)=P(A)P(B)$임을 이용해 $P(B)$, $P(A^C\cap B)$를 구한다.

$P(A\cap B)=\frac{x}{12}$라 하면

$P(A)=\frac{1}{3}$이므로

$P(B)=P(A\cap B)\div P(A)=\frac{3x}{12}$

이때 $P(B-A)=P(A^C\cap B)=\frac{2x}{12}$

즉 $P(A\cap B)=\frac{x}{12}$, $P(A^C\cap B)=\frac{2x}{12}$

이므로 가능한 경우는 다음과 같이 나누어 생각할 수 있다.

(i) $P(A\cap B)=\frac{1}{12}$, $P(A^C\cap B)=\frac{2}{12}$일 때

사건 B는 3의 배수 중에서 1개를 택하고, 3의 배수가 아닌 수 중에서 2개를 택하는 것이므로 이때 경우의 수는

${}_4C_1\times{}_8C_2=112$

(ii) $P(A\cap B)=\frac{2}{12}$, $P(A^C\cap B)=\frac{4}{12}$일 때

사건 B는 3의 배수 중에서 2개를 택하고, 3의 배수가 아닌 수 중에서 4개를 택하는 것이므로 이때 경우의 수는

${}_4C_2\times{}_8C_4=420$

(iii) $P(A\cap B)=\frac{3}{12}$, $P(A^C\cap B)=\frac{6}{12}$일 때

사건 B는 3의 배수 중에서 3개를 택하고, 3의 배수가 아닌 수 중에서 6개를 택하는 것이므로 이때 경우의 수는

${}_4C_3\times{}_8C_6=112$

(i), (ii), (iii)에서 가능한 사건 B의 개수는

$112+420+112=644$

참고

$P(A)=\frac{1}{3}$이므로 $P(A\cap B)=\frac{4}{12}=\frac{1}{3}$이면

$P(B)=1$이 되어 B가 전사건이 아니라는 조건에 어긋난다.

1등급 NOTE

$A=\{3, 6, 9, 12\}$, $A^C=\{1, 2, 4, 5, 7, 8, 10, 11\}$

즉 $P(A):P(A^C)=1:2$이므로 A에서 k개 뽑을 때, A^C에서 $2k$개를 뽑으면 된다.

조건에서 $k\neq0$, $k\neq4$이므로 구하려는 사건 B의 개수는

$\sum_{k=1}^{3}{}_4C_k\times{}_8C_{2k}=112+420+112=644$

21 답 (1) 11 (2) 59

GUIDE

(1) 두 사람이 만나는 지점을 확인한다.

(2) 전체 최단 경로의 수 20과 네 점 각각을 지나는 경로의 수를 이용해 각 점을 지나는 확률을 구한다.

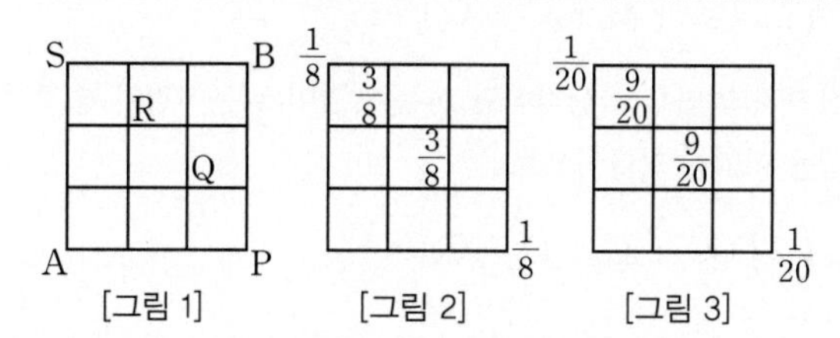

[그림 1] [그림 2] [그림 3]

두 경우 모두 [그림 1]에 표시한 네 지점 P, Q, R, S에서 두 사람이 만날 수 있다. 이때 (1)의 조건처럼 각 갈림길에서 이동 경로를 택하는 확률이 같을 때 네 점을 지나갈 확률을 나타낸 것이 [그림 2]다. 또 (2)의 조건처럼 최단 거리로 가는 전체 경로에서 각 경로를 선택하는 확률이 같을 때 네 점을 지나갈 확률을 나타낸 것이 [그림 3]이다.

(1) 두 사람이 만날 확률은

$\left(\frac{1}{8}\right)^2+\left(\frac{3}{8}\right)^2+\left(\frac{3}{8}\right)^2+\left(\frac{1}{8}\right)^2=\frac{5}{16}$

이므로 $p=1-\frac{5}{16}=\frac{11}{16}$ $\quad\therefore 16p=11$

(2) 두 사람이 만날 확률은

$\left(\frac{1}{20}\right)^2+\left(\frac{9}{20}\right)^2+\left(\frac{9}{20}\right)^2+\left(\frac{1}{20}\right)^2=\frac{41}{100}$

이므로 $p=1-\frac{41}{100}=\frac{59}{100}$ $\quad\therefore 100p=59$

22 답 28

GUIDE

주사위를 던져 앞에 나온 것과 같은 결과가 나올 확률은 $\frac{1}{6}$이고, 득점 기회가 9번임을 주의한다.

n번째 주사위를 던졌을 때, $(n-1)$번째와 같은 눈이 나올 확률은 n값에 관계없이 항상 $\frac{1}{6}$이다. $(n\geq2)$

즉 2번째부터 10번째까지 9번의 득점 기회에서 3번 득점하는 경우이므로 구하려는 확률

$p={}_9C_3\left(\frac{1}{6}\right)^3\left(\frac{5}{6}\right)^6=84\times\frac{5^6}{6^9}=\frac{14\times5^6}{6^8}$

이때 $6^8\times p=2\times5^6\times7$의 양의 약수 개수는

$(1+1)(6+1)(1+1)=28$

23 답 47

GUIDE

p_1은 남은 6경기 중에서 A팀이 3경기 이상 이길 확률이고, p_2는 A팀이 남은 5경기 중에서 2경기 이상을 이기는 확률이다.

우승 팀이 결정된 후에도 경기를 계속한다고 가정하면 7전 4선승제에서 A팀이 우승할 필요충분조건은 정확히 7번 경기할 때, A가 4승 이상 하는 것이다. 즉 남은 6경기 중에서 A팀이 3경기 이상 이길 확률 p_1은

$p_1=\left(\frac{1}{2}\right)^6({}_6C_3+{}_6C_4+{}_6C_5+{}_6C_6)=\frac{21}{32}$

마찬가지 방법으로 생각하면 p_2는 A팀이 남은 5경기 중 2경기 이상을 이기는 확률이므로

$p_2=\left(\frac{1}{2}\right)^5({}_5C_2+{}_5C_3+{}_5C_4+{}_5C_5)=\frac{26}{32}$

$32(p_1+p_2)=32\times\frac{47}{32}=47$

다른 풀이

먼저 A팀이 1차전을 이기고, 우승할 확률 p_1을 다음과 같이 구할 수 있다.

(i) 4차전에서 우승하는 경우
  남은 세 경기를 모두 이기면 된다.
  이때 확률은 $\left(\frac{1}{2}\right)^3=\frac{1}{8}$

(ii) 5차전에서 우승하는 경우
  2, 3, 4차전 경기에서 2승 1패 하고, 5차전에서 이기면 된다.
  이때의 확률은 ${}_3C_2\left(\frac{1}{2}\right)^3\frac{1}{2}=\frac{3}{16}$

(iii) 6차전에서 우승하는 경우
  2, 3, 4, 5차전 경기에서 2승 2패 하고, 6차전에서 이기면 된다. 이때의 확률은 ${}_4C_2\left(\frac{1}{2}\right)^4\frac{1}{2}=\frac{6}{32}$

(iv) 7차전에서 우승하는 경우
  2, 3, 4, 5, 6차전 경기에서 2승 3패 하고, 7차전에서 이기면 된다. 이때의 확률은 ${}_5C_2\left(\frac{1}{2}\right)^5\frac{1}{2}=\frac{5}{32}$

(i)~(iv)에서 $p_1=\frac{4+6+6+5}{32}=\frac{21}{32}$

같은 방법으로 p_2도 구할 수 있다.

24 답 36

GUIDE

공의 경로를 생각하면 공이 반드시 지나는 점이 있다. 그 점을 지나 당첨되는 확률을 구한다.

그림과 같이 두 점 P, Q를 생각하자.

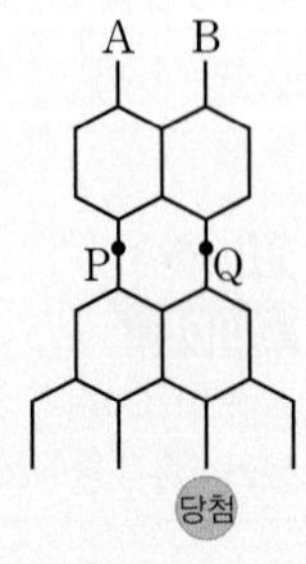

A에서 P로 갈 확률은 $\frac{2}{3}\times1+\frac{1}{3}\times\frac{2}{3}=\frac{8}{9}$

A에서 Q로 갈 확률은 $\left(\frac{1}{3}\right)^2=\frac{1}{9}$

B에서 P로 갈 확률은 $\left(\frac{2}{3}\right)^2=\frac{4}{9}$

B에서 Q로 갈 확률은 $\frac{2}{3}\times\frac{1}{3}+\frac{1}{3}\times1=\frac{5}{9}$

P에서 당첨으로 갈 확률은 ${}_2C_2\times\left(\frac{1}{3}\right)^2=\frac{1}{9}$

Q에서 당첨으로 갈 확률은 ${}_2C_1\times\frac{2}{3}\times\frac{1}{3}=\frac{4}{9}$

$\therefore\ p_A=\frac{8}{9}\times\frac{1}{9}+\frac{1}{9}\times\frac{4}{9}=\frac{12}{81}$

$p_B=\frac{4}{9}\times\frac{1}{9}+\frac{5}{9}\times\frac{4}{9}=\frac{24}{81}$

따라서 $81(p_B+p_A)=81\times\frac{36}{81}=36$

25 답 ③

GUIDE

(득점이 짝수일 확률)+(득점이 홀수일 확률)=1을 이용한다.

주사위를 50번 던져 k점을 얻을 확률은 ${}_{50}C_k\left(\frac{1}{3}\right)^k\left(\frac{2}{3}\right)^{50-k}$

구하려는 확률을 A라 하면

$A=\sum_{i=0}^{25}{}_{50}C_{2i}\left(\frac{1}{3}\right)^{2i}\left(\frac{2}{3}\right)^{50-2i}$

이때 $B=\sum_{i=0}^{24}{}_{50}C_{2i+1}\left(\frac{1}{3}\right)^{2i+1}\left(\frac{2}{3}\right)^{49-2i}$ 라 하면

$A+B=\sum_{k=0}^{50}{}_{50}C_k\left(\frac{1}{3}\right)^k\left(\frac{2}{3}\right)^{50-k}=1$ ······ ㉠

$A-B=\sum_{k=0}^{50}{}_{50}C_k\left(\frac{1}{3}\right)^k\left(\frac{2}{3}\right)^{50-k}(-1)^k$

$=\sum_{k=0}^{50}{}_{50}C_k\left(-\frac{1}{3}\right)^k\left(\frac{2}{3}\right)^{50-k}=\left(\frac{2}{3}-\frac{1}{3}\right)^{50}$ ······ ㉡

㉠+㉡: $2A=1+\left(\frac{1}{3}\right)^{50}$이므로 $A=\frac{1}{2}\left\{1+\left(\frac{1}{3}\right)^{50}\right\}$

26 답 ⑤

GUIDE

ㄴ. $P(A(5, 3)\mid A(2, 1))$은 1승 1패인 상태에서 최종적으로 5번의 경기에서 3승 2패가 되는 확률이다.
ㄷ. $P(A(3, 1)\cap A(7, 4))$는 1승 2패인 상태에서 최종적으로 7번의 경기에서 4승 3패가 되는 확률이다.

ㄱ. ${}_3C_2\left(\frac{1}{2}\right)^2\left(\frac{1}{2}\right)=\frac{3}{8}$ (○)

ㄴ. A가 처음 2경기에서 1승 1패를 하고, 최종적으로 5번의 경기에서 3승 2패를 하는 확률은 2경기에서 1승 1패를 하고(처음 상태와 같다.), 다음 3경기에서 2승 1패 할 확률과 같다.
$P(A(5, 3)\mid A(2, 1))=P(A(3, 2))$ (○)

ㄷ. A가 처음 3번의 경기에서 1승 2패를 하고, 최종적으로 7번의 경기에서 4승 3패를 하는 확률은 처음 3경기에서 1승 2패를 하고, 다음 4경기에서 3승 1패를 하는 확률과 같다.
$P(A(3, 1)\cap A(7, 4))=P(A(3, 1))\times P(A(4, 3))$ (○)

27 답 ②

GUIDE

$(n-1)$번째 사람이 처음과 같은 말을 듣고 같은 말을 전달하는 경우와 처음과 다른 말을 듣고 반대로 전하는 경우에 n번째 사람은 처음과 같은 말을 듣게 된다.

$p_n=p_{n-1}\times 0.95+(1-p_{n-1})\times 0.05=0.9p_{n-1}+0.05$

이때 $p_n=0.9p_{n-1}+0.05$에서 $\lim_{n\to\infty} p_n=\alpha$라 하면

$\lim_{n\to\infty} p_{n-1}=\alpha$이므로 $\alpha=0.9\alpha+0.05$, $0.1\alpha=0.05$

$\therefore \alpha=\lim_{n\to\infty} p_{n-1}=0.5=\frac{1}{2}$

28 답 ④

GUIDE

n번째에 A가 던져서 1이 나오거나 n번째에 B가 던져 1, 2, 3, 4가 나오면 된다.

$p_1=1$이고, $(n+1)$번째에 A가 던지려면 n번째에 A가 던져서 1이 나오거나 n번째에 B가 던져서 1, 2, 3, 4가 나오면 된다. 즉

$p_{n+1}=\frac{1}{6}p_n+\frac{4}{6}(1-p_n)=-\frac{1}{2}p_n+\frac{4}{6}$

이때 $\lim_{n\to\infty} p_n=\alpha$이면 $\lim_{n\to\infty} p_{n+1}=\alpha$이므로

$\alpha=-\frac{1}{2}\alpha+\frac{4}{6}$에서 $\alpha=\frac{4}{9}$

29 답 (1) 20 (2) 50

GUIDE

n번째에 1, 2번 스위치의 상태가 같았다면 $(n+1)$번째에 1 또는 2의 눈이 나오지 않으면 되고, n번째에 1, 2번 스위치의 상태가 달랐다면 $(n+1)$번째에 1 또는 2의 눈이 나오면 된다.

(1) 처음에 주사위를 던졌을 때, 1, 2가 나오지 않으면 되므로

$p_1=\frac{4}{6}=\frac{2}{3}$ $\quad\therefore 30p_1=20$

(2) n번째에 1, 2번 스위치의 상태가 같았다면 $(n+1)$번째에 1 또는 2가 나오지 않으면 $(n+1)$번째에 1, 2번 스위치의 상태는 같다. 또 n번째에 1, 2번 스위치의 상태가 달랐다면 $(n+1)$번째에 1, 2가 나오면 $(n+1)$번째에 1, 2번 스위치의 상태가 같아진다.

$p_{n+1}=\frac{4}{6}p_n+\frac{2}{6}(1-p_n)=\frac{1}{3}p_n+\frac{1}{3}$

이때 $\lim_{n\to\infty} p_n=\alpha$이면 $\lim_{n\to\infty} p_{n+1}=\alpha$이므로

$\alpha=\frac{1}{3}\alpha+\frac{1}{3}$에서 $\alpha=\frac{1}{2}$

$\therefore 100\alpha=50$

STEP 3 1등급 뛰어넘기

p. 55~57

01 (1) 24 (2) 134	**02** (1) 40 (2) 56
03 (1) 5 (2) 180 (3) 1	**04** (1) 6 (2) 31
05 ⑤ **06** ②	**07** 447
08 (1) 12 (2) 131	**09** (1) 61 (2) 25

01 답 (1) 24 (2) 134

GUIDE

(1) 2, 4, 6을 순서대로 홀수번째에 놓는다고 생각한다.

(2) $\mathrm{P}(A^C\cap B^C\cap C^C)=1-\mathrm{P}(A\cup B\cup C)$임을 이용한다.

(1) 2가 홀수 번째에 놓일 확률은 $\frac{4}{7}$, 2가 홀수 번째에 놓인 상황에서 4가 홀수 번째에 놓일 확률은 $\frac{3}{6}$, 2, 4가 홀수 번째에 놓인 상황에서 6이 홀수 번째에 놓일 확률은 $\frac{2}{5}$

이때 구하려는 확률 $p_1=\frac{4}{7}\times\frac{3}{6}\times\frac{2}{5}=\frac{4}{35}$

$\therefore 210p_1=24$

(2) 2가 두 번째에 놓일 확률, 4가 네 번째에 놓일 확률, 6이 여섯 번째에 놓일 확률은 각각 $\frac{1}{7}$

2, 4가 각각 두 번째, 네 번째에 놓일 확률은 $\frac{1}{7}\times\frac{1}{6}$이고,

4, 6과 2, 6에 대해서도 마찬가지로 $\frac{1}{7}\times\frac{1}{6}$

2, 4, 6이 각각 두 번째, 네 번째, 여섯 번째에 놓일 확률은

$\frac{1}{7}\times\frac{1}{6}\times\frac{1}{5}=\frac{1}{210}$이다.

$\mathrm{P}(A^C\cap B^C\cap C^C)=1-\mathrm{P}(A\cup B\cup C)$임을 이용하면

$p_2=1-\left(\frac{1}{7}+\frac{1}{7}+\frac{1}{7}-\frac{1}{42}-\frac{1}{42}-\frac{1}{42}+\frac{1}{210}\right)=\frac{134}{210}$

$\therefore 210p_2=134$

다른 풀이

(1) 2, 4, 6이 들어간 세 자리는 모두 홀수 번째 자리이므로

$p_1=\frac{{}_4\mathrm{C}_3}{{}_7\mathrm{C}_3}=\frac{4}{35}$

02 답 (1) 40 (2) 56

GUIDE

수직선 위의 운동을 수직선 위에서만 표시하면 구별하기 어려우므로 시행 횟수에 따라 y축 방향으로의 이동을 생각해 보자.

(1)

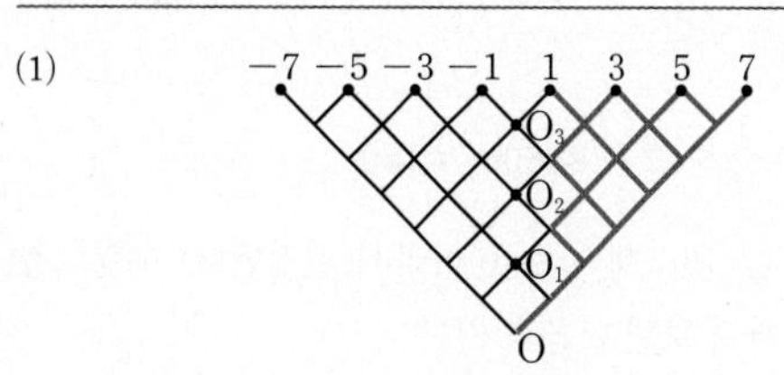

그림에서 위로 7번 이동하여 여덟 개의 점 중 하나에 도착하는 모든 경우의 수는

$2\left(1+\frac{7!}{6!}+\frac{7!}{2!5!}+\frac{7!}{3!4!}\right)=128$

이중 점 O_1, O_2, O_3를 모두 지나지 않는 경우는 빨간색으로 표시한 부분을 따라 점 1, 3, 5, 7로 가는 경우의 수의 2배이므로

$2(5+9+5+1)=40$

따라서 $p_1=\frac{40}{128}$이고, $128p_1=40$

(2) 8번 던져 다시 원점으로 돌아왔으므로 조건부확률로 생각하면 분모는 O에서 O_1으로 가는 최단 경로의 수, 즉 $\frac{8!}{4!4!}=70$이다.

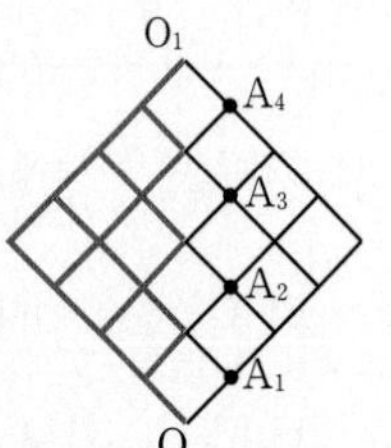

이때 점 A_1, A_2, A_3, A_4 중 적어도 한 점을 지나는 경우를 생각하면 된다.

여사건은 그림에서 색으로 표시한 부분을 따라간 경우이므로 14(가지)이다.

따라서 $p_2=\frac{70-14}{70}$이므로 $70p_2=56$

참고

(1)에서 8개의 점 중 하나에 도착하는 모든 경우의 수를 ${}_7C_0+{}_7C_1+{}_7C_2+\cdots+{}_7C_7=2^7=128$로 구해도 된다.

03 답 (1) 5 (2) 180 (3) 1

GUIDE

(3) 수형도를 그려본다. 이때 2행 n열의 수는 $2n$보다 크거나 같아야 한다. 즉 2행의 네 수는 2 이상의 수, 4 이상의 수, 6 이상의 수, 8을 작은 것부터 나열한 것이다.

(1) 1행의 네 수가 작은 것부터 배열될 확률은 $\frac{1}{4!}=\frac{1}{24}$

2행의 네 수가 작은 것부터 배열될 확률도 $\frac{1}{4!}=\frac{1}{24}$

즉 $p_1=\frac{1}{24}\times\frac{1}{24}=\frac{1}{576}$이므로 $2880p_1=5$

(2) 1열의 두 수 중 아래쪽이 더 클 확률은 $\frac{1}{2!}=\frac{1}{2}$

2, 3, 4열에서도 마찬가지로 아래쪽에 있는 수가 위의 수보다 더 클 확률은 $\frac{1}{2!}=\frac{1}{2}$

즉 $p_2=\left(\frac{1}{2}\right)^4=\frac{1}{16}$이므로 $2880p_2=180$

(3) 2행의 수가 결정되면 1행의 수는 따라서 결정된다. 수형도를 그려 그 경우를 따져 보면 다음과 같다.

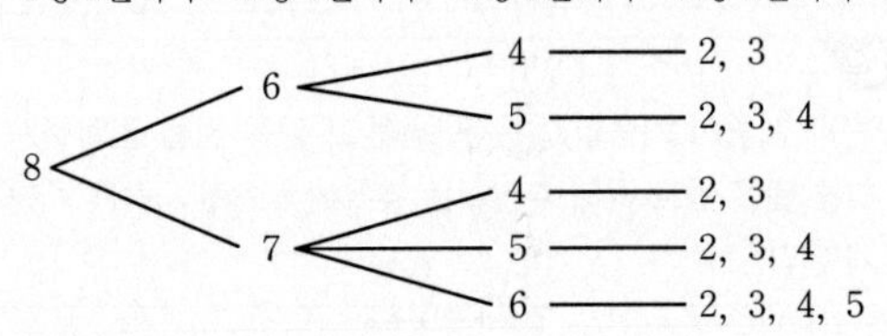

즉 14가지 경우가 가능하므로 $p_3=\frac{14}{8!}=\frac{1}{2880}$

따라서 $2880p_3=1$

1등급 NOTE

이 문제는 카탈란 수(12쪽 **09** 풀이 참조)와 관련 있다.

어떤 수가 제 1행에 있을 때 x, 제2행에 있을 때 y를 대응시킨 다음 이것을 1부터 8까지 나열해 보자. 예시에 있는 내용을 이와 같이 나타내면 x, y, $x^▼$, x, y, x, y, y가 된다. 이 경우 표시한 부분을 기준으로 x의 개수가 y의 개수보다 많거나 같고, 표시 부분을 옮겨도 항상 성립한다. 이것을 그래프에서 생각하면 $x\geq y$인 부분과 대응한다.

따라서 (3)에서 구하려는 경우의 수는 $(0, 0)$에서 $(4, 4)$까지 격자점을 따라 움직일 때, 항상 $x\geq y$를 만족시키는 경로의 수와 같다.

즉 $\frac{1}{5}\times\frac{8!}{4!4!}=14$

04 답 (1) 6 (2) 31

GUIDE

'축', '당', '첨' 스티커를 받지 못하는 사건을 각각 A, B, C라 하면 사은품을 받지 못할 확률은 $P(A\cup B\cup C)$이다.

(1) 모든 경우의 수는 $3^3=27$

세 번 만에 세 글자가 모두 나오는 경우의 수는 $3!=6$

따라서 $a=\frac{6}{27}$이므로 $27a=6$

(2) 케이크 n개를 $(n\geq3)$ 사는 동안 '축', '당', '첨' 스티커를 받지 못하는 사건을 각각 A, B, C라 하면 n개를 사고 사은품을 받지 못할 확률은 $P(A\cup B\cup C)$이다. 이때

$$P(A\cup B\cup C)$$
$$=P(A)+P(B)+P(C)-P(A\cap B)-P(B\cap C)-P(C\cap A)+P(A\cap B\cap C)$$
$$=\left(\frac{2}{3}\right)^n+\left(\frac{2}{3}\right)^n+\left(\frac{2}{3}\right)^n-\left(\frac{1}{3}\right)^n-\left(\frac{1}{3}\right)^n-\left(\frac{1}{3}\right)^n+0$$
$$=\frac{3\times2^n-3}{3^n}$$

이때 $b=\frac{3\times2^5-3}{3^5}=\frac{31}{81}$이므로 $81b=31$

1등급 NOTE

케이크 $n(n\geq3)$개를 사고 사은품을 받는 사건을 T_n이라 하면 정확히 n번째 케이크를 사면서 사은품을 받는 사건은 $(T_n\cap T_{n-1}{}^C)$이고,

(2)에서 $P(T_n)=1-\frac{3\times2^n-3}{3^n}$이므로

$\mathrm{P}(T_n \cap T_{n-1}{}^C)=\mathrm{P}(T_n)-\mathrm{P}(T_n \cap T_{n-1})=\mathrm{P}(T_n)-\mathrm{P}(T_{n-1})$

$$=-\frac{3\times 2^n-3}{3^n}+\frac{3\times 2^{n-1}-3}{3^{n-1}}=\frac{2^{n-1}-2}{3^{n-1}}$$

따라서 이 사실을 이용하면 케이크 5개째를 사면서 사은품을 받을 확률과 같은 문제를 풀 수 있다.

05 답 ⑤

GUIDE

❶ a_ib_i가 홀수일 확률은 $\frac{3}{5}\times\frac{3}{5}=\frac{9}{25}$이고, $\sum_{i=1}^{10} a_ib_i$가 홀수가 되려면 $a_1b_1, a_2b_2, \cdots, a_{10}b_{10}$ 중 홀수가 홀수 개 있어야 한다.

❷ 구하려는 확률을 A라 하고, $\sum_{i=1}^{10} a_ib_i$가 짝수가 되는 확률을 B라 하면 $A+B=1$임을 이용한다.

a_i, b_i가 홀수가 될 확률은 각각 $\frac{3}{5}$이므로 a_ib_i가 홀수일 확률은

$\frac{3}{5}\times\frac{3}{5}=\frac{9}{25}$

이때 $\sum_{i=1}^{10} a_ib_i$가 홀수가 되려면 $a_1b_1, a_2b_2, \cdots, a_{10}b_{10}$ 중 홀수가 홀수 개 있어야 하므로 구하려는 확률을 A라 하면

$A=\sum_{i=0}^{4} {}_{10}\mathrm{C}_{2i+1}\left(\frac{9}{25}\right)^{2i+1}\left(\frac{16}{25}\right)^{9-2i}$

이때 $B=\sum_{i=0}^{5} {}_{10}\mathrm{C}_{2i}\left(\frac{9}{25}\right)^{2i}\left(\frac{16}{25}\right)^{10-2i}$라 하면

$A+B=\sum_{k=0}^{10} {}_{10}\mathrm{C}_k\left(\frac{9}{25}\right)^k\left(\frac{16}{25}\right)^{10-k}=1$ …… ㉠

$$-A+B=\sum_{k=0}^{10} {}_{10}\mathrm{C}_k\left(\frac{9}{25}\right)^k\left(\frac{16}{25}\right)^{10-k}(-1)^k$$
$$=\sum_{k=0}^{10} {}_{10}\mathrm{C}_k\left(-\frac{9}{25}\right)^k\left(\frac{16}{25}\right)^{10-k}$$
$$=\left(\frac{16}{25}-\frac{9}{25}\right)^{10} \quad \cdots\cdots ㉡$$

㉠−㉡: $2A=1-\left(\frac{7}{25}\right)^{10}$이므로 $A=\frac{1}{2}\left\{1-\left(\frac{7}{25}\right)^{10}\right\}$

06 답 ②

GUIDE

15는 5행에 놓여야 하고, 이때의 확률은 15개 중에서 5행의 5개를 선택하는 것과 같으므로 $\frac{5}{15}$이다.

5행의 최대의 수는 15이어야 한다. 즉 15는 5행에 놓아야 한다.
또 M_1, M_2, M_3, M_4 중 M_4가 최대이므로 1행에서 4행까지 10개의 수 중 가장 큰 수는 4행에 놓여야 한다.
마찬가지로 M_1, M_2, M_3 중 M_3가 최대이므로 1~3행의 6개의 수 중 가장 큰 수는 3행에 놓여야 하고, $M_1<M_2$이므로 1행과 2행의 3개의 수 중 가장 큰 수는 2행에 놓여야 한다.
5행부터 최대의 수를 결정해 나아가면 뒷부분의 확률 계산은 앞부분에 영향을 끼치지 않으므로 구하려는 확률은

$\frac{5}{15}\times\frac{4}{10}\times\frac{3}{6}\times\frac{2}{3}=\frac{2}{45}$

참고

$\mathrm{P}(A\cap B\cap C\cap D)$
$=\mathrm{P}(A)\times\mathrm{P}(B|A)\times\mathrm{P}(C|A\cap B)\times\mathrm{P}(D|A\cap B\cap C)$

07 답 447

GUIDE

A, B가 각각 k점을 얻을 확률은 $\frac{1}{6}$, ${}_7\mathrm{C}_k\left(\frac{1}{2}\right)^7$이고, B가 k점을 얻고, A가 $(k+1)$점 이상을 얻을 때, A가 B를 이긴다.

A가 k점 $(1\le k\le 6)$을 얻을 확률은 $\frac{1}{6}$

B가 k점을 얻을 확률은 ${}_7\mathrm{C}_k\left(\frac{1}{2}\right)^7$이므로

$$p_1=\frac{1}{6}\sum_{k=1}^{6} {}_7\mathrm{C}_k\left(\frac{1}{2}\right)^7=\frac{1}{6}\left(\frac{1}{2}\right)^7\sum_{k=1}^{6} {}_7\mathrm{C}_k$$
$$=\frac{1}{6}\left(\frac{1}{2}\right)^7(2^7-2)=\frac{126}{768}$$

또 A가 B를 이기려면 B가 k점 (단, $0\le k\le 5$)을 얻고 A가 $(k+1)$점 이상을 얻어야 하므로

$$p_2=\sum_{k=0}^{5} {}_7\mathrm{C}_k\left(\frac{1}{2}\right)^7\frac{6-k}{6}$$
$$=\sum_{k=0}^{5} {}_7\mathrm{C}_k\left(\frac{1}{2}\right)^7-\sum_{k=0}^{5}\frac{1}{6}\left(\frac{1}{2}\right)^7 k\,{}_7\mathrm{C}_k$$
$$=\left(\frac{1}{2}\right)^7(2^7-8)-\frac{1}{6}\left(\frac{1}{2}\right)^7\left(\sum_{k=0}^{7} k\,{}_7\mathrm{C}_k-49\right)$$
$$=1-\frac{8}{2^7}-\frac{1}{6}\left(\frac{1}{2}\right)^7(7\times 2^6-49)=\frac{321}{768}$$

따라서 $768(p_1+p_2)=126+321=447$

참고

$\sum_{k=0}^{n} k\,{}_n\mathrm{C}_k=n\times 2^{n-1}$

1등급 NOTE

❶ B가 k점 (단, $2\le k\le 7$)을 얻고 A가 $(k-1)$점 이하를 얻으면 A가 B에게 진다. 이때의 확률은

$\sum_{k=2}^{7} {}_7\mathrm{C}_k\left(\frac{1}{2}\right)^7\frac{6-k}{6}$이고, $7-k=i$라 하면

$\sum_{i=0}^{5} {}_7\mathrm{C}_i\left(\frac{1}{2}\right)^7\frac{i-1}{6}$이 되어 위 풀이에서 구한 것과 같게 된다.

❷ A가 B에게 이길 확률과 A가 B에게 질 확률이 서로 같으므로 구하려는 확률은

$\frac{1}{2}\{1-(\text{비길 확률})\}=\frac{1}{2}\left(1-\frac{126}{768}\right)=\frac{321}{768}$

08 답 (1) 12 (2) 131

GUIDE

(1) n이 홀수일 때와 짝수일 때로 나누어본다.
(2) $n=5$일 때, 최대 몇 번의 주사위를 던지는지 확인한다.

(1) n이 홀수일 때와 짝수일 때로 나누어 보자.

(i) $n=2m$(m은 자연수)일 때

A가 m번 이상 득점하거나 B가 $2m$번 이상 득점하면 경기가 끝나므로 A가 $(m-1)$번 득점하고, B가 $(2m-1)$번 득점한 다음 주사위를 한 번 더 던지면 된다.

$\therefore f(2m)=(m-1)+(2m-1)+1=3m-1$

(ii) $n=2m-1$(m은 자연수)일 때

A가 m번 이상 득점하거나 B가 $(2m-1)$번 이상 득점하면 경기가 끝나므로 A가 $(m-1)$번 득점하고, B가 $(2m-2)$번 득점한 다음 주사위를 한 번 더 던지면 된다.

$\therefore f(2m-1)=(m-1)+(2m-2)+1=3m-2$

따라서 $f(n)=\begin{cases} \frac{3}{2}n-1 & (n\text{이 짝수}) \\ \frac{3}{2}n-\frac{1}{2} & (n\text{이 홀수}) \end{cases}$ 이므로

$f(4)+f(5)=5+7=12$

(2) $f(4)=\frac{3}{2}\times4-1=5$이므로 주사위를 최대 5번 던져야 승부가 결정된다. 5번 미만에서 승부가 결정되었더라도 5번까지 주사위를 던진다고 생각하면 5번 중 A가 2번 이상 득점하면 된다.
여사건의 확률은

${}_5C_0\left(\frac{2}{3}\right)^5+{}_5C_1\left(\frac{2}{3}\right)^4\left(\frac{1}{3}\right)=\frac{32+80}{243}=\frac{112}{243}$이므로

$p=1-\frac{112}{243}=\frac{131}{243}$에서 $243p=131$

참고

주사위를 한 번 던질 때, 두 사람 득점의 기댓값은 같지만 n에 따라 A, B의 유불리가 달라진다. 이 문제와 같은 상황에서 n이 짝수이면 A가 유리하고, n이 홀수이면 B가 유리하다.

다른 풀이

(1) 풀이처럼 구하지 않고 다음과 같이 생각해도 된다.

$f(4)$는 4점을 먼저 얻을 때까지 주사위를 던지는 최대 횟수이므로 3의 배수가 1번 나오고 네 번은 3의 배수가 아닌 눈의 수가 나오면 B가 이긴다. 또 3의 배수가 2번 나오고 3의 배수가 아닌 순의 수가 3번 나오면 A가 이긴다.

따라서 $f(4)=5$이다.

또 $f(5)$는 A가 4점(2번 득점)을 얻고 B가 5점(5번 득점)을 얻는 경우라 생각한다.

$\therefore f(5)=2+5=7$

09 답 (1) 61 (2) 25

GUIDE

❶ $(n+1)$초 후 네 꼭짓점에 점 P가 있을 확률을 구한다.
❷ $a_n+b_n+c_n+d_n=1$임을 이용한다.

(1) n초 후에 점 P가 꼭짓점 A에 있을 확률을 a_n이라 했으므로 마찬가지로 n초 후에 점 P가 꼭짓점 B, C, D에 있을 확률을 각각 b_n, c_n, d_n이라 하자.

이때 $a_0=1$, $b_0=0$, $c_0=0$, $d_0=0$이고

$a_{n+1}=\frac{1}{3}(a_n+b_n+d_n)$, $b_{n+1}=\frac{1}{3}(a_n+b_n+c_n)$

$c_{n+1}=\frac{1}{3}(b_n+c_n+d_n)$, $d_{n+1}=\frac{1}{3}(c_n+d_n+a_n)$

이때 $a_n+b_n+c_n+d_n=1$이므로

$a_{n+1}=\frac{1}{3}(a_n+b_n+d_n)=\frac{1}{3}(1-c_n)$,

$c_{n+1}=\frac{1}{3}(b_n+c_n+d_n)=\frac{1}{3}(1-a_n)$

$a_{n+2}=\frac{1}{3}(1-c_{n+1})=\frac{1}{3}-\frac{1}{3}\times\frac{1}{3}(1-a_n)=\frac{1}{9}a_n+\frac{2}{9}$

$a_0=1$이므로 $a_2=\frac{1}{3}$, $a_4=\frac{7}{27}$, $a_6=\frac{61}{243}$

따라서 $243a_6=61$

(2) $a_{n+2}=\frac{1}{9}a_n+\frac{2}{9}$에서

$\lim_{n\to\infty}a_n=\alpha$라 하면 $\lim_{n\to\infty}a_{n+2}=\alpha$이므로

$\alpha=\frac{1}{9}\alpha+\frac{2}{9}$ $\quad\therefore \alpha=\frac{1}{4}$

즉 $\alpha=\lim_{n\to\infty}a_n=\frac{1}{4}$이므로 $100\lim_{n\to\infty}a_n=25$

5 이산확률분포

STEP 1 | 1등급 준비하기 p. 60~62

01 25	**02** 1023	**03** ①	**04** 4
05 ③	**06** ⑤	**07** ㄱ, ㄷ	**08** 5
09 104	**10** 3760	**11** 5	**12** ④
13 7	**14** ①	**15** 55	

01 답 25

GUIDE

두 수의 차는 2, 4, 6 세 가지 경우뿐이다.

(i) 뽑은 두 수가 {1, 3}, {3, 5}, {5, 7}일 때 두 수의 차가 2이므로

$$\mathrm{P}(X=2)=\frac{3}{{}_4\mathrm{C}_2}=\frac{1}{2}$$

(ii) 뽑은 두 수가 {1, 5}, {3, 7}일 때 두 수의 차가 4이므로

$$\mathrm{P}(X=4)=\frac{2}{{}_4\mathrm{C}_2}=\frac{1}{3}$$

(i), (ii)에서 $\mathrm{P}(X\le 4)=\mathrm{P}(X=2)+\mathrm{P}(X=4)=\frac{1}{2}+\frac{1}{3}=\frac{5}{6}$

따라서 $30k=25$

다른 풀이

뽑은 두 수가 {1, 7}일 때 두 수의 차가 6이므로

$$\mathrm{P}(X=6)=\frac{1}{{}_4\mathrm{C}_2}=\frac{1}{6}$$

$\therefore\ \mathrm{P}(X\le 4)=1-\mathrm{P}(X=6)=1-\frac{1}{6}=\frac{5}{6}$

02 답 1023

GUIDE

$\sum_{x=1}^{10}\frac{{}_{10}\mathrm{C}_x}{k}=\frac{2^{10}-1}{k}=1$을 이용한다.

이산확률변수 X의 확률질량함수가

$\mathrm{P}(X=x)=\frac{{}_{10}\mathrm{C}_x}{k}\ (x=1, 2, 3, \cdots, 10)$이므로

$\frac{{}_{10}\mathrm{C}_1+{}_{10}\mathrm{C}_2+\cdots+{}_{10}\mathrm{C}_{10}}{k}=1$에서 $k=2^{10}-1=1023$

$$\frac{\mathrm{P}(X=1)}{\mathrm{P}(X=3)}=\frac{{}_{10}\mathrm{C}_1}{{}_{10}\mathrm{C}_3}=\frac{1}{12}$$

$$\therefore\ 12k\times\frac{\mathrm{P}(X=1)}{\mathrm{P}(X=3)}=12\times 1023\times\frac{1}{12}=1023$$

03 답 ①

GUIDE

$\mathrm{P}(X=1)=a$라 하면 $\mathrm{P}(X=2)=\frac{a}{3}$, $\mathrm{P}(X=3)=\frac{a}{3^2}$, $\cdots$ 이다.

$\mathrm{P}(X=1)=a$ (a는 상수)라 하면 확률변수 X의 확률분포는 다음과 같다.

X	1	2	3	4	5	계
$\mathrm{P}(X=x)$	a	$\frac{a}{3}$	$\left(\frac{1}{3}\right)^2a$	$\left(\frac{1}{3}\right)^3a$	$\left(\frac{1}{3}\right)^4a$	1

즉 $\mathrm{P}(X=x)$ $(x=1, 2, 3, 4, 5)$는 첫째항이 a이고, 공비가 $\frac{1}{3}$인 등비수열이다. 이때 확률의 총합은 1이므로

$$\sum_{x=1}^{5}\mathrm{P}(X=x)=a+\frac{1}{3}a+\left(\frac{1}{3}\right)^2a+\left(\frac{1}{3}\right)^3a+\left(\frac{1}{3}\right)^4a$$

$$=\frac{a\left\{1-\left(\frac{1}{3}\right)^5\right\}}{1-\frac{1}{3}}=\frac{121}{81}a=1$$

즉 $a=\frac{81}{121}$이므로 $\mathrm{P}(X=5)=\frac{81}{121}\times\left(\frac{1}{3}\right)^4=\frac{1}{121}$

04 답 4

GUIDE

확률변수 X가 취할 수 있는 값 2, 3, 4, 5 각각에 대한 확률을 구해 확률분포표를 만든다.

확률변수 X가 가질 수 있는 값은 2, 3, 4, 5이고, 이 각각의 값에 대한 확률은 다음과 같다.

(i) $\mathrm{P}(X=2)=\frac{2}{5}\times\frac{1}{4}=\frac{1}{10}$

(ii) $\mathrm{P}(X=3)=\frac{2}{5}\times\frac{3}{4}\times\frac{1}{3}+\frac{3}{5}\times\frac{2}{4}\times\frac{1}{3}=\frac{1}{5}$

(iii) $\mathrm{P}(X=4)=\frac{2}{5}\times\frac{3}{4}\times\frac{2}{3}\times\frac{1}{2}+\frac{3}{5}\times\frac{2}{4}\times\frac{2}{3}\times\frac{1}{2}$

$\qquad+\frac{3}{5}\times\frac{2}{4}\times\frac{2}{3}\times\frac{1}{2}$

$\qquad=\frac{3}{10}$

(iv) $\mathrm{P}(X=5)=1-\mathrm{P}(2\le X\le 4)$

$\qquad=1-\left(\frac{1}{10}+\frac{1}{5}+\frac{3}{10}\right)=\frac{2}{5}$

따라서 확률변수 X의 확률분포는 다음과 같다.

X	2	3	4	5	계
$\mathrm{P}(X=x)$	$\frac{1}{10}$	$\frac{1}{5}$	$\frac{3}{10}$	$\frac{2}{5}$	1

$$\therefore\ \mathrm{E}(X)=\frac{2\times 1}{10}+\frac{3\times 1}{5}+\frac{4\times 3}{10}+\frac{5\times 2}{5}=4$$

05 답 ③

GUIDE

$X=4, 5, 6$일 때는 처음에 나온 눈의 수가 1, 2, 3 중 하나인 경우도 있다는 점을 생각한다.

$X=1$인 경우는 처음 나온 눈의 수가 1, 2, 3 중 하나이고, 두 번째로 나온 눈의 수가 1일 때이다.

$\therefore \mathrm{P}(X=1)=\frac{1}{2}\times\frac{1}{6}=\frac{1}{12}$

$X=2$, $X=3$일 때도 마찬가지로 생각할 수 있다.

$X=4$인 경우는 처음 나온 눈의 수가 4이거나 처음 던져 나온 눈의 수가 1, 2, 3 중 하나이고, 두 번째로 나온 눈의 수가 4일 때이다.

$\therefore \mathrm{P}(X=4)=\frac{1}{6}+\frac{1}{2}\times\frac{1}{6}=\frac{1}{4}$

$X=5$, $X=6$일 때도 마찬가지로 생각할 수 있으므로 X의 확률분포는 다음과 같다.

X	1	2	3	4	5	6	계
$\mathrm{P}(X=x)$	$\frac{1}{12}$	$\frac{1}{12}$	$\frac{1}{12}$	$\frac{1}{4}$	$\frac{1}{4}$	$\frac{1}{4}$	1

$\mathrm{E}(X)=\frac{1+2+3+12+15+18}{12}=\frac{17}{4}$

06 답 ⑤

GUIDE

$X=1$인 확률을 구해 보면서 나머지 확률변수에 대한 확률도 같은 방법으로 구한다.

$X=1$인 경우는 $(1, 1)$, $(1, 2)$, $(1, 3)$, $(1, 4)$, $(1, 5)$, $(1, 6)$, $(6, 1)$, $(5, 1)$, $(4, 1)$, $(3, 1)$, $(2, 1)$이므로

$\mathrm{P}(X=1)=\frac{11}{36}$

$X=2, 3, 4, 5, 6$일 때도 같은 방법으로 생각하면 X의 확률분포는 다음과 같다.

X	1	2	3	4	5	6	계
$\mathrm{P}(X=x)$	$\frac{11}{36}$	$\frac{9}{36}$	$\frac{7}{36}$	$\frac{5}{36}$	$\frac{3}{36}$	$\frac{1}{36}$	1

$$\mathrm{E}(X)=1\times\frac{11}{36}+2\times\frac{9}{36}+3\times\frac{7}{36}+4\times\frac{5}{36}+5\times\frac{3}{36}+6\times\frac{1}{36}=\frac{91}{36}$$

07 답 ㄱ, ㄷ

GUIDE

(확률의 총합)$=1$과 $\mathrm{V}(X)=\mathrm{E}(X^2)-\{\mathrm{E}(X)\}^2$을 이용해 한 문자에 대한 이차식을 세운다.

ㄱ. $a+\frac{1}{6}+b+\frac{1}{6}=1$에서 $a+b=\frac{2}{3}$ (○)

ㄴ. $\mathrm{E}(X)=0\times a+1\times\frac{1}{6}+2b+3\times\frac{1}{6}=2b+\frac{2}{3}$이므로

b값이 커지면 X의 평균 $\mathrm{E}(X)$도 커진다. (×)

ㄷ. $\mathrm{V}(X)=1^2\times\frac{1}{6}+2^2\times b+3^2\times\frac{1}{6}-\left(2b+\frac{2}{3}\right)^2$

$=-4\left(b-\frac{1}{6}\right)^2+\frac{4}{3}$

즉 $b=\frac{1}{6}$일 때 $\mathrm{V}(X)$의 최댓값은 $\frac{4}{3}$ (○)

08 답 5

GUIDE

카드 한 장에 대한 기댓값은 $\frac{1+2+\cdots+9}{9}=5$이므로 카드 5장에 적힌 수의 합을 Y라 하면 $\mathrm{E}(Y)=25$임을 이용한다.

꺼낸 카드 5장에 적힌 수의 합을 Y라 하면 확률변수

$X=Y-(45-Y)=2Y-45$이다.

한편 주머니에서 카드 한 장을 꺼낼 때 나오는 수의 기댓값은 5이므로 $\mathrm{E}(Y)=25$이다.

$\therefore \mathrm{E}(X)=2\mathrm{E}(Y)-45=5$

09 답 104

GUIDE

끈 길이를 확률변수 X로 놓으면 끈으로 만든 정사각형의 한 변의 길이는 $\frac{X}{4}$이고, 넓이는 $\frac{X^2}{16}$이다.

각 끈의 길이를 X라 하면 $\mathrm{E}(X)=40$이고, $\sigma(X)=8$에서 $\mathrm{V}(X)=64$이다.

이 끈을 가지고 만들 수 있는 정사각형의 한 변의 길이는 $\frac{X}{4}$이므로 넓이는 $\frac{X^2}{16}$이다.

이때 정사각형 넓이의 평균은

$$\mathrm{E}\left(\frac{X^2}{16}\right)=\frac{1}{16}\mathrm{E}(X^2)=\frac{1}{16}\{\mathrm{V}(X)+(\mathrm{E}(X))^2\}=\frac{1}{16}(64+1600)=104$$

10 답 3760

GUIDE

3의 배수가 나온 횟수를 확률변수 Z라 하고, X, Y를 각각 Z를 이용해 나타낸다.

주사위를 180번 던질 때, 3의 배수가 나오는 횟수를 Z라 하면

확률변수 Z는 이항분포 $\mathrm{B}\left(180, \frac{1}{3}\right)$을 따른다.

즉 $\mathrm{E}(Z)=180\times\frac{1}{3}=60$, $\mathrm{V}(Z)=180\times\frac{1}{3}\times\frac{2}{3}=40$

주어진 조건을 따르면 $X=2Z$, $Y=Z^2$이므로

$\mathrm{E}(X)=2\mathrm{E}(Z)=120$

$\mathrm{E}(Y)=\mathrm{E}(Z^2)=\mathrm{V}(Z)+\{\mathrm{E}(Z)\}^2=40+3600=3640$

따라서 $\mathrm{E}(X)+\mathrm{E}(Y)=3760$

11 답 5

GUIDE

두 눈의 곱이 a 이하가 되는 횟수를 확률변수 X라 하면 상금은 $20X$이고, X는 이항분포를 따른다.

주사위 두 개를 400번 던질 때, 두 눈의 곱이 a 이하가 되는 횟수를 X라 하면 확률변수 X가 이항분포 $B(400, p)$를 따르므로
$E(X)=400p$, $V(X)=400p(1-p)$
이다. 이때 상금이 $20X$이므로
$m=E(20X)=20E(X)$, $\sigma^2(20X)=400V(X)$
즉 $400V(X)\le 15\times 20E(X)$에서
$400^2p(1-p)\le 300\times 400p$이고, 정리하면 $p\ge\frac{1}{4}$
한편 주사위 두 개를 던질 때
두 눈의 곱이 1 이하인 경우의 수는 1
2 이하인 경우의 수는 3, 3 이하인 경우의 수는 5
4 이하인 경우의 수는 8, 5 이하인 경우의 수는 10
그러므로 $p\ge\frac{1}{4}$을 만족시키는 자연수 a의 최솟값은 5

12 답 ④

GUIDE

주사위를 10개 던져 3의 눈이 r개 나올 확률이
$P(X=r)={}_{10}C_r\left(\frac{2}{3}\right)^r\left(\frac{1}{3}\right)^{10-r}$이므로 $E(4^X)=\sum_{r=0}^{10}4^rP(X=r)$
임을 이용한다.

주사위를 1개 던질 때, 3이 나올 확률은 $\frac{2}{3}$이므로 주사위를 10개 던져서 3이 r개 나오는 확률은 ${}_{10}C_r\left(\frac{2}{3}\right)^r\left(\frac{1}{3}\right)^{10-r}$이다.

$$\therefore E(4^X)=\sum_{r=0}^{10}4^r{}_{10}C_r\left(\frac{2}{3}\right)^r\left(\frac{1}{3}\right)^{10-r}$$
$$=\sum_{r=0}^{10}{}_{10}C_r\left(\frac{8}{3}\right)^r\left(\frac{1}{3}\right)^{10-r}=\left(\frac{8}{3}+\frac{1}{3}\right)^{10}=3^{10}$$

13 답 7

GUIDE

❶ 주머니에 흰 공이 x개 있다고 하자.
❷ $X\sim B(n, p)$일 때, $V(X)=np(1-p)$이므로 $p=\frac{1}{2}$일 때 $V(X)$는 최대가 된다. 즉 $p=\frac{1}{2}$ 또는 $p=\frac{1}{2}$에 가장 가까운 값을 갖도록 하는 경우를 생각한다.

주머니에 든 흰 공이 x개라 하면 꺼낸 두 공 모두 흰 공일 확률이 $\frac{{}_xC_2}{{}_{10}C_2}$이므로 X는 이항분포 $B\left(10, \frac{{}_xC_2}{{}_{10}C_2}\right)$를 따른다.
이때 $\frac{{}_xC_2}{{}_{10}C_2}=p$라 하면
$$V(X)=10p(1-p)=-10\left(p-\frac{1}{2}\right)^2+\frac{5}{2}$$
이므로 $p=\frac{1}{2}$일 때 분산 $V(X)$는 최대가 된다.
즉 $p=\frac{{}_xC_2}{{}_{10}C_2}$가 $\frac{1}{2}$에 가장 가깝도록 하는 자연수 x를 정하면 된다.
$\frac{{}_6C_2}{{}_{10}C_2}=\frac{30}{90}$, $\frac{{}_7C_2}{{}_{10}C_2}=\frac{42}{90}$, $\frac{{}_8C_2}{{}_{10}C_2}=\frac{56}{90}$이므로
구하려는 자연수 $x=7$

14 답 ①

GUIDE

짝수가 나온 횟수를 확률변수 X라 하면 홀수가 나온 횟수는 $(10-X)$이고, 확률변수 X는 이항분포 $B\left(10, \frac{1}{2}\right)$을 따른다.

주사위를 10번 던졌을 때, 그 중에서 짝수가 나온 횟수를 확률변수 X라 하면 홀수가 나온 횟수는 $(10-X)$이므로
$Y=\{X-(10-X)\}^2=4(X^2-10X+25)$
이때 X는 이항분포 $B\left(10, \frac{1}{2}\right)$을 따르므로
$E(X)=5$, $V(X)=\frac{5}{2}$이고
$E(X^2)=V(X)+\{E(X)\}^2=\frac{55}{2}$
$$\therefore E(Y)=4\{E(X^2)-10E(X)+25\}$$
$$=4\left(\frac{55}{2}-10\times 5+25\right)=10$$

15 답 55

GUIDE

함수 $f(r)$가 이항분포를 나타내는 확률질량함수이고,
$\sum_{r=0}^{10}r^2f(r)=E(X^2)$이다.

$$f(r)={}_{10}C_r\left(\frac{1}{2}\right)^{10}={}_{10}C_r\left(\frac{1}{2}\right)^r\left(\frac{1}{2}\right)^{10-r}\quad(r=0, 1, \cdots, 10)$$
이므로 함수 $f(r)$는 이항분포 $B\left(10, \frac{1}{2}\right)$을 따르는 확률변수 X의 확률질량함수이다.
이때 $E(X)=10\times\frac{1}{2}=5$, $V(X)=10\times\frac{1}{2}\times\frac{1}{2}=\frac{5}{2}$
그런데 $\sum_{r=0}^{10}r^2f(r)=\sum_{r=0}^{10}r^2P(X=r)=E(X^2)$이므로
$$2\sum_{r=0}^{10}r^2f(r)=2E(X^2)=2[V(X)+\{E(X)\}^2]$$
$$=2\left(\frac{5}{2}+5^2\right)=2\times\frac{55}{2}=55$$

STEP 2 | 1등급 굳히기 p. 63~68

01 ⑤	02 ②	03 7	04 13
05 5	06 9	07 22	08 11
09 ③	10 47	11 11	12 ③
13 56	14 35	15 1	16 356
17 15	18 ②	19 5	20 4
21 325	22 12	23 ⑤	24 ③
25 ①	26 185		

01 답 ⑤

GUIDE

여학생을 ○, 남학생을 ●라 하면 ○○●●, ●●○○, ○●●○처럼 서면 남학생 사이에 있는 여학생은 0명이다. 마찬가지로 여학생이 남학생 사이에 1명 있는 경우의 수, 2명 있는 경우를 생각할 수 있다.

확률변수 X가 가질 수 있는 값은 0, 1, 2이고, 그 확률은

$\mathrm{P}(X=0)=\frac{2!2!\times 3}{4!}=\frac{1}{2}$

$\mathrm{P}(X=1)=\frac{2!2!\times 2}{4!}=\frac{1}{3}$

$\mathrm{P}(X=2)=\frac{2!2!}{4!}=\frac{1}{6}$

이므로 확률변수 X의 확률분포는 다음과 같다.

X	0	1	2	계
$\mathrm{P}(X=x)$	$\frac{1}{2}$	$\frac{1}{3}$	$\frac{1}{6}$	1

$\therefore \mathrm{P}(X\le 1)=\mathrm{P}(X=0)+\mathrm{P}(X=1)=\frac{1}{2}+\frac{1}{3}=\frac{5}{6}$

1등급 NOTE

$\mathrm{P}(X\le 1)=1-\mathrm{P}(X=2)$임을 이용한다.

02 답 ②

GUIDE

$p_1, \cdots, p_5$에서 $p_1=a$, 공비를 r라 하면 $p_2=ar, \cdots, p_5=ar^4$이고, $\mathrm{P}(X=1)+\mathrm{P}(X=2)+\cdots+\mathrm{P}(X=5)=1$을 이용한다.

p_1, p_1, p_3, p_4, p_5가 이 순서대로 등비수열을 이루므로

$p_1=a, p_2=ar, \cdots, p_5=ar^4$이라 하면 확률의 총합이 1이므로

$$\sum_{x=1}^{5}\mathrm{P}(X=x)=\log_2 a+\log_2 ar+\cdots+\log_2 ar^4$$
$$=\log_2 (ar^2)^5=1$$

에서 $ar^2=2^{\frac{1}{5}}$

$$\therefore \mathrm{P}(X=2)+\mathrm{P}(X=4)=\log_2 ar+\log_2 ar^3$$
$$=\log_2 (ar^2)^2$$
$$=\log_2 2^{\frac{2}{5}}=\frac{2}{5}$$

다른 풀이

$p_1, \cdots, p_5$가 이 순서대로 등비수열을 이룰 때,

$\log_2 p_1, \cdots, \log_2 p_5$는 이 순서대로 등차수열을 이룬다.

$\log_2 p_1+\log_2 p_2+\cdots+\log_2 p_5=5\log_2 p_3=1$

$\log_2 p_3=\frac{1}{5}$

이때 $\mathrm{P}(X=2)+\mathrm{P}(X=4)=2\log_2 p_3=\frac{2}{5}$

참고

등차수열 $\{\log_2 p_n\}$에서 공차를 d라 하면

$\log_2 p_1=\log_2 p_3-2d, \log_2 p_2=\log_2 p_3-d$

$\log_2 p_4=\log_2 p_3+d, \log_2 p_5=\log_2 p_3+2d$

03 답 7

GUIDE

a_k는 0, 1, 2, 3 중 하나이고, $a_k=0$인 경우는 주사위를 던져 4가 나올 때이므로 이 확률은 $\frac{1}{6}$이다. 마찬가지로 생각하면

$a_k=1$일 확률은 $\frac{2}{6}$, $a_k=2$일 확률도 $\frac{2}{6}$, $a_k=3$일 확률은 $\frac{1}{6}$이다.

자연수를 4로 나눈 나머지는 0, 1, 2, 3이므로 주사위를 던져 나온 수를 4로 나눈 나머지가 0, 1, 2, 3이 될 확률은 차례로

$\frac{1}{6}, \frac{2}{6}, \frac{2}{6}, \frac{1}{6}$이다.

이때 $X=3$인 경우는 다음과 같다.

(i) a_1, a_2, a_3, a_4가 0, 0, 0, 3의 값을 갖는 경우

0, 0, 0, 3을 일렬로 나열하는 경우와 같으므로

확률은 $\left(\frac{1}{6}\right)^4\times\frac{4!}{3!}=\frac{4}{6^4}$

(ii) a_1, a_2, a_3, a_4가 0, 0, 1, 2의 값을 갖는 경우

0, 0, 1, 2를 일렬로 나열하는 경우와 같으므로

확률은 $\left(\frac{1}{6}\right)^2\times\left(\frac{2}{6}\right)^2\times\frac{4!}{2!}=\frac{48}{6^4}$

(iii) a_1, a_2, a_3, a_4가 1, 1, 1, 0의 값을 갖는 경우

1, 1, 1, 0을 일렬로 나열하는 경우와 같으므로

확률은 $\left(\frac{2}{6}\right)^3\times\frac{1}{6}\times\frac{4!}{3!}=\frac{32}{6^4}$

$\mathrm{P}(X=3)=\frac{4+48+32}{6^4}=\frac{7}{108}=p$

따라서 $108p=7$

04 답 13

GUIDE

$\mathrm{P}(X\ge 1)=1$과 $\mathrm{P}(X=x)=\mathrm{P}(X\ge x)-\mathrm{P}(X\ge x+1)$임을 이용한다.

이산확률변수 X가 가지는 값 1, 2, 3, $\cdots$, $2n$에 대하여 확률의 합이 1이므로

$\mathrm{P}(X\ge 1)=a-\log_{2n+1}1=1 \qquad \therefore a=1$

$\mathrm{P}(X\ge x)=1-\log_{2n+1}x$이므로

$P(X=x)=P(X\ge x)-P(X\ge x+1)$

$=-\log_{2n+1}x+\log_{2n+1}(x+1)$

$=\log_{2n+1}\frac{x+1}{x}$

$P(X=5)=\log_{2n+1}\frac{6}{5}=\log_5\sqrt{6}-\frac{1}{2}$

이때 $\log_5\sqrt{6}-\frac{1}{2}=\log_5\sqrt{\frac{6}{5}}=\log_{25}\frac{6}{5}$이므로

$\log_{2n+1}\frac{6}{5}=\log_{25}\frac{6}{5}$

즉 $2n+1=25$에서 $n=12$

$\therefore a+n=1+12=13$

05 답 5

GUIDE

❶ 흰 공과 검은 공 개수가 같으므로 세 번 모두 검은 공이 나올 확률과 흰 공이 나올 확률은 같다. 즉 $P(X=0)=P(X=3)$이다. 마찬가지로 생각하면 $P(X=1)=P(X=2)$이다.

❷ 한 번의 시행에서 더해지는 공은 2개임을 주의한다.

$X=0$은 세 번 모두 검은 공이 나오는 경우이므로 표와 같이 각 시행을 할 때의 주머니에 든 흰 공과 검은 공 개수를 정리할 수 있다.

	1회	2회	3회
흰 공	4	4	4
검은 공	4	6	8

〈$X=0$일 때〉

$P(X=0)=\frac{4}{8}\times\frac{6}{10}\times\frac{8}{12}=\frac{1}{5}$

$X=1$은 세 번 시행 중 검은 공이 두 번 나오는 경우이다. 이때 흰 공이 나오는 순서를 생각하면

$P(X=1)=3\times\frac{4}{8}\times\frac{6}{10}\times\frac{4}{12}=\frac{3}{10}$

처음 주머니에 든 흰 공 개수와 검은 공 개수가 서로 같으므로

$P(X=0)=P(X=3)$, $P(X=1)=P(X=2)$

이므로 확률변수 X의 확률분포는 다음과 같다.

X	0	1	2	3	계
$P(X=x)$	$\frac{1}{5}$	$\frac{3}{10}$	$\frac{3}{10}$	$\frac{1}{5}$	1

$E(X)=\frac{0+3+6+6}{10}=\frac{3}{2}$

따라서 $p+q=5$

06 답 9

GUIDE

확률변수 X가 가질 수 있는 값은 0, 1, 2이므로 $P(X=1)=1-\{P(X=0)+P(X=2)\}$임을 이용한다.

확률변수 X가 가질 수 있는 값은 0, 1, 2이다.

(i) $X=0$일 때

$a_1<a_2<a_3$인 경우이므로 이 조건을 만족시키는 순서쌍 (a_1, a_2, a_3)의 개수는 4 이하의 자연수 중에서 서로 다른 세 수를 택하여 작은 수부터 차례로 나열하는 경우의 수와 같다. 즉 ${}_4C_3=4$

이때 $P(X=0)=\frac{4}{4^3}=\frac{1}{16}$

(ii) $X=2$일 때

$a_1\ge a_2\ge a_3$인 경우이므로 이 조건을 만족시키는 순서쌍 (a_1, a_2, a_3)의 개수는 4 이하의 자연수 중에서 중복을 허락하여 세 수를 택하여 큰 수부터 차례로 나열하는 경우의 수와 같다. 즉 ${}_4H_3={}_6C_3=20$

이때 $P(X=2)=\frac{20}{4^3}=\frac{5}{16}$

$P(X=1)=1-\{P(X=0)+P(X=2)\}=\frac{10}{16}$

즉 $E(X)=1\times\frac{10}{16}+2\times\frac{5}{16}=\frac{5}{4}$이므로 $p+q=9$

07 답 22

GUIDE

x_k를 틀리면 받는 상금은 k만원이므로 x_{10}을 틀릴 경우 받는 상금은 10만원이고, x_{10}을 맞힐 경우 받는 상금은 a만원이다. 따라서 상금을 확률변수라 하면 X는 1, 2, $\cdots$, 10, a이다.

상금을 확률변수 X라 하면 X에 대한 확률은 다음과 같다.

$P(X=1)=1-\frac{10}{11}=\frac{1}{11}$

$P(X=2)=\frac{10}{11}\times\left(1-\frac{9}{10}\right)=\frac{1}{11}$

$P(X=3)=\frac{10}{11}\times\frac{9}{10}\times\left(1-\frac{9}{10}\right)=\frac{1}{11}$

$\vdots$

$P(X=10)=\frac{10}{11}\times\frac{9}{10}\times\cdots\times\left(1-\frac{1}{2}\right)=\frac{1}{11}$

$P(X=a)=\frac{10}{11}\times\frac{9}{10}\times\cdots\times\frac{1}{2}=\frac{1}{11}$

즉 확률변수 X의 확률분포는 다음과 같다.

X	1	2	$\cdots$	9	10	a	계
$P(X=x)$	$\frac{1}{11}$	$\frac{1}{11}$	$\cdots$	$\frac{1}{11}$	$\frac{1}{11}$	$\frac{1}{11}$	1

즉 $E(X)=\frac{1+2+\cdots+10+a}{11}=5+\frac{a}{11}\ge 7$에서

$a\ge 22$이므로 a의 최솟값은 22

08 답 11

GUIDE

$P(X\le n)=1$과 $P(X=k)=P(X\le k)-P(X\le k-1)$을 이용한다.

$P(X \le k) = ak^2$이고 $P(X \le n) = 1$에서 $an^2 = 1$

즉 $a = \frac{1}{n^2}$이므로 $P(X \le k) = \left(\frac{k}{n}\right)^2$

$$P(X=k) = P(X \le k) - P(X \le k-1)$$
$$= \left(\frac{k}{n}\right)^2 - \left(\frac{k-1}{n}\right)^2 = \frac{2k-1}{n^2}$$

$$E(X) = \sum_{k=1}^{n} kP(X=k) = \sum_{k=1}^{n} k\,\frac{2k-1}{n^2}$$
$$= \frac{1}{n^2}\left(\frac{2n(n+1)(2n+1)}{6} - \frac{n(n+1)}{2}\right)$$
$$= \frac{n(n+1)}{n^2}\left(\frac{4n+2}{6} - \frac{3}{6}\right)$$
$$= \frac{(n+1)(4n-1)}{6n}$$

따라서 $p+q+r = 6+1+4 = 11$

09 답 ③

GUIDE

카드 두 장의 색이 같은 경우에서 빨간색 카드 두 장일 때, 노란색 카드 두 장일 때, 파란색 카드 두 장일 때가 있다. 또 이 각각의 경우에서 카드에 적힌 수를 모두 생각한다.

(i) 카드 세 장의 색이 모두 다를 때

$$P(X=0) = \frac{{}_3C_1 \times {}_2C_1 \times {}_2C_1}{{}_7C_3} = \frac{12}{35}$$

(ii) 카드 두 장의 색만 같을 때

① 빨간색 카드 두 장이

(1, 3)인 경우 : $P(X=2) = \frac{4}{35}$

(1, 5)인 경우 : $P(X=3) = \frac{4}{35}$

(3, 5)인 경우 : $P(X=4) = \frac{4}{35}$

② 노란색 카드가 두 장인 경우 $P(X=3) = \frac{5}{35}$

③ 파란색 카드가 두 장인 경우 $P(X=1) = \frac{5}{35}$

(iii) 카드 세 장의 색이 모두 같을 때 $P(X=9) = \frac{1}{35}$

즉 X의 확률분포는 다음과 같다.

X	0	1	2	3	4	9	계
$P(X=x)$	$\frac{12}{35}$	$\frac{5}{35}$	$\frac{4}{35}$	$\frac{9}{35}$	$\frac{4}{35}$	$\frac{1}{35}$	1

$$E(X) = \frac{5+8+27+16+9}{35} = \frac{65}{35} = \frac{13}{7}$$

10 답 47

GUIDE

X는 5, 4, 3, 2, 1, 0 중 하나이므로 이 값을 기준으로 경우를 나누어 생각한다.

확률변수 X의 값은 5, 4, 3, 2, 1, 0 중 하나이다.

(i) $X=5$: (1, 6, □) 꼴

(1, 6, 1)처럼 같은 것이 있는 경우 ⇨ $2 \times \frac{3!}{2!} = 6$

(1, 6, 2)처럼 같은 것이 없는 경우 ⇨ $4 \times 3! = 24$

∴ $6+24 = 30$(가지)

(ii) $X=4$: (1, 5, □), (2, 6, □) 꼴

(1, 5, 1)처럼 같은 것이 있는 경우 ⇨ $2 \times \frac{3!}{2!} = 6$

(1, 5, 2)처럼 같은 것이 없는 경우 ⇨ $3 \times 3! = 18$

(2, 6, □) 꼴도 마찬가지이다.

∴ $2(6+18) = 48$(가지)

(iii) $X=3$: (1, 4, □), (2, 5, □), (3, 6, □) 꼴

(1, 4, 1)처럼 같은 것이 있는 경우 ⇨ $2 \times \frac{3!}{2!} = 6$

(1, 4, 2)처럼 같은 것이 없는 경우 ⇨ $2 \times 3! = 12$

(2, 5, □), (3, 6, □) 꼴도 마찬가지이다.

∴ $3(6+12) = 54$(가지)

(iv) $X=2$: (1, 3, □), (2, 4, □), (3, 5, □), (4, 6, □) 꼴

(1, 3, 1)처럼 같은 것이 있는 경우 ⇨ $2 \times \frac{3!}{2!} = 6$

(1, 3, 2)처럼 같은 것이 없는 경우 ⇨ $3! = 6$

(2, 4, □), (3, 5, □), (4, 6, □) 꼴도 마찬가지이다.

∴ $4(6+6) = 48$(가지)

(v) $X=1$인 경우:

(1, 2, 1), (1, 2, 2), (2, 3, 2), (2, 3, 3), (3, 4, 3),
(3, 4, 4), (4, 5, 4), (4, 5, 5), (5, 6, 5), (5, 6, 6)

에서 $10 \times \frac{3!}{2!} = 30$(가지)

(vi) $X=0$인 경우는 세 수 모두 같을 때이므로 6(가지)

(i)~(vi)에서 X의 확률분포는 다음과 같다.

X	0	1	2	3	4	5	계
$P(X=x)$	$\frac{6}{216}$	$\frac{30}{216}$	$\frac{48}{216}$	$\frac{54}{216}$	$\frac{48}{216}$	$\frac{30}{216}$	1

$$\therefore E(X) = \frac{1}{216}(30+96+162+192+150) = \frac{35}{12}$$

따라서 $p+q = 47$

11 답 11

GUIDE

확률변수 X를 두 팀의 경기 횟수라 하자. 이 경우 $X=2$이면 두 팀이 치른 경기 횟수가 2임을 뜻하므로 $P(X=2)$는 첫 경기는 무승부이고, 두 번째 경기는 무승부가 아닐 확률이다. 같은 방법으로 생각해서 확률분포를 구한다.

확률변수 X를 두 팀의 경기 횟수라 하면 X가 가질 수 있는 값은 1, 2, ⋯, 10이고, 이때 X에 대한 확률분포는 다음과 같다.

X	1	2	$\cdots$	9	10
$\mathrm{P}(X=x)$	$1-r$	$r(1-r)$	$\cdots$	$r^8(1-r)$	$r^9(1-r)+r^{10}$

따라서 구하려는 기댓값은

$\mathrm{E}(X)=(1-r)(1+2r+3r^2+\cdots+10r^9)+10r^{10}$

한편 $S=1+2r+3r^2+\cdots+10r^9$이라 하면

$rS=r+2r^2+3r^3+\cdots+10r^{10}$에서

$(1-r)S=1+r+r^2+\cdots+r^9-10r^{10}=\dfrac{1-r^{10}}{1-r}-10r^{10}$

에서 $\mathrm{E}(X)=(1-r)S+10r^{10}=\dfrac{1-r^{10}}{1-r}$

$\therefore a+b=1+10=11$

12 답 ③

GUIDE

X, Y 각각에 대한 확률분포를 이용해 XY에 대한 확률분포를 구한다.

A 주머니에서 공 2개를 꺼낼 때

흰 공이 0개 나올 확률은 $\dfrac{{}_2\mathrm{C}_2}{{}_5\mathrm{C}_2}=\dfrac{1}{10}$

흰 공이 1개 나올 확률은 $\dfrac{{}_3\mathrm{C}_1\times{}_2\mathrm{C}_1}{{}_5\mathrm{C}_2}=\dfrac{6}{10}$

흰 공이 2개 나올 확률은 $\dfrac{{}_3\mathrm{C}_2}{{}_5\mathrm{C}_2}=\dfrac{3}{10}$

B 주머니에서도 나오는 흰 공 개수에 따라 확률을 구해 정리하면 표와 같다.

	0개	1개	2개
A	$\frac{1}{10}$	$\frac{6}{10}$	$\frac{3}{10}$
B	$\frac{3}{10}$	$\frac{6}{10}$	$\frac{1}{10}$

이때 $XY=0$인 경우는 (X, Y)가 $(0, 0)$, $(0, 1)$, $(0, 2)$, $(1, 0)$, $(2, 0)$을 생각할 수 있으므로

$\mathrm{P}(XY=0)=\dfrac{1\times3+1\times6+1\times1+6\times3+3\times3}{100}=\dfrac{37}{100}$

같은 방법으로 생각하면 XY의 확률분포는 다음과 같다.

XY	0	1	2	4	계
$\mathrm{P}(XY=x)$	$\frac{37}{100}$	$\frac{36}{100}$	$\frac{24}{100}$	$\frac{3}{100}$	1

$\mathrm{E}(XY)=\dfrac{0+36+48+12}{100}=\dfrac{24}{25}$

13 답 56

GUIDE

확률분포를 이용해 구한 $\mathrm{E}(X)$와 $\mathrm{E}(5X+1)=13$을 이용해 a값을 정한다.

확률변수 X의 확률분포는 다음과 같다.

X	1	2	a	5	계
$\mathrm{P}(X=x)$	$\frac{2}{5}$	$\frac{1}{5}$	$\frac{1}{5}$	$\frac{1}{5}$	1

$\mathrm{E}(X)=1\times\dfrac{2}{5}+2\times\dfrac{1}{5}+a\times\dfrac{1}{5}+5\times\dfrac{1}{5}=\dfrac{9+a}{5}$

그런데 $\mathrm{E}(5X+1)=5\,\mathrm{E}(X)+1=13$이므로

$5\times\dfrac{9+a}{5}+1=13$에서 $a=3$

$\mathrm{V}(X)=1^2\times\dfrac{2}{5}+2^2\times\dfrac{1}{5}+3^2\times\dfrac{1}{5}+5^2\times\dfrac{1}{5}-\left(\dfrac{12}{5}\right)^2=\dfrac{56}{25}$

이때 $\sigma(X)=\sqrt{\mathrm{V}(X)}=\dfrac{\sqrt{56}}{5}$이므로

$\sigma(5X+1)=|5|\sigma(X)=\sqrt{56}=\sqrt{m}$에서 $m=56$

14 답 35

GUIDE

판별식 a^2-b^2에서 $a>b$, $a=b$, $a<b$인 경우를 각각 따져 본다.

$x^2+2ax+b^2=0$의 판별식 $\dfrac{D}{4}=a^2-b^2$에서

$a>b$이면 서로 다른 두 실근 ⇨ $X=2$

$a=b$이면 서로 같은 실근 ⇨ $X=1$

$a<b$이면 실근은 없다 ⇨ $X=0$

이때 $a>b$, $a=b$, $a<b$인 경우의 수는 차례대로

${}_6\mathrm{C}_2=15$, 6, ${}_6\mathrm{C}_2=15$이므로 확률변수 X의 확률분포를 표로 나타내면 다음과 같다.

X	0	1	2	계
$\mathrm{P}(X=x)$	$\frac{15}{36}$	$\frac{6}{36}$	$\frac{15}{36}$	1

이때 $\mathrm{E}(X)=\dfrac{1}{36}(6+30)=1$

$\mathrm{V}(X)=\dfrac{1^2\times6+2^2\times15}{36}-1^2=\dfrac{5}{6}$

$\therefore \mathrm{E}(6X-1)+\mathrm{V}(6X+1)=6\mathrm{E}(X)-1+6^2\,\mathrm{V}(X)$

$=6-1+30=35$

15 답 1

GUIDE

0, 2, 6이 적힌 카드가 각각 a장, b장, c장 있다고 생각해 $\mathrm{E}(X)$, $\mathrm{V}(X)$를 구한다.

0, 2, 6이 적힌 카드가 차례로 a장, b장, c장 있다고 하면 X의 확률분포는 다음과 같다.

X	0	2	6	계
$\mathrm{P}(X=x)$	$\frac{a}{10}$	$\frac{b}{10}$	$\frac{c}{10}$	1

$\mathrm{E}(X)=2\times\dfrac{b}{10}+6\times\dfrac{c}{10}=3$에서

$b+3c=15$ …… ㉠

$\mathrm{V}(X)=2^2\times\dfrac{b}{10}+6^2\times\dfrac{c}{10}-3^2\le6$에서

$2b+18c\le75$ …… ㉡

㉠을 만족시키는 (b, c)는 $(3, 4)$, $(6, 3)$이고 이중에서
㉡을 만족시키는 것은 $(6, 3)$
즉 2를 쓴 카드는 6장, 6을 쓴 카드는 3장이어야 하고,
$a+b+c=10$이므로 0을 쓴 카드는 1장이면 된다.

1등급 NOTE

a, b, c가 8 이하의 자연수이므로 $b+3c=15$를 만족시키는 것은 $(1, 6, 3)$, $(3, 3, 4)$ 두 가지 경우뿐이다. 두 경우에서 각각 $V(X)$를 구해 $V(X) \le 6$이 되는 것을 확인한다.

16 답 356

GUIDE

그림은 기울기가 -1, 0, 1인 접선이 원 $x^2+y^2=2$에 접하는 경우를 나타내고 있다.
이때 접선의 방정식은 각각
$y=-x\pm2$, $y=\pm\sqrt{2}$, $y=x\pm2$다.

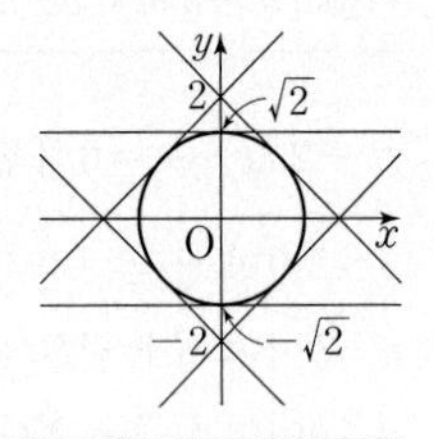

원 $x^2+y^2=2$에 접하는 기울기가 -1, 0, 1인 접선은 각각 $y=-x\pm2$, $y=\pm\sqrt{2}$, $y=x+-2$이므로 m, n의 값에 따른 교점의 개수 X는 다음과 같다.

m \ n	-3	-2	-1	0	1	2	3
-1	0	1	2	2	2	1	0
0	0	0	2	2	2	0	0
1	0	1	2	2	2	1	0

두 상자 A, B에서 동시에 카드를 한 장씩 뽑는 전체 경우의 수가 $3\times7=21$이므로 확률변수 X의 확률분포를 표는 다음과 같다.

X	0	1	2	계
$P(X=x)$	$\frac{8}{21}$	$\frac{4}{21}$	$\frac{9}{21}$	1

$\therefore E(X)=1\times\frac{4}{21}+2\times\frac{9}{21}=\frac{22}{21}$

$V(X)=E(X^2)-\{E(X)\}^2=\frac{4+36}{21}-\left(\frac{22}{21}\right)^2=\frac{356}{21^2}$

따라서 $V(21X+8)=21^2V(X)=356$

17 답 15

GUIDE

직사각형의 가로 길이를 X_k, 세로 길이를 Y_k라 하면, 구하려는 것이 $E(X_kY_k)$임을 생각한다. (단, $k=1, 2, 3, \cdots, n$)

각 직사각형의 가로 길이를 X_k, 세로 길이를 Y_k라 하자.

$$E(X_k)=\frac{\sum_{k=1}^{n}X_k}{n}=8$$

$$V(X_k)=\frac{\sum_{k=1}^{n}X_k^2}{n}-\{E(X_k)\}^2=\frac{1}{n}\sum_{k=1}^{n}X_k^2-64=1$$

$$\therefore \frac{1}{n}\sum_{k=1}^{n}X_k^2=E(X_k^2)=65$$

$2(X_k+Y_k)=20$에서 $Y_k=10-X_k$

이때 구하려는 $E(X_kY_k)=\frac{1}{n}\sum_{k=1}^{n}X_kY_k$이므로

$$\begin{aligned}\frac{1}{n}\sum_{k=1}^{n}X_kY_k&=\frac{1}{n}\sum_{k=1}^{n}X_k(10-X_k)\\&=10\times\frac{1}{n}\sum_{k=1}^{n}X_k-\frac{1}{n}\sum_{k=1}^{n}X_k^2\\&=10E(X_k)-E(X_k^2)=15\end{aligned}$$

참고

$E(X_kY_k)=E(10X_k-X_k^2)=10E(X_k)-E(X_k^2)$
임을 이용해도 된다.

18 답 ②

GUIDE

주사위를 던져 나온 눈의 수를 확률변수 X라 하면
$E(mX+n)-100=0$을 이용해 $V(mX+n-100)$을 구한다.

주사위를 던져 나온 눈의 수를 확률변수 X라 하면

$E(X)=\frac{1}{6}(1+2+3+4+5+6)=\frac{7}{2}$이므로

$E(mX+n-100)=mE(X)+n-100=\frac{7}{2}m+n-100$

문제의 조건에서 $\frac{7}{2}m+n-100=0$이고, m, n이 양의 정수이므로 $\frac{7}{2}m+n=100$을 만족시키는 m은 짝수이다. 즉 (m, n)은 $(2, 93)$, $(4, 86)$, $(6, 79)$, $\cdots$, $(28, 2)$이다.
한편 참가비 100을 제외하고 받는 금액의 분산은
$V(mX+n-100)=m^2V(X)$이므로 이 분산의 값이 최소가 되는 경우는 m의 값이 가장 작을 때, 즉 $m=2$, $n=93$일 때이다.

$V(X)=\frac{1^2+2^2+\cdots+6^2}{6}-\left(\frac{7}{2}\right)^2=\frac{35}{12}$

에서 구하려는 분산의 최솟값은

$V(2X-7)=2^2V(X)=4\times\frac{35}{12}=\frac{35}{3}$

19 답 5

GUIDE

A가 1점을 얻을 확률과 B가 1점을 얻을 확률을 구해 X, Y가 따르는 이항분포를 이용한다.

A, B 두 사람이 각각 주사위 한 개를 동시에 던질 때 나오는 눈의 전체 경우의 수는 $6\times6=36$이고, 두 주사위의 눈의 수의 차가 3보다 작은 경우의 수는 다음과 같다.

(i) 차가 0인 경우의 수

(1, 1), (2, 2), (3, 3), (4, 4), (5, 5), (6, 6) ⇨ 6

(ii) 차가 1인 경우의 수

(1, 2), (2, 1), (2, 3), (3, 2), (3, 4), (4, 3), (4, 5), (5, 4), (5, 6), (6, 5) ⇨ 10

(iii) 차가 2인 경우의 수

(1, 3), (3, 1), (2, 4), (4, 2), (3, 5), (5, 3), (4, 6), (6, 4) ⇨ 8

(i), (ii), (iii)에서 차가 3보다 작은 경우는

$6+10+8=24$(가지)이므로 A가 1점을 얻을 확률은

$\frac{24}{36}=\frac{2}{3}$이고, 이때 B가 1점을 얻을 확률은 $\frac{1}{3}$이다.

15번의 시행에서 A가 얻는 점수를 확률변수 X라 하면

X는 이항분포 $\mathrm{B}\left(15, \frac{2}{3}\right)$를 따르고, B가 얻는 점수를 확률변수

Y라 하면 Y는 이항분포 $\mathrm{B}\left(15, \frac{1}{3}\right)$을 따른다.

$\mathrm{E}(X)=15\times\frac{2}{3}=10$, $\mathrm{E}(Y)=15\times\frac{1}{3}=5$

따라서 A, B가 얻는 점수 기댓값의 차는 5점이다.

20 답 4

GUIDE

$\mathrm{P}(X=x)={}_9\mathrm{C}_x\left(\frac{1}{2}\right)^x\left(\frac{1}{2}\right)^{9-x}={}_9\mathrm{C}_x\left(\frac{1}{2}\right)^9$ $(x=0, 1, \cdots, 9)$

확률변수 X는 이항분포 $\mathrm{B}\left(9, \frac{1}{2}\right)$을 따르므로

$\mathrm{P}(X=x)={}_9\mathrm{C}_x\left(\frac{1}{2}\right)^x\left(\frac{1}{2}\right)^{9-x}={}_9\mathrm{C}_x\left(\frac{1}{2}\right)^9$ $(x=0, 1, \cdots, 9)$

이때 $\mathrm{P}(X\le k)\le 0.5$에서 $\sum_{x=0}^{k}{}_9\mathrm{C}_x\left(\frac{1}{2}\right)^9\le 0.5$

$\therefore \sum_{x=0}^{k}{}_9\mathrm{C}_x\le 256$

그런데 ${}_9\mathrm{C}_0+{}_9\mathrm{C}_1+{}_9\mathrm{C}_2+\cdots+{}_9\mathrm{C}_9=2^9$이고

${}_9\mathrm{C}_0+{}_9\mathrm{C}_1+{}_9\mathrm{C}_2+{}_9\mathrm{C}_3+{}_9\mathrm{C}_4={}_9\mathrm{C}_9+{}_9\mathrm{C}_8+{}_9\mathrm{C}_7+{}_9\mathrm{C}_6+{}_9\mathrm{C}_5$

이므로 ${}_9\mathrm{C}_0+{}_9\mathrm{C}_1+{}_9\mathrm{C}_2+{}_9\mathrm{C}_3+{}_9\mathrm{C}_4=\frac{1}{2}\times 2^9=256$

따라서 자연수 k의 최댓값은 4이다.

21 답 325

GUIDE

조건에 주어진 확률을 각각 구해 두 확률변수 X, Y가 따르는 이항분포에서 $\mathrm{E}(X)=\mathrm{E}(Y)$, $\mathrm{V}(X)=\mathrm{V}(Y)$를 이용한다.

흰 공 3개와 검은 공 2개가 들어 있는 주머니에서

두 개 모두 흰 공이 나올 확률은 $\frac{{}_3\mathrm{C}_2}{{}_5\mathrm{C}_2}=\frac{3}{10}$

흰 공 1개와 검은 공 4개가 들어있는 주머니에서 꺼낸 두 공 색이

서로 다를 확률은 $\frac{{}_1\mathrm{C}_1\times{}_4\mathrm{C}_1}{{}_5\mathrm{C}_2}=\frac{4}{10}=\frac{2}{5}$

즉 확률변수 X는 이항분포 $\mathrm{B}\left(200, \frac{3}{10}\right)$을 따르고, 확률변수

Y는 이항분포 $\mathrm{B}\left(n, \frac{2}{5}\right)$를 따른다.

$\mathrm{E}(X)=200\times\frac{3}{10}=60$, $\mathrm{V}(X)=200\times\frac{3}{10}\times\frac{7}{10}=42$

$\mathrm{E}(Y)=n\times\frac{2}{5}=\frac{2}{5}n$, $\mathrm{V}(Y)=n\times\frac{2}{5}\times\frac{3}{5}=\frac{6}{25}n$

이때 $\frac{2}{5}n_1=60$, $\frac{6}{25}n_2=42$이므로 $n_1=150$, $n_2=175$

$\therefore n_1+n_2=150+175=325$

22 답 12

GUIDE

(가), (나)를 이용해 n, p의 값을 각각 구한다. 이때 확률질량함수가 $\mathrm{P}(X=r)={}_n\mathrm{C}_r p^r(1-p)^{n-r}$임을 이용한다.

이항분포 $\mathrm{B}(n, p)$를 따르는 확률변수 X의 확률질량함수는

$\mathrm{P}(X=r)={}_n\mathrm{C}_r p^r(1-p)^{n-r}$ $(r=0, 1, 2, \cdots, n)$

조건 (가)에서 $\mathrm{P}(X=n-1)=48\mathrm{P}(X=n)$이므로

${}_n\mathrm{C}_{n-1}p^{n-1}(1-p)=48\times{}_n\mathrm{C}_n p^n$

$\therefore n(1-p)=48p$ ...... ㉠

조건 (나)에서 $\mathrm{V}(X)=3$이므로 $np(1-p)=3$ ...... ㉡

㉠을 ㉡에 대입하면 $48p^2=3$, $p=\frac{1}{4}$ $(0\le p\le 1)$

$p=\frac{1}{4}$을 ㉠에 대입하면 $\frac{3}{4}n=12$ $\therefore n=16$

즉 확률변수 X가 이항분포 $\mathrm{B}\left(16, \frac{1}{4}\right)$을 따르므로

$\mathrm{E}(X)=16\times\frac{1}{4}=4$, $\mathrm{V}(X)=16\times\frac{1}{4}\times\frac{3}{4}=3$

이때 $\mathrm{E}(X-1)=\mathrm{E}(X)-1=3$, $\mathrm{V}(X-1)=\mathrm{V}(X)=3$

$\therefore \mathrm{E}((X-1)^2)=\mathrm{V}(X-1)+\{\mathrm{E}(X-1)\}^2=12$

따라서 $\mathrm{E}(X^2-2X+1)=\mathrm{E}((X-1)^2)=12$

참고

$\mathrm{E}(X^2)=\mathrm{V}(X)+\{\mathrm{E}(X)\}^2=3+16=19$이므로

$\mathrm{E}(X^2-2X+1)=\mathrm{E}(X^2)-2\mathrm{E}(X)+1=19-8+1=12$

처럼 풀어도 된다.

23 답 ⑤

GUIDE

$\frac{{}_{50}\mathrm{C}_x\times 4^x}{5^{50}}={}_{50}\mathrm{C}_x\left(\frac{4}{5}\right)^x\left(\frac{1}{5}\right)^{50-x}$임을 이용한다.

$P(X=x)=\frac{{}_{50}C_x \times 4^x}{5^{50}}={}_{50}C_x\left(\frac{4}{5}\right)^x\left(\frac{1}{5}\right)^{50-x}$ 이므로

확률변수 X는 이항분포 $B\left(50, \frac{4}{5}\right)$를 따른다.

$E(X)=40$, $V(X)=8$이고

$$\sum_{x=0}^{50} x^2{}_{50}C_x \frac{4^x}{5^{49}}=5\sum_{x=0}^{50} x^2{}_{50}C_x\left(\frac{4}{5}\right)^x\left(\frac{1}{5}\right)^{50-x}$$

$$=5E(X^2)=5(8+1600)=8040$$

24 답 ③

GUIDE

$\sum_{x=1}^{6} P(X=x)=1$을 이용해 k값을 구한다.

$\sum_{x=1}^{6} P(X=x)=\frac{1}{k}\sum_{x=1}^{6} {}_6C_x=\frac{1}{k}(2^6-1)=1$이므로

$k=2^6-1=63=3^2\times 7$

$$E(X)=\sum_{x=1}^{6} xP(X=x)=\frac{1}{k}\sum_{x=1}^{6} x\,{}_6C_x$$

$$=\frac{2^6}{k}\sum_{x=1}^{6} x\,{}_6C_x\left(\frac{1}{2}\right)^6=\frac{2^6}{k}\sum_{x=0}^{6} x\,{}_6C_x\left(\frac{1}{2}\right)^6=\frac{2^6}{k}\times 3$$

$\left(\because\right.$ 이항분포 $B\left(6, \frac{1}{2}\right)$를 따르는 확률변수의 확률질량함수는

${}_6C_x\left(\frac{1}{2}\right)^6$이고 평균은 $\sum_{x=0}^{6} x\,{}_6C_x\left(\frac{1}{2}\right)^6=6\times\frac{1}{2}=3\left.\right)$

따라서 $m=\frac{2^6}{k}\times 3$에서 $k^2m=2^6\times 3k=2^6\times 3^3\times 7$이므로

$a+b+c=10$

1등급 NOTE

항등식 $(x+1)^n=\sum_{k=0}^{n} {}_nC_k x^k$의 양변을 x에 대하여 미분하면

$n(x+1)^{n-1}=\sum_{k=1}^{n} k\times{}_nC_k x^{k-1}$

위 식의 양변에 $x=1$을 대입하면 $n\times 2^{n-1}=\sum_{k=1}^{n} k_nC_k$

$\therefore \sum_{x=1}^{6} x\,{}_6C_x=6\times 2^5=3\times 2^6$

25 답 ①

GUIDE

추가된 부품 S의 개수를 확률변수 X라 하면 X는 이항분포 $B\left(2, \frac{1}{2}\right)$을 따르므로 $P(X=k)={}_2C_k\left(\frac{1}{2}\right)^2$을 구할 수 있다. (단, $k=0, 1, 2$)

추가된 부품 중 S의 개수를 X라 하면 $B\left(2, \frac{1}{2}\right)$을 따르므로

$P(X=0)={}_2C_0\left(\frac{1}{2}\right)^0\left(\frac{1}{2}\right)^2=\frac{1}{4}$

$P(X=1)={}_2C_1\left(\frac{1}{2}\right)^1\left(\frac{1}{2}\right)^1=\frac{1}{2}$, $P(X=2)={}_2C_2\left(\frac{1}{2}\right)^2=\frac{1}{4}$

부품 7개 중에서 임의로 1개를 택한 것이 T인 사건을 A라 하고, 추가된 부품이 모두 S인 사건을 B라 하면 구하려는 확률은

$$P(B|A)=\frac{P(A\cap B)}{P(A)}=\frac{\frac{1}{4}\times\frac{2}{7}}{\frac{1}{4}\times\frac{4}{7}+\frac{1}{2}\times\frac{3}{7}+\frac{1}{4}\times\frac{2}{7}}=\frac{1}{6}$$

참고

$X=0$이면 부품 7개 중 S가 3개, T가 4개
$X=1$이면 부품 7개 중 S가 4개, T가 3개
$X=2$이면 부품 7개 중 S가 5개, T가 2개

26 답 185

GUIDE

6의 약수가 나온 횟수를 Y라 하면 6의 약수가 아닌 횟수는 $5-Y$이므로 횟수의 차 X는 $X=|Y-(5-Y)|=|2Y-5|$

6의 약수가 나온 횟수를 Y라 하면 6의 약수가 아닌 횟수는 $5-Y$이므로 횟수의 차 X는 $X=|Y-(5-Y)|=|2Y-5|$이다.

$Y=0, 5$일 때, $X=5$

$Y=1, 4$일 때, $X=3$

$Y=2, 3$일 때, $X=1$

매회 시행마다 사건 Y가 일어날 확률이 $\frac{2}{3}$이므로 각각의 확률은 다음과 같다.

$P(X=1)={}_5C_2\left(\frac{2}{3}\right)^2\left(\frac{1}{3}\right)^3+{}_5C_3\left(\frac{2}{3}\right)^3\left(\frac{1}{3}\right)^2=\frac{120}{243}$

$P(X=3)={}_5C_1\left(\frac{2}{3}\right)^1\left(\frac{1}{3}\right)^4+{}_5C_4\left(\frac{2}{3}\right)^4\left(\frac{1}{3}\right)^1=\frac{90}{243}$

$P(X=5)={}_5C_0\left(\frac{2}{3}\right)^0\left(\frac{1}{3}\right)^5+{}_5C_5\left(\frac{2}{3}\right)^5\left(\frac{1}{3}\right)^0=\frac{33}{243}$

따라서 X의 확률분포는 다음과 같다.

X	1	3	5	계
$P(X=x)$	$\frac{120}{243}$	$\frac{90}{243}$	$\frac{33}{243}$	1

$E(X)=\frac{120+270+165}{243}=\frac{555}{243}=\frac{185}{81}$

따라서 $E(81X)=81E(X)=185$

STEP 3 | 1등급 뛰어넘기 p. 69~71

01 32	**02** 100	**03** 422	**04** 58
05 ④	**06** 17분	**07** ②	**08** ④
09 1	**10** 21		

01 답 32

GUIDE

1번과 2번 문제를 맞히면 3점을 얻으므로 3번을 틀리더라도 4번 문제를 풀게 됨을 주의한다.

퀴즈가 끝날 때까지 답한 문제 수를 X일 때 $X=1$은 1번 문제를 틀리는 경우이고, $X=2$는 1번 문제를 맞히고, 2번 문제를 틀리는 경우이다. 또 $X=3$은 1번, 2번 문제를 풀고 3번 문제까지만 답하는 경우인데, 1번, 2번 문제를 풀면 3점을 얻으므로 3번 문제를 틀리더라도 점수가 음수가 아니므로 4번 문제를 풀게 된다. 따라서 X에 대한 확률분포는 다음과 같다.

X	1	2	3	4	계
$P(X=x)$	$\frac{1}{10}$	$\frac{9}{10}\times\frac{2}{10}$	0	$\frac{9}{10}\times\frac{8}{10}$	1

이때 $P(X=4)$가 가장 큰 값이므로 $k=4$

또 퀴즈가 끝날 때 점수를 Y라 하면 확률분포는 다음과 같다.

$P(Y=-1)=\frac{1}{10}+\frac{9}{10}\times\frac{2}{10}$

$P(Y=-4)=\frac{9}{10}\times\frac{8}{10}\times\frac{3}{10}\times\frac{4}{10}$

$P(Y=2)=\frac{9}{10}\times\frac{8}{10}\times\frac{7}{10}\times\frac{4}{10}$

$P(Y=4)=\frac{9}{10}\times\frac{8}{10}\times\frac{3}{10}\times\frac{6}{10}$

$P(Y=10)=\frac{9}{10}\times\frac{8}{10}\times\frac{7}{10}\times\frac{6}{10}$

이때 $P(Y=-4)$가 가장 작은 값이므로 $m=-4$

따라서 $k^2+m^2=4^2+(-4)^2=32$

02 답 100

GUIDE

$ab=\frac{1}{2}\{(a+b)^2-(a^2+b^2)\}$

$ab+bc+ca=\frac{1}{2}\{(a+b+c)^2-(a^2+b^2+c^2)\}$

$ab+bc+\cdots+ja=\frac{1}{2}\{(a+b+\cdots+j)^2-(a^2+b^2+\cdots+j^2)\}$

두 장의 카드를 동시에 꺼내므로 같은 수가 적힌 카드가 나올 수는 없다. 즉 확률변수 X는 1부터 10까지의 수 중 서로 다른 두 수의 곱이 되고, 모든 확률변수들의 합은 다음과 같다.

$\frac{1}{2}\{(1+2+\cdots+10)^2-(1^2+2^2+\cdots+10^2)\}$

$=\frac{1}{2}\left(55^2-\frac{10\times11\times21}{6}\right)=\frac{55\times48}{2}=55\times24$

한편 각 확률변수가 나타날 확률은 $\frac{1}{{}_{10}C_2}=\frac{1}{45}$로 일정하므로

$E(X)=\frac{55\times24}{45}=\frac{88}{3}$

$\therefore\ E(3X+12)=3E(X)+12=100$

03 답 422

GUIDE

간단한 경우, 예를 들어 $n=3$일 때 $P(X=0)$, $P(X=1)$, $P(X=2)$, $P(X=3)$을 구해보면서 $P(X=k)$를 생각한다.

n번 시행 후 점 A의 위치를 확률변수 X라 하면

$P(X=0)=\frac{1}{3}$

$1\le k\le n-1$일 때 $P(X=k)=\frac{1}{3}\left(\frac{2}{3}\right)^k$

$P(X=n)=\left(\frac{2}{3}\right)^n$

이다. 따라서 E_n은 다음과 같다.

$E_n=0\times\frac{1}{3}+\sum_{k=1}^{n-1}k\times\frac{1}{3}\times\left(\frac{2}{3}\right)^k+n\left(\frac{2}{3}\right)^n$

$=\frac{1}{3}\times\frac{2}{3}+\frac{2}{3}\times\left(\frac{2}{3}\right)^2+\frac{3}{3}\times\left(\frac{2}{3}\right)^3+\cdots$

$+\frac{n-1}{3}\left(\frac{2}{3}\right)^{n-1}+n\left(\frac{2}{3}\right)^n$

이때 $\frac{2}{3}E_n=\frac{1}{3}\times\left(\frac{2}{3}\right)^2+\frac{2}{3}\times\left(\frac{2}{3}\right)^3+\cdots+n\left(\frac{2}{3}\right)^{n+1}$ 이므로

$E_n-\frac{2}{3}E_n=\frac{1}{3}\left\{\frac{2}{3}+\left(\frac{2}{3}\right)^2+\cdots+\left(\frac{2}{3}\right)^{n-1}\right\}$

$-(n-1)\frac{1}{3}\left(\frac{2}{3}\right)^n+\frac{n}{3}\left(\frac{2}{3}\right)^n$

$\therefore\ E_n=\frac{2}{3}+\left(\frac{2}{3}\right)^2+\cdots+\left(\frac{2}{3}\right)^{n-1}+\left(\frac{2}{3}\right)^n=2\left\{1-\left(\frac{2}{3}\right)^n\right\}$

이때 $E_5=2\left(1-\frac{32}{243}\right)=\frac{422}{243}$ 이므로

$243E_5=422$

참고

예를 들어 $n=3$일 때 $P(X=0)$을 다음과 같이 생각할 수 있다.

(i) 5 이상의 눈이 한 번만 나오는 경우

$\frac{2}{3}\times\frac{2}{3}\times\frac{1}{3}=\frac{4}{27}$

(ii) 5 이상의 눈이 두 번 나오는 경우

$\frac{2}{3}\times\frac{1}{3}\times\frac{1}{3}+\frac{1}{3}\times\frac{2}{3}\times\frac{1}{3}=\frac{4}{27}$

(iii) 5 이상의 눈이 세 번 나오는 경우

$\frac{1}{3}\times\frac{1}{3}\times\frac{1}{3}=\frac{1}{27}$

(i), (ii), (iii)에서 $P(X=0)=\frac{4+4+1}{27}=\frac{1}{3}$

또 $P(X=1)=\frac{1}{3}\times\frac{1}{3}\times\frac{2}{3}+\frac{2}{3}\times\frac{1}{3}\times\frac{2}{3}=\frac{1}{3}\times\frac{2}{3}$

$P(X=2)=\frac{1}{3}\times\frac{2}{3}\times\frac{2}{3}=\frac{1}{3}\times\left(\frac{2}{3}\right)^2$

$P(X=3)=\left(\frac{2}{3}\right)^3$

04 답 58

GUIDE

$n=2, 3, 4, 5, 6$ 각각에 대하여 X에 대한 경우의 수를 구한다.

1, 2, 3이 적힌 공의 개수를 차례로 a, b, c라 하자.

$a+b+c=10$에서 $n=2$이면 $a=2$, $b=2$, $c=6$이다.

즉 1, 1, 2, 2, 3, 3, 3, 3, 3, 3에서 두 수를 뽑는 전체 경우의 수가 ${}_{10}C_2=45$이므로 두 수의 합과 이때의 확률변수 X에 대한 확률분포는 다음과 같다.

합	1+1	1+2	1+3	2+2	2+3	3+3	계
X	2	3	0	0	1	2	
경우의 수	1	4	12	1	12	15	45
$P(X=x)$	$\frac{1}{45}$	$\frac{4}{45}$	$\frac{12}{45}$	$\frac{1}{45}$	$\frac{12}{45}$	$\frac{15}{45}$	1

이때 $E(X)=\frac{2\times1+3\times4+1\times12+2\times15}{45}=\frac{56}{45}$

같은 방법으로 $n=3$, 4, 5, 6일 때 1, 2, 3이 적힌 공의 개수에 대하여 두 수의 합과 이때의 확률변수 X의 경우의 수를 정리하면 다음과 같다

	X	$n=2$	$n=3$	$n=4$	$n=5$	$n=6$
1+1	2	1	1	1	1	1
1+2	3	4	6	8	10	12
1+3	0	12	10	8	6	4
2+2	0	1	3	6	10	15
2+3	1	12	15	16	15	12
3+3	2	15	10	6	3	1
X의 합		56	55	54	53	52

$n=2$, 3, $\cdots$, 6 중 $n=2$일 때 X와 경우의 수를 곱한 것들의 합이 가장 크다. 즉 $a=2$이고, 이때 기댓값 $E(X)=\frac{56}{45}=b$에서

$45b=56$이므로 $a+45b=2+56=58$

05 답 ④

GUIDE

$F_n(1)+F_n(-1)$
$=\{f_1(1)+f_1(-1)\}+\{f_2(1)+f_2(-1)\}+\cdots+\{f_n(1)+f_n(-1)\}$
이므로 $f_k(1)+f_k(-1)$을 생각한다.

$F_n(1)=f_1(1)+f_2(1)+\cdots+f_n(1)$

$F_n(-1)=f_1(-1)+f_2(-1)+\cdots+f_n(-1)$

이고, 이때 $f_k(1)+f_k(-1)=b_k$라 하자.

k번째 나온 눈의 수가 짝수이면

$f_k(1)=a_k$, $f_k(-1)=a_k$

k번째 나온 눈의 수가 홀수이면

$f_k(1)=a_k$, $f_k(-1)=-a_k$

$$b_k=\begin{cases} 2a_k & (a_k\text{가 짝수}) \\ 0 & (a_k\text{가 홀수}) \end{cases}$$

이때 $E(b_k)=\frac{1}{6}(0+4+0+8+0+12)=4$

$$E(F_n(1)+F_n(-1))=E\left(\sum_{k=1}^{n}b_k\right)=\sum_{k=1}^{n}E(b_k)=4n$$

06 답 17분

GUIDE

a, b를 모두 지나가는 경우, a, b 중 하나만 지나는 경우, a, b 둘 다 지나지 않는 경우로 나누어 생각한다.

가능한 모든 최단 경로의 수는 $\frac{8!}{4!4!}=70$

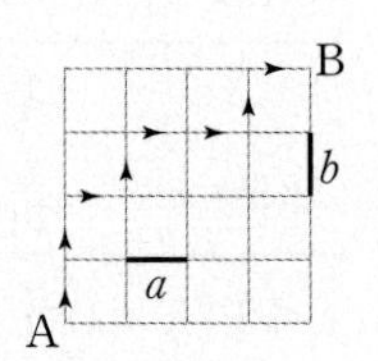

이다. 이때 a, b를 동시에 지나는 경로의 수는 $2\times3=6$이고, 이 경우 걸리는 시간은 21분이다.

a는 지나지만 b를 지나지 않는 경로의 수는

$2\times3\times2+2\times1=14$이고, 이 경우 걸리는 시간은 15분이다.

또 a를 지나지 않고, b를 지나는 경로의 수는 9이고, 이 경우 걸리는 시간은 22분이다.

a, b를 모두 지나지 않는 경로의 수는

$70-(6+14+9)=41$

이고, 이 경우 걸리는 시간은 16분이다.

A 지점에서 B 지점으로 가는 데 걸리는 시간의 기댓값은

$\frac{(21\times6)+(15\times14)+(22\times9)+(16\times41)}{70}=17$(분)

07 답 ②

GUIDE

(x, y)에서 $(x+1, y+1)$으로의 점프가 가장 많을 때, 즉 세 번 있을 때 X는 가장 작다. 이때 총 점프 횟수는 4이다.
마찬가지로 (x, y)에서 $(x+1, y+1)$으로의 점프가 두 번일 때, 한 번일 때, 한 번도 없을 때를 생각한다.

좌표평면 위의 한 점 (x, y)에서 세 점 $(x+1, y)$, $(x, y+1)$, $(x+1, y+1)$로 이동하는 것을 차례로 a, b, c라 하고, 점 $(0, 0)$에서 점 $(4, 3)$까지 이동하는 모든 경우의 수를 N이라 하자.

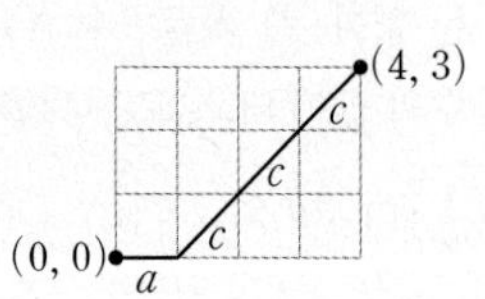

점 $(0, 0)$에서 점 $(4, 3)$까지 이동할 때 점프 횟수가 가장 작은 경우는 그림처럼 a, c, c, c를 일렬로 나열할 때이다. 이때 점프 횟수는 4이므로 $k=4$이고, $X=4$가 되는 경우의 수는

$\frac{4!}{3!}=4$

또 가장 큰 값은 $k+3=4+3=7$이다.

$\therefore P(X=k)=P(X=4)=\frac{1}{N}\times\frac{4!}{3!}=\frac{4}{N}$

점프 횟수가 5, 즉 $X=5$인 경우의 수는 그림처럼 a, a, b, c, c를 일렬로 나열하는 경우의 수와 같으므로

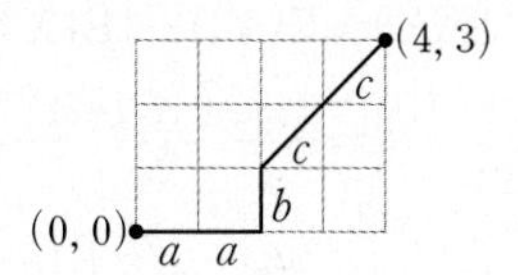

$\frac{5!}{2!2!}=30$

$\therefore \mathrm{P}(X=5)=\mathrm{P}(X=k+1)=\frac{1}{N}\times\frac{5!}{2!2!}=\frac{30}{N}$

점프 횟수가 6, 즉 $X=6$인 경우의 수는 그림처럼 a, a, a, b, b, c를 일렬로 나열하는 경우의 수와 같으므로

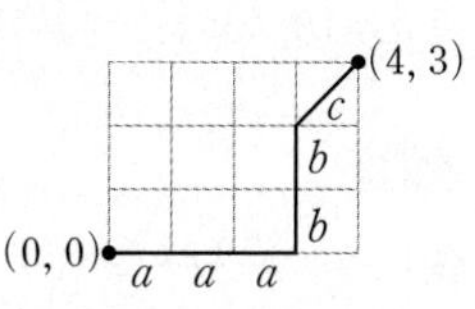

$\frac{6!}{3!2!}=60$

$\therefore \mathrm{P}(X=6)=\mathrm{P}(X=k+2)=\frac{1}{N}\times\frac{6!}{3!2!}=\frac{1}{N}\times 60=$(나)

점프 횟수가 7, 즉 $X=7$인 경우의 수는 그림처럼 a, a, a, a, b, b, b를 일렬로 나열하는 경우의 수와 같으므로

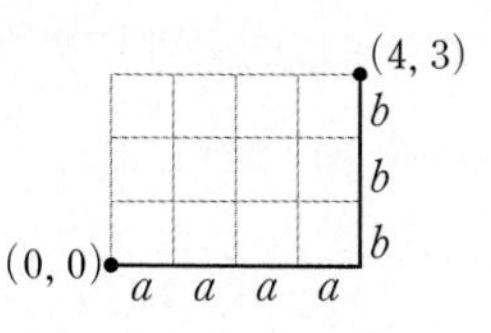

$\frac{7!}{4!3!}=35$

$\therefore \mathrm{P}(X=7)=\mathrm{P}(X=k+3)=\frac{1}{N}\times\frac{7!}{4!3!}=\frac{35}{N}$

또 $\sum_{i=k}^{k+3}\mathrm{P}(X=i)=1$, 즉 $\sum_{i=4}^{7}\mathrm{P}(X=i)=1$에서

$\frac{4}{N}+\frac{30}{N}+\frac{60}{N}+\frac{35}{N}=1 \qquad \therefore N=129=$(다)

$$\begin{aligned}\therefore \mathrm{E}(X)&=\sum_{i=k}^{k+3}\{i\times\mathrm{P}(X=i)\}\\&=4\times\frac{4}{129}+5\times\frac{30}{129}+6\times\frac{60}{129}+7\times\frac{35}{129}\\&=\frac{257}{43}\end{aligned}$$

따라서 $a=4$, $b=60$, $c=129$이므로 $a+b+c=193$

08 답 ④

GUIDE

순서쌍 (a, b) 중에서 $a+b=2k$가 되는 경우를 생각해 X_n의 확률분포를 구한다.

다음은 $n=8$일 때 $X_n=2, 4, \cdots, 16$인 경우를 나타낸 것이다.

	1	2	3	4	5	6	7	8
1								
2								
3								
4								
5								
6								
7								
8								

이때 $X_n=2, 4, \cdots, 16$인 각각의 경우의 수는 차례로 1, 3, 5, 7, 7, 5, 3, 1이므로

$\mathrm{P}(X=2)=\frac{1}{8^2}$, $\mathrm{P}(X=4)=\frac{3}{8^2}$, $\mathrm{P}(X=6)=\frac{5}{8^2}$

$\mathrm{P}(X=8)=\frac{7}{8^2}$, $\mathrm{P}(X=10)=\frac{7}{8^2}$, $\mathrm{P}(X=12)=\frac{5}{8^2}$

$\mathrm{P}(X=14)=\frac{3}{8^2}$, $\mathrm{P}(X=16)=\frac{1}{8^2}$

이것을 $n=2k$인 경우에서 생각해 보면

$\mathrm{P}(X_n=2)=\frac{1}{n^2}$, $\mathrm{P}(X_n=4)=\frac{3}{n^2}$, $\mathrm{P}(X_n=6)=\frac{5}{n^2}$

$\cdots$, $\mathrm{P}(X_n=2k)=\frac{2k-1}{n^2}$, $\mathrm{P}(X_n=2k+2)=\frac{2k-1}{n^2}$

$\mathrm{P}(X_n=2k+4)=\frac{2k-3}{n^2}$, $\cdots$, $\mathrm{P}(X_n=2n)=\frac{1}{n^2}$

$k=1, 2, \cdots, \frac{n}{2}$일 때와 $k=\frac{n}{2}+1, \frac{n}{2}+2, \cdots, n$일 때로 나누어 X_n의 확률분포를 구하면 다음과 같다.

X_n	2	4	6	$\cdots$	n
$\mathrm{P}(X_n=2k)$	$\frac{1}{n^2}$	$\frac{3}{n^2}$	$\frac{5}{n^2}$	$\cdots$	$\frac{n-1}{n^2}$

X_n	$n+2$	$n+4$	$\cdots$	$2n-2$	$2n$
$\mathrm{P}(X_n=2k)$	$\frac{n-1}{n^2}$	$\frac{n-3}{n^2}$	$\cdots$	$\frac{3}{n^2}$	$\frac{1}{n^2}$

$$\begin{aligned}\mathrm{E}(X_n)&=(2+2n)\times\frac{1}{n^2}+\{4+(2n-2)\}\times\frac{3}{n^2}+\cdots\\&\qquad+\{n+(n+2)\}\times\frac{n-1}{n^2}\\&=(2n+2)\left(\frac{1}{n^2}+\frac{3}{n^2}+\cdots+\frac{n-1}{n^2}\right)\\&=\frac{2n+2}{n^2}\sum_{k=1}^{\frac{n}{2}}(2k-1)\\&=\frac{2n+2}{n^2}\times\frac{n^2}{4}\\&=\frac{n+1}{2}\end{aligned}$$

$\therefore \mathrm{E}(2X_n)=2\,\mathrm{E}(X_n)=n+1$

09 답 1

GUIDE

Y_n이 될 수 있는 값을 $0, 1, 2, 2^k$으로 생각한다.

X_k는 0, 1, 2 중 하나이고, 각 값을 가질 확률은 $\frac{1}{3}$이다.

(i) $Y_n=0$, 즉 $X_k=0$이 적어도 한 번 나오는 경우이므로

$\mathrm{P}(Y_n=0)=1-\left(\frac{2}{3}\right)^n$

(ii) $Y_n=1$, 즉 n번 모두 $X_k=1$인 경우이므로

$$P(Y_n=1)=\left(\frac{1}{3}\right)^n$$

(iii) $Y_n=2$, 즉 $(n-1)$번은 $X_k=1$이고, $X_k=2$는 한 번만 있는 경우이므로

$$P(Y_n=2)={}_nC_1\left(\frac{1}{3}\right)^n$$

(iv) $Y_n=2^k$, 즉 $(n-k)$번은 $X_k=1$, k번은 $X_k=2$인 경우이므로

$$P(Y_n=2^k)={}_nC_k\left(\frac{1}{3}\right)^n$$

$$\therefore E(Y_n)=\sum_{k=0}^{n}2^k{}_nC_k\left(\frac{1}{3}\right)^n$$
$$=\left(\frac{1}{3}\right)^n\sum_{k=0}^{n}2^k{}_nC_k$$
$$=\left(\frac{1}{3}\right)^n(1+2)^n=1$$

10 답 21

GUIDE

❶ $n=4$일 때 $X=2$이면 ●●뿐이고, $X=3$이면 ○●●, ●○●으로 두 가지, $X=4$이면 ○○●●, ○●○●, ○●●○으로 세 가지이다. 즉 $X=k(k\geq2)$가 되는 경우의 수는 $(k-1)$이고, 검은 공 2개를 모두 꺼내는 경우의 수는 $1+2+3=6={}_4C_2$이다.

❷ $P(X=k)$를 구한다.

❸ $E(X)=\sum x_ip_i$, $E(X^2)=\sum x_i^2p_i$ 임을 이용한다.

공 n개 중에서 검은 공 2개를 모두 꺼내는 경우의 수는 ${}_nC_2$이고, $X=k(k\geq2)$가 되는 경우의 수는 $(k-1)$이다.

즉 $P(X=k)=\dfrac{k-1}{{}_nC_2}$

$$E(X)=\sum_{k=2}^{n}\frac{k(k-1)}{{}_nC_2}$$
$$=\frac{2}{{}_nC_2}\sum_{k=2}^{n}{}_kC_2=\frac{4}{n(n-1)}\,{}_{n+1}C_3$$
$$=\frac{2(n+1)}{3}$$

$$E(X^2)=\sum_{k=2}^{n}\frac{k^2(k-1)}{{}_nC_2}$$
$$=2\sum_{k=2}^{n}\frac{k\,{}_kC_2}{{}_nC_2}$$
$$=\frac{2}{{}_nC_2}\sum_{k=2}^{n}\{(k+1){}_kC_2-{}_kC_2\}$$
$$=\frac{2}{{}_nC_2}\sum_{k=2}^{n}(3{}_{k+1}C_3-{}_kC_2)$$
$$=\frac{2}{{}_nC_2}(3{}_{n+2}C_4-{}_{n+1}C_3)$$
$$=\frac{(n+2)(n+1)}{2}-\frac{2(n+1)}{3}$$

$$V(X)=E(X^2)-\{E(X)\}^2$$
$$=\frac{(n+2)(n+1)}{2}-\frac{2(n+1)}{3}-\left\{\frac{2(n+1)}{3}\right\}^2$$
$$=\frac{9n^2+27n+18-12n-12-8n^2-16n-8}{18}$$
$$=\frac{(n+1)(n-2)}{18}$$

즉 $a=18$, $b=1$, $c=2$이므로 $a+b+c=21$

참고

❶ $1+2+3+\cdots+(n-1)=\dfrac{n(n-1)}{2}={}_nC_2$

❷ ${}_rC_r+{}_{r+1}C_r+{}_{r+2}C_r+\cdots+{}_nC_r={}_{n+1}C_{r+1}$

❸ $k(k-1)=2\times\dfrac{k(k-1)}{2}=2{}_kC_2$

❹ $(k+1){}_kC_2=\dfrac{(k+1)k(k-1)}{2\times1}=\dfrac{3(k+1)k(k-1)}{3\times2\times1}=3{}_{k+1}C_3$

6 정규분포와 통계적 추정

STEP 1 | **1등급 준비하기** p. 74~77

01 2	**02** ③	**03** ②	**04** 70
05 78	**06** ③	**07** ④	**08** 5
09 ④	**10** 60	**11** 84	**12** 10명
13 96	**14** 72	**15** 23	**16** 28
17 10	**18** 9	**19** 204	**20** 167
21 ⑤	**22** 94	**23** 51	**24** 68

01 답 2

GUIDE

$\mathrm{P}(X\ge a)=\int_a^{10}\frac{3}{1000}(x-10)^2dx=\frac{64}{125}$

하루 동안 손님들에게 a L 이상을 제공할 확률이 $\frac{64}{125}$이므로

$$\mathrm{P}(X\ge a)=\int_a^{10}\frac{3}{1000}(x-10)^2dx$$
$$=\frac{1}{1000}\int_a^{10}(3x^2-60x+300)dx$$
$$=\frac{1}{1000}(10-a)^3=\frac{64}{125}$$

즉 $10-a=\frac{4}{5}\times10=8$에서 $a=2$

02 답 ③

GUIDE

조건 (나)에 $x=3$을 대입하면 확률의 합이 1임을 이용할 수 있다.

(나)에 $x=3$을 대입하면 $9a=1$에서 $a=\frac{1}{9}$

$$\mathrm{P}(3a\le X\le 9a)$$
$$=\mathrm{P}\left(\frac{1}{3}\le X\le 1\right)$$
$$=\frac{1}{2}\left\{\mathrm{P}(-1\le X\le 1)-\mathrm{P}\left(-\frac{1}{3}\le X\le\frac{1}{3}\right)\right\}$$
$$=\frac{1}{2}\left(a-\frac{1}{9}a\right)=\frac{4}{9}a=\frac{4}{81}$$

03 답 ②

GUIDE

$\int_0^a f(x)dx=1$, $\int_0^x f(x)dx=kx^2$을 이용한다.

확률변수 X의 확률밀도함수를 $f(x)(0\le x\le a)$라 하면

확률밀도함수의 성질에서 $\int_0^a f(x)dx=1$ …… ㉠

$\mathrm{P}(0\le X\le x)=\int_0^x f(t)dt=kx^2$ …… ㉡

㉠, ㉡에서 $ka^2=1$ …… ㉢

㉡의 양변을 x에 대하여 미분하면 $f(x)=2kx$

$$\therefore \mathrm{E}(X)=\int_0^a xf(x)dx=\int_0^a 2kx^2dx$$
$$=\frac{2}{3}ka^3=ka^2\times\frac{2}{3}a=1$$

즉 $a=\frac{3}{2}$이므로 이 값을 ㉢에 대입하면 $k=\frac{4}{9}$

04 답 70

GUIDE

$f(x)=\int(-2x+2)dx=-x^2+2x+C$ (단, C는 적분상수)이고, $\int_0^1 f(x)dx=1$임을 이용한다.

$f'(x)=-2x+2$이고, 구간 $[0, 1]$에서 $f(x)$가 연속이므로

$f(x)=\int(-2x+2)dx=-x^2+2x+C$ (단, C는 적분상수)

$f(x)$가 확률밀도함수이므로

$$\int_0^1(-x^2+2x+C)dx=\left[-\frac{1}{3}x^3+x^2+Cx\right]_0^1=1$$

$$\therefore C=\frac{1}{3}$$

$$\mathrm{E}(X)=\int_0^1 xf(x)dx=\int_0^1\left(-x^3+2x^2+\frac{1}{3}x\right)dx=\frac{7}{12}$$

따라서 $120k=70$

05 답 78

GUIDE

$\mathrm{E}(X)=\int_0^b xf(x)dx$, $\mathrm{V}(X)=\int_0^b x^2f(x)dx-\{\mathrm{E}(X)\}^2$을 이용한다.

$\int_0^b axdx=1$도 생각한다.

$\int_0^b axdx=1$이므로 $\frac{1}{2}ab^2=1$에서 $ab^2=2$ …… ㉠

$$\mathrm{E}(X)=\int_0^b xf(x)dx=\left[\frac{1}{3}ax^3\right]_0^b=\frac{1}{3}ab^3=\frac{2}{3}b$$

$$\mathrm{V}(X)=\int_0^1 x^2f(x)dx-\{\mathrm{E}(X)\}^2$$
$$=\left[\frac{1}{4}ax^4\right]_0^b-\frac{4}{9}b^2=2$$

즉 $b^2=36$에서 $b=6$ $(b>0)$

따라서 $\mathrm{E}(X)=\frac{2}{3}\times6=4$이고 ㉠에서 $a=\frac{1}{18}$

이때 확률변수 $Y=\frac{1}{a}X+b=18X+6$이므로

$\mathrm{E}(Y)=18\mathrm{E}(X)+6=78$

06 답 ③

GUIDE

확률밀도함수 $f(x)$는 x가 평균값일 때 최댓값을 가지고, 그래프는 평균에 대하여 대칭이다.

ㄱ. 확률밀도함수 $f(x)$는 x가 평균값일 때 최댓값을 가지므로 $f(5)$가 최댓값이다. (○)

ㄴ. 확률밀도함수 $f(x)$는 $x=5$에 대하여 대칭이므로 그림에서 색칠해서 나타낸 두 부분의 넓이는 같다.

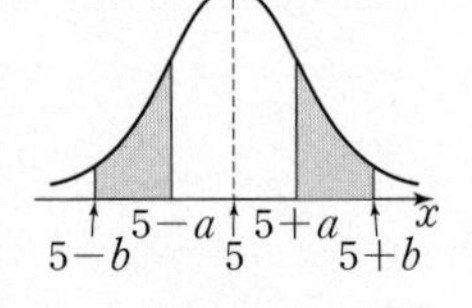

$\therefore$ $P(5+a \le X \le 5+b)$
$=P(5-b \le X \le 5-a)$ (○)

ㄷ. 그림에서 $S_1 < S_2$이고, $S_2 = S_3$이므로

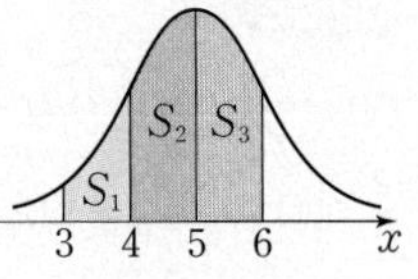

$P(3 \le X \le 4) < P(4 \le X \le 5)$
$\therefore$ $P(3 \le X \le 4)$
$< P(5 \le X \le 6)$ (×)

07 답 ④

GUIDE

❶ 종 모양인 정규분포곡선은 직선 $x=$(평균)에 대하여 좌우대칭이고, $x=$(평균)일 때 최댓값을 가진다.

❷ σ가 일정할 때 m이 변하면 곡선의 모양은 변하지 않고 대칭축의 위치만 바뀐다.

ㄱ. 확률변수 X_1의 확률밀도함수 $y=f(x)$의 그래프에서 $x=m_1$일 때 최대이므로 $f(2m_1) < f(m_1)$ (×)

ㄴ. 표준편차 σ가 일정하면 대칭축의 위치는 바뀌지만 곡선의 모양은 변하지 않는다.
$\therefore$ $f(m_1)=g(m_2)$ (○)

ㄷ. 두 확률밀도함수 $f(x)$, $g(x)$의 그래프는 각각 $x=m_1$, $x=m_2$에 대하여 대칭이므로 $m_1 < m_2$일 때 $f(k)=g(k)$이면 그림처럼 생각할 수 있다.

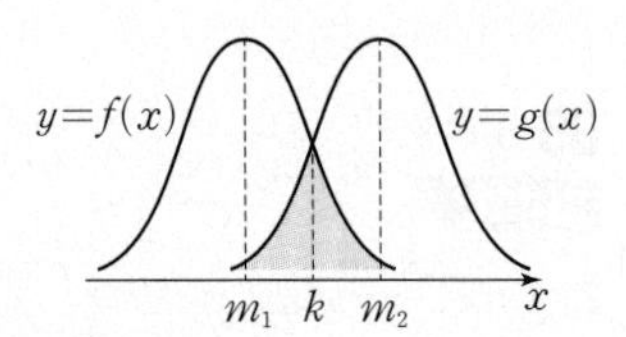

$\therefore$ $P(m_1 < X_1 < k)=P(k < X_2 < m_2)$ (○)

따라서 옳은 것은 ㄴ, ㄷ

08 답 5

GUIDE

$P(X \ge k)=P(Y \le k)$에서 두 확률변수를 각각 표준화하여 비교한다.

$E(X)=4$이므로 $E(Y)=E(2X-1)=2E(X)-1=7$

$\sigma(X)=a$라 하면 $\sigma(Y)=\sigma(2X+1)=2\sigma(X)=2a$

이때 $P(X \ge k)=P\left(Z \ge \frac{k-4}{a}\right)$, $P(Y \le k)=P\left(Z \le \frac{k-7}{2a}\right)$

$P\left(Z > \frac{k-4}{a}\right)=P\left(Z < \frac{k-4}{a}\right)$이므로

$\frac{k-4}{a}+\frac{k-7}{2a}=0$에서 $k=5$

09 답 ④

GUIDE

$y=f(x+3)$의 그래프는 $y=f(x)$의 그래프를 x축 방향으로 -3만큼 평행이동한 것이다. 즉 Y의 평균은 $185-3=182$이고, 이때 Y의 표준편차는 변함없다.

$X \sim N(185, 5^2)$이고 Y의 확률밀도함수가 $f(x+3)$이므로

$Y \sim N(182, 5^2)$, 이때 $Z=\frac{Y-182}{5}$라 하면

Z는 표준정규분포를 따른다. 즉

$P(179 \le Y \le 184)=P\left(\frac{179-182}{5} \le Z \le \frac{184-182}{5}\right)$
$=P(-0.6 \le Z \le 0.4)$
$=0.23+0.16=0.39$

10 답 60

GUIDE

그림에서 색칠한 두 부분의 넓이를 식으로 나타내면
$P(50 \le X \le k)=P(-2 \le Z \le 0)$이므로 좌변을 표준화한다.
이때 $P(-2 \le Z \le 0)=P(0 \le Z \le 2)$을 생각한다.

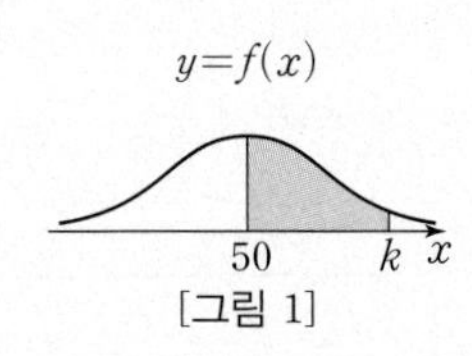

[그림 1]

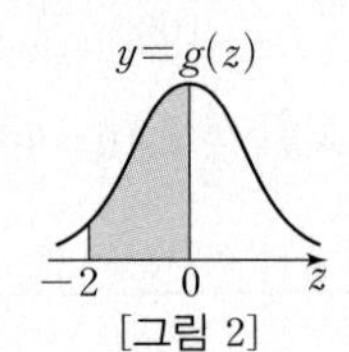

[그림 2]

[그림 1]에서 색칠한 부분의 넓이는

$P(50 \le X \le k)=P\left(0 \le Z \le \frac{k-50}{5}\right)$

[그림 2]에서 색칠한 부분의 넓이는 $P(-2 \le Z \le 0)$

$P\left(0 \le Z \le \frac{k-50}{5}\right)=P(-2 \le Z \le 0)=P(0 \le Z \le 2)$

즉 $\frac{k-50}{5}=2$이므로 $k=60$

11 답 84

GUIDE

(가)에서 m값을 구하고 $V(X)=E(X^2)-\{E(X)\}^2$과 (나)를 이용해 σ를 구하면 표준정규분포를 이용할 수 있다.

확률변수 X의 정규분포곡선은 $X=m$에 대하여 대칭이고, (가)에서 그림처럼 나타낼 수 있다.

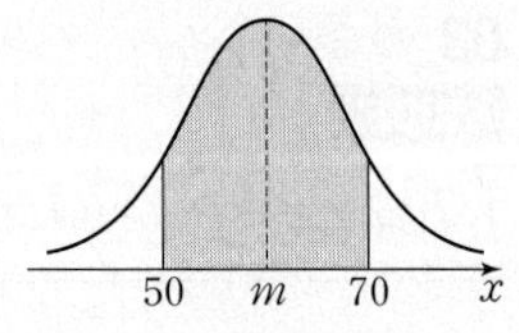

$\therefore$ $m=\frac{70+50}{2}=60$

(나)에서 $V(X)=E(X^2)-\{E(X)\}^2=3664-3600=64$

$\therefore$ $\sigma=8$

즉 확률변수 X는 정규분포 $N(60, 8^2)$을 따르고, $Z=\frac{X-60}{8}$

으로 놓으면 Z는 표준정규분포 $N(0, 1^2)$을 따른다.

$$P(X \le 68) = P\left(Z \le \frac{68-60}{8}\right) = P(Z \le 1)$$
$$= P(Z \le 0) + P(0 \le Z \le 1)$$
$$= 0.5 + 0.34 = 0.84 = p$$

따라서 $100p = 84$

12 답 10명

GUIDE

합격자의 최저 점수를 k로 놓고 $P(X \ge k) = \frac{100}{500} = 0.2$임을 이용한다.

응시자 500명의 점수를 확률변수 X라 하면 X는 정규분포 $N(140, 20^2)$을 따르고, 이때 $Z = \frac{X-140}{20}$으로 놓으면 Z는 표준정규분포 $N(0, 1^2)$을 따른다.

합격자의 최저 점수를 k라 하면

$$P(X \ge k) = P\left(Z \ge \frac{k-140}{20}\right) = \frac{100}{500} = 0.2$$

표준정규분포표에서 $P(0 \le Z \le 0.8) = 0.3$이므로

$P(Z \ge 0.8) = 0.2$, 즉 $\frac{k-140}{20} = 0.8$에서 $k = 156$

해외연수를 가려면 $156 + 24 = 180$(점) 이상을 받아야 하므로

$P(X \ge 180) = P(Z \ge 2) = 0.02$

따라서 해외연수를 가게 되는 학생은 $500 \times 0.02 = 10$(명)

13 답 96

GUIDE

A, B 두 과수원에서 생산하는 귤 무게를 각각 확률변수 X, Y라 하고 $P(X \le 98) = P(Y \le a)$를 이용한다.

A 과수원에서 생산하는 귤 무게를 확률변수 X라 하면 X는 정규분포 $N(86, 15^2)$을 따르고, B 과수원에서 생산하는 귤 무게를 확률변수 Y라 하면 Y는 정규분포 $N(88, 10^2)$을 따른다. 이때

$Z_1 = \frac{X-86}{15}$, $Z_2 = \frac{Y-88}{10}$이라 하면

Z_1, Z_2는 각각 표준정규분포 $N(0, 1^2)$을 따른다.

A과수원에서 임의로 선택한 귤 무게가 98 이하일 확률은

$$P(X \le 98) = P\left(Z_1 \le \frac{98-86}{15}\right) = P\left(Z_1 \le \frac{4}{5}\right) \quad \cdots\cdots ㉠$$

또 B 과수원에서 임의로 선택한 귤 무게가 a 이하일 확률은

$$P(Y \le a) = P\left(Z_2 \le \frac{a-88}{10}\right) \quad \cdots\cdots ㉡$$

주어진 조건에서 ㉠=㉡이므로

$\frac{4}{5} = \frac{a-88}{10}$ $\quad \therefore a = 96$

14 답 72

GUIDE

확률변수 X가 이항분포 $B\left(400, \frac{1}{5}\right)$을 따르고 이때 이항분포 ⇨ 정규분포 관계를 이용한다.

확률변수 X가 이항분포 $B\left(400, \frac{1}{5}\right)$을 따르므로

$E(X) = 400 \times \frac{1}{5} = 80$, $V(X) = 400 \times \frac{1}{5} \times \frac{4}{5} = 8^2$

400은 충분히 크므로 확률변수 X는 정규분포 $N(80, 8^2)$을 따른다고 할 수 있다.

즉 확률밀도함수의 그래프가 $X = 80$에 대하여 대칭이므로

$P(k \le X \le k+16)$이 최대가 되려면 $\frac{k+(k+16)}{2} = 80$이면 된다.

$\therefore k = 72$

15 답 23

GUIDE

교체 공사에 찬성하는 세대주 수를 확률변수 X라 하고 이항분포 ⇨ 정규분포 ⇨ 표준정규분포 관계를 이용한다.

교체에 찬성하는 세대주 수를 확률변수 X라 하면 X는 이항분포 $B\left(1800, \frac{2}{3}\right)$를 따르므로

$E(X) = 1800 \times \frac{2}{3} = 1200$, $V(X) = 1800 \times \frac{2}{3} \times \frac{1}{3} = 400$

1800은 충분히 크므로 확률변수 X는 정규분포 $N(1200, 20^2)$을 따른다고 할 수 있다.

$$P(X \ge 1240) = P\left(Z \ge \frac{1240-1200}{20}\right) = P(Z \ge 2)$$
$$= 0.5 - 0.477 = 0.023$$

따라서 공사를 결정할 확률은 $\frac{23}{1000}$이므로 $p = 23$

16 답 28

GUIDE

100문제 중에서 맞힌 문제의 개수를 확률변수 X라 하고 이항분포 ⇨ 정규분포 ⇨ 표준정규분포 관계를 이용한다.

100문제 중에서 맞힌 문제 개수를 확률변수 X라 하면

X는 이항분포 $B\left(100, \frac{1}{5}\right)$을 따르므로

$E(X) = 100 \times \frac{1}{5} = 20$, $V(X) = 100 \times \frac{1}{5} \times \frac{4}{5} = 16$

100은 충분히 크므로 확률변수 X는 정규분포 $N(20, 4^2)$을 따른다고 할 수 있다. 이때 $P(X \ge k) = 0.02$이므로

$P(X \ge k) = P\left(Z \ge \frac{k-20}{4}\right)$

$= 0.5 - P\left(0 \le Z \le \frac{k-20}{4}\right) = 0.02$

$\therefore\ P\left(0 \le Z \le \frac{k-20}{4}\right) = 0.48$

주어진 표에서 $P(0 \le Z \le 2) = 0.48$이므로

$\frac{k-20}{4} = 2 \qquad \therefore k = 28$

17 답 10

GUIDE

상자에서 공을 꺼낼 때, 공에 적힌 수를 확률변수 X라 하고 X의 확률분포를 구한다.

임의로 공을 1개 꺼낼 때, 공에 적힌 수를 확률변수 X라 하면 X의 확률분포는 다음과 같다.

X	1	2	3	합계
$P(X=x)$	$\frac{2}{7}$	$\frac{3}{7}$	$\frac{2}{7}$	1

$E(X) = 1 \times \frac{1}{7} + 2 \times \frac{3}{7} + 3 \times \frac{2}{7} = 2$

$V(X) = E(X^2) - \{E(X)^2\}$

$= 1^2 \times \frac{2}{7} + 2^2 \times \frac{3}{7} + 3^2 \times \frac{2}{7} - 2^2 = \frac{4}{7}$

표본의 크기가 n일 때, 표본평균 $\overline{X}$의 분산이 $\frac{2}{35}$이므로

$V(\overline{X}) = \frac{\frac{4}{7}}{n} = \frac{2}{35}$에서 $n = 10$

18 답 9

GUIDE

$P\left(\overline{X} \ge 60 - \frac{25}{\sqrt{n}}\right)$를 표준화한 확률로 나타내고 표를 이용한다.

모집단이 정규분포 $N(50, 5^2)$을 따르고 표본의 크기가 n이므로

표본평균 $\overline{X}$는 정규분포 $N\left(50, \frac{5^2}{n}\right)$을 따른다.

이때 $Z = \frac{\overline{X} - 50}{\frac{5}{\sqrt{n}}}$으로 놓으면 Z는 $N(0, 1)$을 따르므로

$P\left(\overline{X} \ge 60 - \frac{25}{\sqrt{n}}\right) = P\left(Z \ge \frac{60 - \frac{25}{\sqrt{n}} - 50}{\frac{5}{\sqrt{n}}}\right)$

$= P(Z \ge 2\sqrt{n} - 5)$

$= 0.5 - P(0 \le Z \le 2\sqrt{n} - 5)$

$= 0.16$

$P(0 \le Z \le 2\sqrt{n} - 5) = 0.34$

표에서 $P(0 \le Z \le 1) = 0.34$이므로 $2\sqrt{n} - 5 = 1 \qquad \therefore n = 9$

19 답 204

GUIDE

$\overline{X}$가 따르는 정규분포를 구해 $P(\overline{X} \ge 200) = 0.9772$임을 이용한다.

약품 한 병의 용량을 확률변수 X라 하면 X는 $N(m, 10^2)$을 따르므로 임의로 추출한 25병의 용량의 표본평균을 $\overline{X}$라 하면

$E(\overline{X}) = m,\ V(\overline{X}) = \frac{10^2}{25} = 4$

따라서 $\overline{X}$는 정규분포 $N(m, 2^2)$을 따르므로 $Z = \frac{\overline{X} - m}{2}$으로 놓으면 확률변수 Z는 표준정규분포 $N(0, 1)$을 따른다.

임의로 추출한 25병 용량의 표본평균이 200 이상일 확률이 0.9772이므로

0 z $\frac{200-m}{2}$ $\frac{m-200}{2}$

$P(\overline{X} \ge 200) = 0.9772$에서

$P(\overline{X} \ge 200)$

$= P\left(Z \ge \frac{200-m}{2}\right)$

$= P(Z \ge 0) + P\left(\frac{200-m}{2} \le Z \le 0\right)$

$= 0.5 + P\left(0 \le Z \le \frac{m-200}{2}\right)$

$= 0.9772$

주어진 표준정규분포표에서 $P(0 \le Z \le 2) = 0.4772$이므로

$\frac{m-200}{2} = 2 \qquad \therefore m = 204$

20 답 167

GUIDE

모평균과 표본평균의 차가 0.01 이하이다. ⇨ $|m - \overline{X}| \le 0.01$

모표준편차가 0.05, 표본의 크기가 n이므로 표본평균 $\overline{X}$에 대하여 신뢰도 99 %로 모평균 m을 추정하면

$\overline{X} - 2.58 \times \frac{0.05}{\sqrt{n}} \le m \le \overline{X} + 2.58 \times \frac{0.05}{\sqrt{n}}$

$-2.58 \times \frac{0.05}{\sqrt{n}} \le m - \overline{X} \le 2.58 \times \frac{0.05}{\sqrt{n}}$

$\therefore\ |m - \overline{X}| \le 2.58 \times \frac{0.05}{\sqrt{n}}$

이때 모평균과 표본평균의 차가 0.01 이하이므로

$2.58 \times \frac{0.05}{\sqrt{n}} \le 0.01$에서 $\sqrt{n} \ge 12.9$

$\therefore\ n \ge 166.41$

따라서 표본 크기 n의 최솟값은 167

21 답 ⑤

GUIDE

$P(|Z|>c)=0.06$에서 $P(Z>c)=0.03$임을 이용한다.

ㄱ. $P(Z>c)=0.03$
<0.05
$=P(Z>a)$
이므로 $c>a$ (○)

ㄴ. $P(\overline{X}\le c+75)=P(Z\le c)=0.97$ (○)

ㄷ. $P(\overline{X}>b)=P(Z>b-75)$
$=0.01$
$P(Z>c)=0.03$
이므로 $b-75>c$ (○)

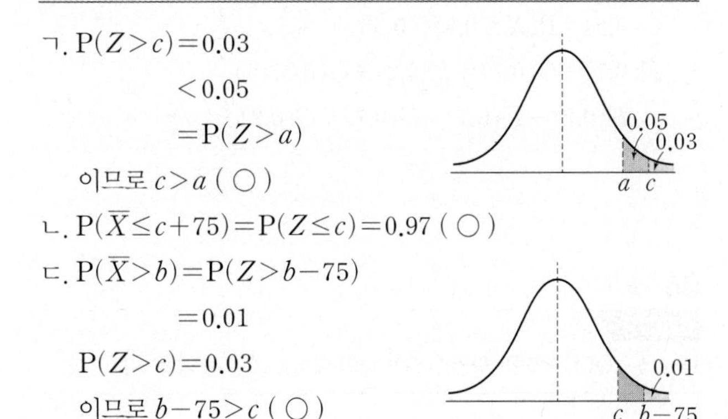

22 답 94

GUIDE

신뢰도 a % ⇨ $P(-k\le Z\le k)=\frac{a}{100}$

이때 모평균 m의 신뢰도 a %의 신뢰구간은

$\overline{X}-k\times\frac{\sigma}{\sqrt{n}}\le m\le\overline{X}+k\times\frac{\sigma}{\sqrt{n}}$

표본의 크기 100이 충분히 크므로 모표준편차 대신 표본표준편차 100을 사용할 수 있다.

이때 표본평균이 400이고, $P(-k\le Z\le k)=\frac{a}{100}$라 하면

모평균 m의 신뢰도 a %의 신뢰구간은

$400-k\times\frac{100}{\sqrt{100}}\le m\le 400+k\times\frac{100}{\sqrt{100}}$

$400-10k\le m\le 400+10k$

추정한 신뢰구간이 $381.2\le m\le 418.8$이므로

$400-10k=381.2$, $400+10k=418.8$에서 $k=1.88$

표에서 $P(0\le Z\le 1.88)=0.47$이므로

$P(-1.88\le Z\le 1.88)=0.94=\frac{94}{100}$ $\quad\therefore a=94$

23 답 51

GUIDE

$\overline{X}-1.96\times\frac{\sigma}{\sqrt{n}}\le m\le\overline{X}+1.96\times\frac{\sigma}{\sqrt{n}}$와 $[100.4, 139.6]$이 서로 같음을 이용한다.

표본평균을 $\overline{X}$라 하면 모표준편차가 σ, 표본의 크기가 n이므로 모평균 m에 대한 신뢰도 95 %의 신뢰구간은

$\overline{X}-1.96\times\frac{\sigma}{\sqrt{n}}\le m\le\overline{X}+1.96\times\frac{\sigma}{\sqrt{n}}$

이때 추정한 신뢰구간이 $[100.4, 139.6]$이므로

$\overline{X}-1.96\times\frac{\sigma}{\sqrt{n}}=100.4$ ⋯⋯ ㉠

$\overline{X}+1.96\times\frac{\sigma}{\sqrt{n}}=139.6$ ⋯⋯ ㉡

㉠+㉡에서 $2\overline{X}=240$ $\quad\therefore \overline{X}=120$

$\overline{X}=120$을 ㉡에 대입하면 $\frac{\sigma}{\sqrt{n}}=10$

같은 표본을 이용하여 얻은 모평균 m에 대한 신뢰도 99 %의 신뢰구간은

$\overline{X}-2.58\times\frac{\sigma}{\sqrt{n}}\le m\le\overline{X}+2.58\times\frac{\sigma}{\sqrt{n}}$

이때 $\overline{X}=120$, $\frac{\sigma}{\sqrt{n}}=10$이므로

$120-2.58\times 10\le m\le 120+2.58\times 10$

$\therefore 94.2\le m\le 145.8$

따라서 이 구간에 속하는 자연수는 95, 96, 97, ⋯, 145이고, 모두 51개다.

1등급 NOTE

❶ 신뢰구간의 양 끝점의 평균이 표본평균이므로 표본평균

$\overline{X}=\frac{139.6+100.4}{2}=\frac{240}{2}=120$

신뢰도 95 %일 때, 모평균 m과 표본평균 $\overline{X}$의 차의 최댓값은 $139.6-120=19.6$이고, 신뢰도 99%는 95 %일 때보다 모평균과 표본평균의 차의 최댓값이 $\frac{2.58}{1.96}$배 크므로 신뢰도 99 %일 때, 모평균 m과 표본평균 $\overline{X}$의 차의 최댓값은 $19.6\times\frac{2.58}{1.96}=25.8$이다.

따라서 신뢰도 99 %로 추정한 신뢰구간은

$120-25.8\le m\le 120+25.8$ $\quad\therefore 94.2\le m\le 145.8$

❷ 신뢰구간의 길이가 같음을 이용해도 된다. 신뢰도 95 %인 두 신뢰구간의 길이에서

$2\times 1.96\times\frac{\sigma}{\sqrt{n}}=139.6-100.4=39.2$ $\quad\therefore \frac{\sigma}{\sqrt{n}}=10$

이때 $\overline{X}-1.96\times 10\le m\le\overline{X}+1.96\times 10$과 $100.4\le m\le 139.6$에서

$\overline{X}-1.96\times 10=100.4$ $\quad\therefore \overline{X}=120$

24 답 68

GUIDE

신뢰도 a % ⇨ $P(-k\le Z\le k)=\frac{a}{100}$

이때 모평균 m의 신뢰도 a %의 신뢰구간은

$\overline{X}-k\times\frac{\sigma}{\sqrt{n}}\le m\le\overline{X}+k\times\frac{\sigma}{\sqrt{n}}$

모표준편차를 σ라 하면 신뢰도 95 %로 추정한 신뢰구간의 길이 l은 $l=2\times 2\times\frac{\sigma}{\sqrt{n}}=\frac{4\sigma}{\sqrt{n}}$이고, $\frac{l}{2}=\frac{2\sigma}{\sqrt{n}}$

이때 $P(Z\le k)=\frac{a}{100}$라 하면

신뢰도 a %로 추정한 신뢰구간의 $2\times k\times\frac{\sigma}{\sqrt{n}}=\frac{2k\sigma}{\sqrt{n}}$

즉 $\frac{2\sigma}{\sqrt{n}}=\frac{2k\sigma}{\sqrt{n}}$에서 $k=1$

따라서 $P(Z\le 1)=0.68=\frac{68}{100}$에서 $a=68$

STEP 2 1등급 굳히기

p. 78~85

01 ④	02 7	03 ④	04 3
05 ㄱ, ㄷ	06 ①	07 61	08 4
09 ④	10 ⑤	11 86	12 ③
13 ①	14 112	15 ㄱ, ㄴ	16 24
17 ②	18 ③	19 10	20 ①
21 16	22 77	23 11	24 ③
25 ②	26 ①	27 ①	28 ㄱ, ㄴ, ㄷ
29 ㄱ, ㄷ	30 ④	31 25	32 249

01 답 ④

GUIDE

(구하려는 확률)$=1-$(사건 A가 2번 미만 일어날 확률)

사건 A가 일어날 확률은

$\mathrm{P}(0\le X\le 1)=\int_0^1\left(\frac{1}{2}x+\frac{1}{4}\right)dx=\left[\frac{1}{4}x^2+\frac{1}{4}x\right]_0^1=\frac{1}{2}$

이때 주사위 한 개를 6번 던지는 시행에서 사건 A가

0번 일어날 사건의 확률은 ${}_6\mathrm{C}_0\left(\frac{1}{2}\right)^6=\frac{1}{64}$

1번 일어날 사건의 확률은 ${}_6\mathrm{C}_1\left(\frac{1}{2}\right)^5\left(\frac{1}{2}\right)=\frac{6}{64}$

따라서 사건 A가 2번 이상 일어날 확률은

$1-\left(\frac{1}{64}+\frac{6}{64}\right)=\frac{57}{64}$

02 답 7

GUIDE

이차방정식에서 두 근이 모두 양수이므로

(두 근의 곱)>0, (판별식)≥ 0을 이용한다.

확률밀도함수는 항상 x축 위에 존재해야 하므로 $a>0$이다. 주어진 구간에서의 넓이가 1이 되어야 하므로

$\int_0^4 a(4-x)xdx=\frac{a}{6}\times 4^3=1$에서 $a=\frac{3}{32}$

이차방정식 $4t^2-12t+9(X-1)=0$의 두 근이 양수이므로

$\frac{D}{4}=36-36X+36\ge 0$에서 $X\le 2$

두 근의 곱 $\frac{9(X-1)}{4}>0$에서 $X>1$

그러므로 $b=\mathrm{P}(1<X\le 2)=-\frac{3}{32}\int_1^2(x^2-4x)dx=\frac{11}{32}$

이때 $16(a+b)=16\times\frac{14}{32}=7$

03 답 ④

GUIDE

ㄴ. 반례를 생각한다.

ㄷ. $F(a)+G(a)=1$임을 이용한다.

ㄱ. $F(0.3)=\mathrm{P}(X\ge 0.3)\le \mathrm{P}(X\ge 0.2)=F(0.2)$ (○)

ㄴ. [반례] X의 확률밀도함수가 $f(x)=2x$이면

$F(0.4)=\mathrm{P}(X\ge 0.4)=1-0.16=0.84$

$G(0.6)=\mathrm{P}(X\le 0.6)=0.36$ (×)

ㄷ. $F(0.7)+G(0.7)=F(0.2)+G(0.2)=1$

$\therefore F(0.2)-F(0.7)=G(0.7)-G(0.2)$ (○)

04 답 3

GUIDE

$\mathrm{P}(x, y)$, $\mathrm{Q}(4, 0)$이라 하면 ($\triangle$OPQ의 넓이)$=2y=1$임을 이용한다.

$\mathrm{P}(x, y)$라 하자.

$f(x)$가 $0\le x\le 4$의 범위에서 정의된 연속확률변수 X의 확률밀도함수가 되려면 축과 둘러싸인 넓이가 1이 되어야 한다. 즉

$\frac{1}{2}\times 4\times y=1 \qquad \therefore y=\frac{1}{2}$

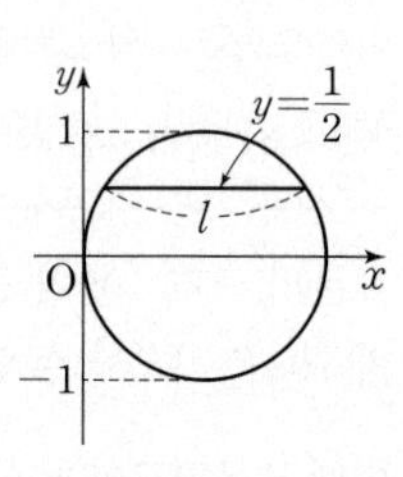

따라서 점 P의 자취는 직선 $y=\frac{1}{2}$에서 원 내부에 있는 선분이다.

이때 원과 직선 $y=\frac{1}{2}$이 만나는 점의 좌표는 $\left(1\pm\frac{\sqrt{3}}{2}, \frac{1}{2}\right)$이므로 자취의 길이

$l=\sqrt{3} \qquad \therefore l^2=3$

05 답 ㄱ, ㄷ

GUIDE

$\mathrm{P}(-2\le X\le 2)=1$을 이용해 a값을 구한다.

$\mathrm{P}(-2\le X\le 2)=\frac{1}{2}\times 4\times a=1$에서 $a=\frac{1}{2}$

ㄱ. $\mathrm{P}(A^C\cup B^C)$

$=1-\mathrm{P}(A\cap B)$

$=1-\mathrm{P}(-1\le X\le 0)$

$=1-\frac{3}{8}=\frac{5}{8}$ (○)

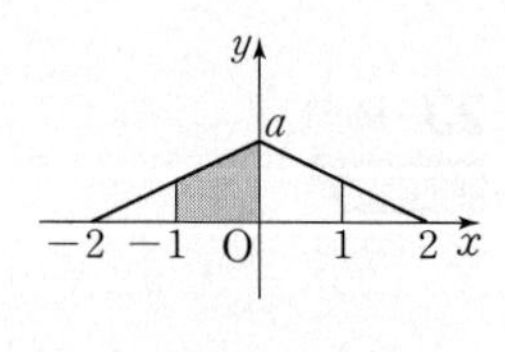

ㄴ. $\mathrm{P}(B\cap C)=\mathrm{P}(0\le X\le 1)=\frac{3}{8}$

$\mathrm{P}(C)=\mathrm{P}(0\le X\le 2)=\frac{1}{2}$이므로

$\mathrm{P}(B|C)=\frac{\mathrm{P}(B\cap C)}{\mathrm{P}(C)}=\frac{3}{4}$ (×)

ㄷ. $\mathrm{P}(A)=\frac{1}{2}$, $\mathrm{P}(B)=\frac{3}{4}$, $\mathrm{P}(A\cap B)=\frac{3}{8}$에서

$\mathrm{P}(A\cap B)=\mathrm{P}(A)\mathrm{P}(B)$

따라서 두 사건 A, B는 독립이다. (○)

06 답 ①

GUIDE

$\int_{2}^{5} g(x)dx=1$이므로 $\int_{0}^{3} g(x+2)dx=1$임을 이용한다.

$\int_{0}^{2} f(x)dx=1$에서 $\int_{0}^{2} 3f(x)dx=3$이다.

또 $\int_{2}^{5} g(x)dx=1$에서, $\int_{0}^{3} g(x+2)dx=1$이므로

$\int_{0}^{3} 4g(x+2)dx=4$

이때 $\int_{0}^{2} \{3f(x)+4g(x+2)\}dx=4$에서 $\int_{0}^{2} 4g(x+2)dx=1$

즉 $\int_{0}^{2} g(x+2)dx=\frac{1}{4}$이므로 $\int_{2}^{3} g(x+2)dx=\frac{3}{4}$

$P(4\le Y\le 5)=\int_{4}^{5} g(x)dx=\int_{2}^{3} g(x+2)dx=\frac{3}{4}$

07 답 61

GUIDE

두 연속확률변수 X, Y에 대한 확률밀도함수 $f(x)$, $g(x)$가 그림과 같다. 따라서 두 그림에서 색칠한 부분의 넓이를 더한 것이 $2k$번째 상자에 공이 들어갈 확률, 즉 p_{2k}임을 생각한다.

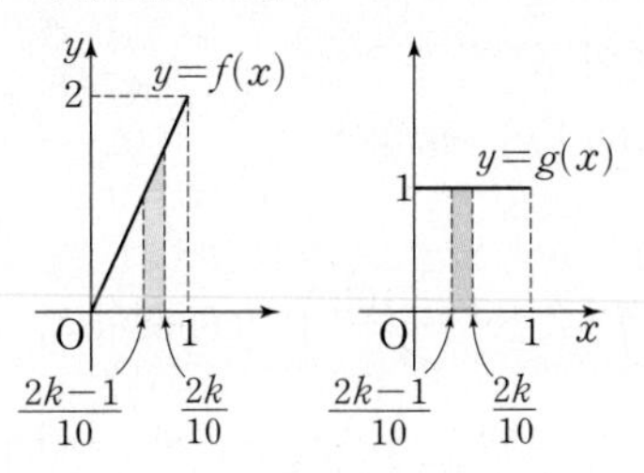

공이 k번째 상자에 들어가는 경우는 앞면이 나오는 경우와 뒷면이 나오는 경우의 확률을 각각 구하여 더하면 된다.

동전의 앞면과 뒷면이 나오는 확률은 각각 $\frac{1}{2}$이므로

$$p_{2k}=\frac{1}{2}P\left(\frac{2k-1}{10}\le X\le\frac{2k}{10}\right)+\frac{1}{2}P\left(\frac{2k-1}{10}\le Y\le\frac{2k}{10}\right)$$
$$=\frac{1}{2}\int_{\frac{2k-1}{10}}^{\frac{2k}{10}} 2xdx+\frac{1}{2}\int_{\frac{2k-1}{10}}^{\frac{2k}{10}} 1dx$$
$$=\frac{1}{2}\left\{\left(\frac{2k}{10}\right)^2-\left(\frac{2k-1}{10}\right)^2+\frac{2k}{10}-\frac{2k-1}{10}\right\}$$
$$=\frac{1}{2}\left(\frac{4k-1}{100}+\frac{1}{10}\right)=\frac{4k+9}{200}$$

$\therefore \sum_{k=1}^{5} p_{2k}=\frac{1}{200}\sum_{k=1}^{5}(4k+9)=\frac{21}{40}$

에서 $a=40$, $b=21$이므로 $a+b=61$

08 답 4

GUIDE

$[xf(x)]'=f(x)+xf'(x)$이므로 $g'(x)=[xf(x)]'$

(나)에서 $g'(x)=f(x)+xf'(x)=[xf(x)]'$이므로

$g(x)=xf(x)+C$ (단, C는 적분상수)

이때 $g(1)=f(1)+C$에서 $f(1)=g(1)$이므로 $C=0$

즉 $g(x)=xf(x)$이다.

(다)에서 $\int_{1}^{2} g(x)dx=\int_{1}^{2} xf(x)dx=E(X)=3$

또 $\int_{1}^{2} xg(x)dx=\int_{1}^{2} x^2f(x)dx=E(X^2)=13$

$\therefore V(X)=E(X^2)-\{E(X)\}^2=13-3^2=4$

09 답 ④

GUIDE

정규분포를 따르는 확률밀도함수의 그래프는 직선 $x=$(평균)에 대하여 대칭이고 $x=$(평균)에서 최댓값이다.

ㄱ. 확률변수 X_1, X_2의 정규분포 곡선이 각각 직선 $x=x_1$, 직선 $x=x_2$에 대하여 대칭이므로

$E(X_1)=x_1$, $E(X_2)=x_2$

이때 $x_1<x_2$이므로 $E(X_1)<E(X_2)$ (○)

ㄴ. 분산 (또는 표준편차)이 클수록 정규분포 곡선의 가운데 부분이 낮아지고 양쪽으로 더 퍼진다. 함수 $y=g(x)$의 그래프가 함수 $y=f(x)$의 그래프보다 양쪽으로 더 퍼져 있으므로

$V(X_1)<V(X_2)$ (○)

ㄷ. $f(E(X_1))=f(x_1)$, $g(E(X_2))=g(x_2)$이고,

$f(x_1)>g(x_2)$이므로 $f(E(X_1))>g(E(X_2))$ (×)

ㄹ. 정규분포를 따르는 확률밀도함수의 그래프는

직선 $x=$(평균)에 대하여 대칭이므로

$P(X_1\ge x_1)=P(X_2\le x_2)=0.5$ (○)

10 답 ⑤

GUIDE

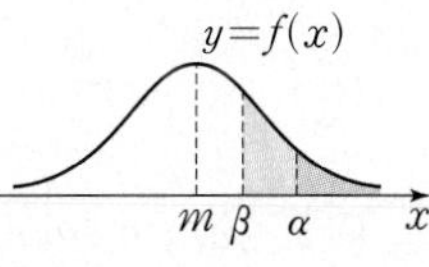

확률변수 X가 정규분포를 따르므로 확률밀도함수 $f(x)$의 그래프는 그림처럼 생각할 수 있다.

이때 $P(X\ge\alpha)<P(X\ge\beta)$가 항상 성립하고, α의 값이 커질수록 $P(X\ge\alpha)$는 작아진다.

$g(x)=-x^2+2x+m-1=-(x-1)^2+m$이라 하면

ㄱ. $g(0)=g(2)=m-1$이므로

$f(0)=f(2)=P(X\ge m-1)$ (○)

ㄴ. $f(x)$가 최소가 되려면 $g(x)$가 최대가 되어야 하고, $x=1$일 때 $g(x)$가 최대이다. (○)

ㄷ. $1<x_1<x_2$에서 $g(x)$는 감소하므로

$g(x_1)=\alpha$, $g(x_2)=\beta$라 하면 $\beta<\alpha$

이때 $f(x_1)=P(X\ge\alpha)$, $f(x_2)=P(X\ge\beta)$이고

$\beta<\alpha$이므로 $f(x_2)>f(x_1)$ (○)

11 답 86

GUIDE

$P(a\le X\le 115)=P\left(\frac{a-100}{a}\le Z\le 2.5\right)$이고, 주어진 표에서
$P(0\le Z\le 2.5)=0.4938$이므로 $0.9710=0.4938+0.4772$를 이용한다.

$$\begin{aligned}P(a\le X\le 115)&=P\left(\frac{a-100}{6}\le Z\le \frac{115-100}{6}\right)\\&=P\left(\frac{a-100}{6}\le Z\le 2.5\right)\\&=0.9710\\&=0.4772+0.4938\\&=P(0\le Z\le 2)+P(0\le Z\le 2.5)\\&=P(-2\le Z\le 0)+P(0\le Z\le 2.5)\\&=P(-2\le Z\le 2.5)\\&=P(b\le Z\le 2.5)\end{aligned}$$

즉 $\frac{a-100}{6}=-2=b$에서 $a=88,\ b=-2$

$\therefore\ a+b=86$

12 답 ③

GUIDE

$P(-a\le X\le a)=P(-b\le Y\le b)$에서
$P\left(-\frac{a}{\sigma}\le Z\le \frac{a}{\sigma}\right)=P\left(-\frac{2b}{\sigma}\le Z\le \frac{2b}{\sigma}\right)\quad \therefore\ \frac{a}{\sigma}=\frac{2b}{\sigma}$

$X\sim N(0,\sigma^2),\ Y\sim N\left(0,\left(\frac{\sigma}{2}\right)^2\right)$이고

$P(|X|\le a)=P(|Y|\le b)$에서

$P(-a\le X\le a)=P(-b\le Y\le b)$

이때 $P\left(-\frac{a}{\sigma}\le Z\le \frac{a}{\sigma}\right)=P\left(-\frac{2b}{\sigma}\le Z\le \frac{2b}{\sigma}\right)$

즉 $\frac{a}{\sigma}=\frac{2b}{\sigma}$이므로 $a=2b$

ㄱ. $a,\ b$가 모두 양수이므로 $a>b$이다. (○)

ㄴ. ㄱ에서 $a=2b$이므로

$P\left(Y>\frac{a}{2}\right)=P\left(Z>\frac{a}{\sigma}\right)=P\left(Z>\frac{2b}{\sigma}\right)$ (○)

ㄷ. $P(Y\le b)=0.7$이므로 $P\left(Z\le \frac{2b}{\sigma}\right)=0.7$이고

$P\left(0\le Z\le \frac{2b}{\sigma}\right)=0.2$이다.

ㄱ에서 $2b=a$이므로 $P\left(0\le Z\le \frac{a}{\sigma}\right)=0.2$

$\therefore\ P(|X|\le a)=P\left(-\frac{a}{\sigma}\le Z\le \frac{a}{\sigma}\right)=0.4$ (×)

13 답 ①

GUIDE

$S_1,\ S_2$ 각각에 공통부분을 더한 것을 식으로 니다낸다.

그림에서 나타낸 공통부분의 넓이 S를 생각하면

$P(42\le X\le 54)=S_1+S$ ……㉠

$P(42\le Y\le 54)=S_2+S$ ……㉡

㉡−㉠에서

$$\begin{aligned}S_2-S_1&=P(42\le Y\le 54)-P(42\le X\le 54)\\&=P\left(\frac{42-54}{4}\le Z\le \frac{54-54}{4}\right)\\&\quad-P\left(\frac{42-42}{6}\le Z\le \frac{54-42}{4}\right)\\&=P(-3\le Z\le 0)-P(0\le Z\le 2)\\&=P(0\le Z\le 3)-P(0\le Z\le 2)\\&=0.4987-0.4772=0.0215\end{aligned}$$

14 답 112

GUIDE

$P(X\le k)+P(X\le 100+k)=1$이므로
$P(X\le k)=P(X\ge 100+k)$

확률변수 X는 정규분포 $N(m,\ 8^2)$을 따르므로 (가)의 $P(X\le k)+P(X\le 100+k)=1$에 따라 그림과 같이 생각할 수 있다.

즉 $m-k=(100+k)-m$에서

$k=m-50$

$P(X\ge 2k)=P\left(Z\ge \frac{m-100}{8}\right)=0.0668$이고

$0.5-P\left(Z\ge \frac{m-100}{8}\right)=P\left(0\le Z\le \frac{m-100}{8}\right)=0.4332$

표준정규분포표에서 $P(0\le Z\le 1.5)=0.4332$이므로

$\frac{m-100}{8}=1.5\qquad \therefore\ m=112$

15 답 ㄱ, ㄴ

GUIDE

❶ $P(X\ge m+k)$를 표준화 한 $P(Z\ge k)$에서 생각한다.
❷ $P(0\le Z\le k)>P(k\le Z\le 2k)$임을 이용한다.

확률변수 X가 정규분포 $N(m,\ 1^2)$을 따르므로 $Z=\frac{X-1}{1}$이라 하면 확률변수 Z는 표준정규분포 $N(0,\ 1^2)$을 따른다.

$P(X\ge m+k)=P(Z\ge m+k-m)=P(Z\ge k)$

이므로 $f(k)=P(Z\ge k)$

즉 그림처럼 생각할 수 있다.

ㄱ. $f(0)=P(Z\ge 0)=\frac{1}{2}$ (○)

ㄴ. $a<b$이면 $P(Z\ge a)>P(Z\ge b)$이므로

$f(a)>f(b)$ (○)

ㄷ. $f(k)<\frac{1}{2}$이면 $k>0$

이때 $P(0\le Z\le k)>P(k\le Z\le 2k)$이므로

$2P(0\le Z\le k)>P(0\le Z\le k)+P(k\le Z\le 2k)$

에서 $2P(0\le Z\le k)>P(0\le Z\le 2k)$

즉 $2\left\{\frac{1}{2}-f(k)\right\}>\frac{1}{2}-f(2k)$이므로

$1-2f(k)>\frac{1}{2}-f(2k)$ (×)

16 답 24

GUIDE

응시자 중 7 %가 합격하는 시험이므로 합격 커트라인 점수를 a라 하면 $P(X\ge a)=0.07$임을 이용한다.

점수를 확률변수 X라 하면, X는 $N(60,\ 12^2)$을 따른다.

이때 합격 커트라인 점수를 a라 하면

$P(X\ge a)=0.07$, 즉 $P\left(Z\ge\frac{a-60}{12}\right)=0.07$에서

$\frac{a-60}{12}=1.5\qquad \therefore a=78$

A대학 출신 응시자의 점수를 확률변수 Y라 하면

Y는 정규분포 $N(62,\ 8^2)$을 따른다.

이때 A대학 출신 응시자가 합격할 확률은

$$P(Y\ge 78)=P\left(Z\ge\frac{78-62}{8}\right)=P(Z\ge 2)$$
$$=0.5-0.48=0.02$$

따라서 A대학 출신 응시자 중 합격자 수는 $1200\times 0.02=24$

17 답 ②

GUIDE

고객의 집에서 시장까지 거리가 2000 m 미만인 사건을 A, 자가용을 이용하여 시장에 오는 사건을 B라 하고, 각각의 확률을 구한 다음 조건부 확률을 이용한다.

고객의 집에서 시장까지 거리를 확률변수 X라 하면 X는 정규분포 $N(1740,\ 500^2)$을 따르므로 고객의 집에서 시장까지 거리가 2000 m 이상일 확률은

$$P(X\ge 2000)=P\left(Z\ge\frac{2000-1740}{500}\right)=P(Z\ge 0.52)$$
$$=0.5-P(0\le Z\le 0.52)$$
$$=0.5-0.2=0.3$$

$\therefore\ P(X<2000)=1-P(X\ge 2000)=0.7$

고객의 집에서 시장까지 거리가 2000 m 미만인 사건을 A, 자가용을 이용하여 시장에 오는 사건을 B라 하면

$$P(B)=P(A\cap B)+P(A^C\cap B)$$
$$=P(A)P(B|A)+P(A^C)P(B|A^C)$$
$$=0.7\times 0.05+0.3\times 0.15=0.08$$

따라서 구하려는 확률은

$$P(A|B)=\frac{(P(A\cap B))}{(P(B))}=\frac{0.035}{0.08}=\frac{7}{16}$$

다른 풀이

다음 표와 같이 구분해 보자.

	자가용 이용 함	자가용 이용 안 함	합계
2000 m 미만	$0.7\times 0.05=0.035$	$0.7\times 0.95=0.665$	0.7
2000 m 이상	$0.3\times 0.15=0.045$	$0.3\times 0.85=0.255$	0.3
합계	0.08	0.92	

위 표에서 구하려는 확률은

$$\frac{(\text{거리가 2000 m 미만이고 자가용을 이용하는 고객일 확률})}{(\text{자가용을 이용하는 고객일 확률})}$$
$$=\frac{0.035}{0.08}=\frac{35}{80}=\frac{7}{16}$$

18 답 ③

GUIDE

근무 기간이 16개월인 직원의 하루 생산량을 확률변수 X라 하면 $X\sim N(16a+100,\ 12^2)$이고, $P(X\le 84)=0.0228$을 이용해 상수 a값을 구한다.

근무 기간이 16개월인 직원의 하루 생산량을 확률변수 X라 하면 X는 정규분포 $N(16a+100,\ 12^2)$을 따르고

근무 기간이 16개월인 직원의 하루 생산량이 84 이하일 확률이 0.0228이다. 즉

$$P(X\le 84)$$
$$=P\left(Z\le\frac{84-(16a+100)}{12}\right)$$
$$=P\left(Z\le-\frac{4a+4}{3}\right)$$
$$=0.5-P\left(0\le Z\le\frac{4a+4}{3}\right)=0.0228$$

$-\frac{4a+4}{3}$ 0 $\frac{4a+4}{3}$ z

에서 $P\left(0\le Z\le\frac{4a+4}{3}\right)=0.5-0.0228=0.4772$

이때 주어진 표에서 $P(0\le Z\le 2)=0.4772$이므로

$\frac{4a+4}{3}=2\qquad\therefore a=\frac{1}{2}$

근무 기간이 36개월인 직원의 하루 생산량을 확률변수 Y라 하면

$E(Y)=36a+100=36\times\frac{1}{2}+100=118$

즉 확률변수 Y는 정규분포 $N(118,\ 12^2)$을 따르므로

$$P(100\le Y\le 142)$$
$$=P\left(\frac{100-118}{12}\le Z\le\frac{142-118}{12}\right)$$
$$=P(-1.5\le Z\le 2)$$
$$=P(0\le Z\le 1.5)+P(0\le Z\le 2)$$
$$=0.4332+0.4772=0.9104$$

19 답 10

GUIDE

❶ (선물 상자에 불량품을 적어도 한 개 포함할 확률)
$=1-$(불량품을 포함하지 않고 상자를 구성할 확률)
❷ 불량품을 포함하는 상자 개수를 확률변수 X라 하고
이항분포 ⇨ 정규분포 ⇨ 표준정규분포 관계를 이용한다.

선물 상자에 불량품을 적어도 한 개 포함할 확률은

$1-\left\{\left(\frac{15}{16}\times\frac{15}{16}\times\frac{15}{16}\right)\times\left(\frac{8}{9}\times\frac{8}{9}\right)\times\frac{24}{25}\right\}=1-\frac{5}{8}=\frac{3}{8}$

이때 불량품이 든 상자 개수를 확률변수 X라 하면

X는 이항분포 $B\left(960, \frac{3}{8}\right)$을 따르므로

$E(X)=960\times\frac{3}{8}=360$, $V(X)=960\times\frac{3}{8}\times\frac{5}{8}=15^2$

960은 충분히 크므로 확률변수 X는
정규분포 $N(360, 15^2)$을 따른다고 할 수 있다. 이때

$P(X\geq 390)=P\left(Z\geq\frac{390-360}{15}\right)=P(Z\geq 2)=0.02$

$500p=500\times 0.02=10$

20 답 ①

GUIDE

예매를 통해 입장권을 산 사람 중 실제 공연에 온 사람이 몇 명일 때 판매금액이 4298000원 이상이 되는지 확인한다.

예매를 통해 입장권을 사고 실제 공연에 참석한 관람객이 x명이라 하면 판매금액이 4298000원이 되는 경우는

$8000x+10000(500-x)=4298000 \quad \therefore x=351$

예매로 판매한 입장권이 400장이었으므로 당일 공연장에 오지 않은 사람이 49명 이상인 경우 판매금액은 4298000원을 넘는다.
입장권을 예매하고 공연장에 오지 않은 사람 수를 확률변수 X라 하면 X는 이항분포 $B(400, 0.1)$을 따르므로

$E(X)=400\times 0.1=40$, $V(X)=400\times 0.1\times 0.9=6^2$

400은 충분히 크므로 확률변수 X는 정규분포 $N(40, 6^2)$을 따른다고 할 수 있다. 이때

$P(X\geq 49)=P\left(Z\geq\frac{49-40}{6}\right)=P(Z\geq 1.5)$

$=0.5-0.4332=0.0668$

21 답 16

GUIDE

$\sum_{r=21}^{180} {}_{180}C_r\left(\frac{1}{6}\right)^r\left(\frac{5}{6}\right)^{180-r}=P(21\leq X\leq 180)$을 이용해 p_A를 구한다.

$p_A=P(X\leq 20)=1-P(21\leq X\leq 180)=0.0244$

X는 이항분포 $B\left(180, \frac{1}{6}\right)$을 따르므로

$E(X)=180\times\frac{1}{6}=30$, $V(X)=180\times\frac{1}{6}\times\frac{5}{5}=5^2$

180은 충분히 크므로 확률변수 X는 정규분포 $N(30, 5^2)$을 따른다고 할 수 있다. 이때

$p_B=P(X\leq 20)=P\left(Z\leq\frac{20-30}{5}\right)$

$=P(Z\leq -2)=0.5-0.4772=0.0228$

따라서 $10000(p_A-p_B)=10000\times 0.0016=16$

22 답 77

GUIDE

64번의 시행에서 동전 앞면이 나온 횟수를 확률변수 Y라 하면 Y는 이항분포를 따르고, 이때 동전 뒷면이 나온 횟수가 $(64-Y)$임을 이용해 $E(X)$, $V(X)$를 구한다.

동전을 64번 던질 때 앞면이 나오는 횟수를 확률변수 Y라 하면

Y는 이항분포 $B\left(64, \frac{1}{2}\right)$을 따르므로

$E(Y)=64\times\frac{1}{2}=32$, $V(Y)=64\times\frac{1}{2}\times\frac{1}{2}=16$

한편 64번의 시행에서 뒷면이 나오는 횟수는 $(64-Y)$이므로 확률변수 X, 즉 점 P의 위치 $X=2Y-(64-Y)=3Y-64$

$\therefore E(X)=E(3Y-64)=3E(Y)-64=32$

$V(X)=V(3Y-64)=3^2V(Y)=144$

이때 확률변수 X는 정규분포 $N(32, 12^2)$을 따르므로

$P(14\leq X\leq 44)=P\left(\frac{14-32}{12}\leq Z\leq\frac{44-32}{12}\right)$

$=P(-1.5\leq Z\leq 1)$

$=0.43+0.34=0.77$

따라서 $100p=77$

다른 풀이

$X=3Y-64$에서 $14\leq 3Y-64\leq 44 \quad \therefore 26\leq Y\leq 36$

$\therefore P(14\leq X\leq 44)=P(26\leq Y\leq 36)$

$=P\left(\frac{26-32}{4}\leq Z\leq\frac{36-32}{4}\right)$

$=P(-1.5\leq Z\leq 1)=0.77$

23 답 11

GUIDE

$\overline{X}$가 될 수 있는 값은 1, 2, 3, $\frac{1+n}{2}$, $\frac{3+n}{2}$, n이고, $P(\overline{X}>6)=\frac{1}{3}$이므로 $\frac{1+n}{2}$, $\frac{3+n}{2}$, n 중 6보다 큰 것이 있음을 생각한다.

주머니에서 꺼낸 두 구슬에 적혀 있는 수를 (a, b)로 나타내면

$\overline{X}=\frac{a+b}{2}$이다. 꺼낸 두 구슬에 적혀 있는 수가

$(1, 1)$일 때 $\overline{X}=1$, $(1, 3)$, $(3, 1)$일 때 $\overline{X}=2$

$(1, n)$, $(n, 1)$일 때 $\overline{X}=\frac{1+n}{2}$, $(3, 3)$일 때 $\overline{X}=3$

$(3, n)$, $(n, 3)$일 때 $\overline{X}=\frac{2+n}{2}$, (n, n)일 때 $\overline{X}=n$

이므로 표본평균 $\overline{X}$의 확률분포는 다음과 같다.

$\overline{X}$	1	2	$\frac{1+n}{2}$	3	$\frac{3+n}{2}$	n	합계
$P(\overline{X}=\overline{x})$	$\frac{1}{9}$	$\frac{2}{9}$	$\frac{2}{9}$	$\frac{1}{9}$	$\frac{2}{9}$	$\frac{1}{9}$	1

$n\le 3$이면 $\overline{X}$의 최댓값은 3이므로 $n>3$이다.

$n>3$이면 $\frac{1+n}{2}<\frac{3+n}{2}<n$이고

$P(\overline{X}>6)=\frac{1}{3}=\frac{1}{9}+\frac{2}{9}$에서

$P\left(X=\frac{3+n}{2}\right)+P(X=n)=\frac{2}{9}+\frac{1}{9}=\frac{1}{3}$임을 알 수 있다.

이때 $\frac{3+n}{2}>6$이고 $\frac{1+n}{2}\le 6$이므로 $9<n\le 11$

$\therefore n=11$ ($\because n$은 홀수)

24 답 ③

GUIDE

표본평균 $\overline{X}$의 값 $1, \frac{3}{2}, 2, \frac{5}{2}, 3$ 각각에 대하여 그 확률을 구한다.

예를 들어 $(2, 3)$, $(3, 2)$일 때 $\overline{X}=\frac{5}{2}$이므로

$P\left(\overline{X}=\frac{5}{2}\right)=2a(1-4a)+(1-4a)2a=4a-16a^2$

표본평균 $\overline{X}$가 갖는 값은 $1, \frac{3}{2}, 2, \frac{5}{2}, 3$이다.

(i) $\overline{X}=\frac{5}{2}$가 되는 경우는 $(2, 3)$, $(3, 2)$일 때이므로

$P\left(\overline{X}=\frac{5}{2}\right)=2a(1-4a)+(1-4a)2a=4a-16a^2$

(ii) $\overline{X}=3$이 되는 경우는 $(3, 3)$일 때이므로

$P(\overline{X}=3)=(1-4a)^2=16a^2-8a+1$

$P(X\ge 2)=3P\left(\overline{X}\ge\frac{5}{2}\right)$에서

$2a+1-4a=3\{(4a-16a^2)+(16a^2-8a+1)\}$

$\therefore a=\frac{1}{5}$

확률변수 X의 확률분포는 다음과 같다.

X	1	2	3	합계
$P(X=x)$	$\frac{2}{5}$	$\frac{2}{5}$	$\frac{1}{5}$	1

한편 $\overline{X}=\frac{3}{2}$이 되는 경우는 $(1, 2)$, $(2, 1)$이므로

$P\left(\overline{X}=\frac{3}{2}\right)=\frac{2}{5}\times\frac{2}{5}+\frac{2}{5}\times\frac{2}{5}=\frac{8}{25}$

25 답 ②

GUIDE

제품 무게 X에 대하여 A가 10 이상 14 이하인 제품을 뽑는 사건을 A라 하면 $P(A)=P(17<\overline{X}<21)$이고, $P(B)$도 마찬가지로 생각할 수 있다. 이때 구하려는 확률은 $P(A)P(B)$이다.

제품 무게를 확률변수 X라 하면 X는

정규분포 $N(20, 3^2)$을 따르고, 표본의 크기가 9이므로

$\overline{X}$는 정규분포 $N(20, 1^2)$을 따른다.

이때 $Z=\frac{\overline{X}-20}{1}=\overline{X}-20$이라 하면 Z는 표준정규분포

$N(0, 1)$을 따르므로

$$\begin{aligned}P(17\le\overline{X}\le 21)&=P(17-20\le Z\le 21-20)\\&=P(-3\le Z\le 1)\\&=P(0\le Z\le 3)+P(0\le Z\le 1)\\&=0.4987+0.3413=0.84\end{aligned}$$

A와 B 두 사람이 각각 독립적으로 표본을 임의추출하였으므로 두 사람이 뽑은 표본의 평균이 17 이상 21 이하일 확률은 각각 0.84로 같고, 두 사건은 서로 독립이다.

따라서 두 표본평균이 모두 17 이상 21 이하일 확률은

$0.84\times 0.84=0.7056$

26 답 ①

GUIDE

사과의 밀도를 확률변수 X라 하고 임의추출한 사과 4개 묶음이 물에 뜨려면 밀도가 보다 작아야 하므로 구하려는 확률은 $P(\overline{X}<1)$이다.

농장에서 생산되는 사과의 밀도를 확률변수 X라 하면 X는 정규분포 $N(m, \sigma^2)$을 따른다. 임의추출한 사과 4개 묶음이 물에 뜨려면 밀도가 1보다 작아야 하므로 구하려는 확률은 $P(\overline{X}<1)$이다. 이때 $P(X<1)=0.115$에서

$$\begin{aligned}P(X<1)&=P\left(Z<\frac{1-m}{\sigma}\right)\\&=0.5-P\left(0\le Z\le\frac{m-1}{\sigma}\right)\\&=0.115\end{aligned}$$

즉 $P\left(0\le Z\le\frac{m-1}{\sigma}\right)=0.385$와 $P(0\le Z\le 1.2)=0.385$에서

$\frac{m-1}{\sigma}=1.2$

또 확률변수 X가 정규분포 $N(m, \sigma^2)$을 따르고, 표본의 크기가 4이므로 표본평균 $\overline{X}$는 정규분포 $N\left(m, \left(\frac{\sigma}{2}\right)^2\right)$을 따른다.

$$\begin{aligned}\therefore P(\overline{X}<1)&=P\left(Z<\frac{1-m}{\frac{\sigma}{2}}\right)=P(Z<-2.4)\\&=0.5-P(0\le Z\le 2.4)=0.008\end{aligned}$$

27 답 ①

GUIDE

그림처럼 $\alpha \neq \beta$이면 $P(Z \leq -\beta)=P(Z \geq \beta)$에서
$P(Z \leq \alpha)+P(Z \geq \beta) \neq 1$이므로
$\alpha=\beta$이어야 함을 알 수 있다.

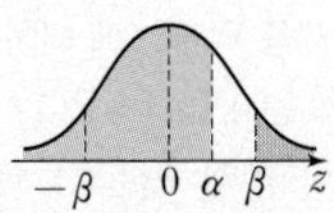

정규분포 $N(50, 8^2)$을 따르는 모집단에서 크기가 16인 표본평균 $\overline{X}$에 대하여 $E(\overline{X})=50$, $V(\overline{X})=\frac{8^2}{16}=2^2$

정규분포 $N(75, \sigma^2)$을 따르는 모집단에서 크기가 25인 표본평균 $\overline{Y}$에 대하여 $E(\overline{Y})=75$, $V(\overline{Y})=\frac{\sigma^2}{25}=\left(\frac{\sigma}{5}\right)^2$

이때 $P(\overline{X} \leq 53)+P(\overline{Y} \leq 69)=1$은

$P(Z \leq 1.5)+P\left(Z \leq -\frac{30}{\sigma}\right)=1$

즉 $P(Z \leq 1.5)+P\left(Z \geq \frac{30}{\sigma}\right)=1$과 같으므로

$\frac{30}{\sigma}=1.5 \quad \therefore \sigma=20$

따라서 표본평균 $\overline{Y}$는 정규분포 $N(75, 4^2)$을 따르므로

$$P(\overline{Y} \geq 71)=P\left(Z \geq \frac{71-75}{4}\right)$$
$$=P(Z \geq -1)$$
$$=0.5+P(0 \leq Z \leq 1)=0.8413$$

28 답 ㄱ, ㄴ, ㄷ

GUIDE

$P(n, x)=2P(m \leq \overline{X} < m+x)=2P\left(0 \leq Z \leq \frac{x\sqrt{n}}{3}\right)$

모집단이 $N(m, 3^2)$인 정규분포를 따르므로

표본평균 $\overline{X}$는 $N\left(m, \left(\frac{3}{\sqrt{n}}\right)^2\right)$인 정규분포를 따른다.

$$P(n, x)=P(|\overline{X}-m|<x)$$
$$=2P(m \leq \overline{X} < m+x)$$
$$=2P\left(\frac{m-m}{\frac{3}{\sqrt{n}}} \leq Z \leq \frac{x+m-m}{\frac{3}{\sqrt{n}}}\right)$$
$$=2P\left(0 \leq Z \leq \frac{x\sqrt{n}}{3}\right)$$

ㄱ. $P(9, 1)=2P(0 \leq Z \leq 1)=0.682$ (○)

ㄴ. $P(9, 2)=2P(0 \leq Z \leq 2)$, $P(4, 3)=2P(0 \leq Z \leq 2)$

$\therefore P(9, 2)=P(4, 3)$ (○)

ㄷ. $P(n, 0.8)=2P\left(0 \leq Z \leq \frac{0.8\sqrt{n}}{3}\right) \leq 0.954$

이므로 $P\left(0 \leq Z \leq \frac{0.8\sqrt{n}}{3}\right) \leq 0.477$

즉 $\frac{0.8\sqrt{n}}{3} \leq 2$에서 $\sqrt{n} \leq \frac{15}{2}=7.5$

$n \leq (7.5)^2=56.25$이므로 자연수 n의 최댓값은 56 (○)

29 답 ㄱ, ㄷ

GUIDE

신뢰도 a% ⇨ $P(-k \leq Z \leq k)=\frac{a}{100}$

이때 모평균 m의 신뢰도 a %의 신뢰구간은

$\overline{X}-k\frac{\sigma}{\sqrt{n}} \leq m \leq \overline{X}+k\frac{\sigma}{\sqrt{n}}$이고, 신뢰구간의 길이는 $2k\frac{\sigma}{\sqrt{n}}$

ㄱ. 표본의 크기가 $\frac{1}{4}$배가 되면 신뢰구간의 길이는 2배가 된다. (○)

ㄴ. 신뢰도가 99 %일때는 $k=3$, 신뢰도가 95 %일 때는 $k=2$이므로 신뢰구간의 길이는 $\frac{3}{2}$배가 된다. (×)

ㄷ. 신뢰도가 95 %이고 표본의 크기가 25이면 신뢰구간의 길이는

$2 \times 2 \times \frac{\sigma}{5}=\frac{4\sigma}{5}$

신뢰도가 99 %이고 표본의 크기가 100이면 신뢰구간의 길이는 $2 \times 3 \times \frac{\sigma}{10}=\frac{3\sigma}{5}$

따라서 $\frac{4}{3}$배이다. (○)

30 답 ④

GUIDE

$\overline{X}=165.8$일 때, $160 \leq m \leq 170$에서 $-4.2 \leq \overline{X}-m \leq 5.8$이고 이때 $P(-4.2 \leq \overline{X}-m \leq 5.8)$를 구한다.

$\overline{X}=165.8$, $\sigma=10$이고 $160 \leq m \leq 170$에서

$165.8-5.8 \leq m \leq 165.8+4.2$

$\therefore -4.2 \leq \overline{X}-m \leq 5.8$

또 $E(\overline{X})=m$, $\sigma(\overline{X})=\frac{10}{\sqrt{25}}=2$에서 $Z=\frac{\overline{X}-m}{2}$이라 하면

Z는 표준정규분포 $N(0, 1^2)$을 따른다.

$$\therefore P(-4.2 \leq \overline{X}-m \leq 5.8)$$
$$=P(-2.1 \leq Z \leq 2.9)$$
$$=P(0 \leq Z \leq 2.1)+P(0 \leq Z \leq 2.9)$$
$$=0.980$$

즉 $160 \leq m \leq 170$은 신뢰도 98 %의 신뢰구간이다.

참고

신뢰도 a %일 때, 표준정규분포에서

$P(k_1 \leq Z \leq k_2)=\frac{a}{100}$

즉 $P\left(k_1 \leq \frac{\overline{X}-m}{\frac{\sigma}{\sqrt{n}}} \leq k_2\right)=\frac{a}{100}$에서

$P\left(k_1\frac{\sigma}{\sqrt{n}} \leq \overline{X}-m \leq k_2\frac{\sigma}{\sqrt{n}}\right)=\frac{a}{100}$

즉 $P(\alpha \leq \overline{X}-m \leq \beta)=\frac{a}{100}$ 꼴에서 신뢰도 a %를 구할 수 있다.

31 답 25

GUIDE

주어진 조건에서 모평균 m의 95 % 신뢰구간과 99 % 신뢰구간을 각각 구한다.

크기가 k인 표본을 임의추출하여 구한 표본평균이 $\overline{X_1}$일 때, 모평균 m의 95% 신뢰구간은

$\overline{X_1}-1.96\frac{\sigma}{\sqrt{k}}\le m\le\overline{X_1}+1.96\frac{\sigma}{\sqrt{k}}$

이것이 $50.1\le m\le 59.9$와 같으므로

$2\times1.96\frac{\sigma}{\sqrt{k}}=59.9-50.1=9.8$

이때 $\frac{\sigma}{\sqrt{k}}=\frac{5}{2}$ ...... ㉠

또 크기가 n인 표본을 임의추출하여 구한 표본평균이 $\overline{X_2}$일 때, 모평균 m의 99 % 신뢰구간은

$\overline{X_2}-2.58\frac{\sigma}{\sqrt{n}}\le m\le\overline{X_2}+2.58\frac{\sigma}{\sqrt{n}}$

위와 같이 생각하면

$2\times2.58\frac{\sigma}{\sqrt{n}}=56.29-53.71=2.58$

이때 $\frac{\sigma}{\sqrt{n}}=\frac{1}{2}$ ...... ㉡

㉠, ㉡에서 $5\sqrt{k}=\sqrt{n}$이므로

양변을 제곱해서 정리하면 $\frac{n}{k}=25$

32 답 249

GUIDE

신뢰구간에서 구한 α, β를 이차방정식의 근과 계수의 관계에서 활용해 $\overline{X}$를 구한다.

제품 길이의 모평균을 m, 표본평균을 $\overline{X}$라 하면 모표준편차가 $\frac{1}{1.96}$, 표본의 크기가 10이므로 모평균 m에 대한 신뢰도 95 %의 신뢰구간은

$\overline{X}-1.96\times\frac{\frac{1}{1.96}}{\sqrt{10}}\le m\le\overline{X}+1.96\times\frac{\frac{1}{1.96}}{\sqrt{10}}$

$\therefore\ \overline{X}-\frac{1}{\sqrt{10}}\le m\le\overline{X}+\frac{1}{\sqrt{10}}$

이때 추정한 신뢰구간이 $[\alpha,\ \beta]$이므로

$\alpha=\overline{X}-\frac{1}{\sqrt{10}},\ \beta=\overline{X}+\frac{1}{\sqrt{10}}$ ...... ㉠

또 α, β는 이차방정식 $10x^2-100x+k=0$의 두 근이므로

$\alpha+\beta=10$ ...... ㉡, $\alpha\beta=\frac{k}{10}$ ...... ㉢

㉠을 ㉡에 대입하면 $2\overline{X}=10$ $\quad\therefore\ \overline{X}=5$

$\overline{X}=5$와 ㉠을 ㉢에 대입하면 $5^2-\frac{1}{10}=\frac{k}{10}$ $\quad\therefore\ k=249$

다른 풀이

이차방정식 $10x^2-100x+k=0$의 두 근이 α, β이므로

$\alpha+\beta=10,\ \alpha\beta=\frac{k}{10}$

그런데 신뢰구간의 길이는

$\beta-\alpha=2\times1.96\times\frac{\frac{1}{1.96}}{\sqrt{10}}=\frac{2}{\sqrt{10}}$

$\alpha\beta=\frac{1}{4}\{(\beta+\alpha)^2-(\beta-\alpha)^2\}=\frac{1}{4}\left\{10^2-\left(\frac{2}{\sqrt{10}}\right)^2\right\}$

$=\frac{1}{4}\left(100-\frac{4}{10}\right)=\frac{249}{10}=\frac{k}{10}$ $\quad\therefore\ k=249$

STEP 3 | 1등급 뛰어넘기

p. 86~88

01 17	**02** 6	**03** (1) ① (2) 5	
04 204	**05** ②	**06** 12	**07** ③
08 7	**09** 78		

01 답 17

GUIDE

$f(x)$가 확률밀도함수가 되려면 주어진 구간 $[0,\ 4]$에서 $f(x)\ge0,\ \int_0^4 f(x)dx=1$이어야 한다.

구간 $[0,\ 4]$에서 정의된 함수 $f(x)=k(x-2)^3+\frac{1}{4}$이 확률밀도함수가 되기 위해서는

$f(x)\ge0,\ \int_0^4 f(x)dx=1$이어야 한다.

(i) $f(x)\ge0$을 만족시키는 경우

① $k>0$이면 $f(x)=k(x-2)^3+\frac{1}{4}$은

구간 $[0,\ 4]$에서 증가하므로

$f(0)=k(0-2)^3+\frac{1}{4}=-8k+\frac{1}{4}\ge0$

즉 $k\le\frac{1}{32}$이므로 $0<k\le\frac{1}{32}$

② $k=0$이면 $f(x)=\frac{1}{4}$이므로 구간 $[0,\ 4]$에서

$f(x)>0$, 즉 $k=0$

③ $k<0$이면 $f(x)=k(x-2)^3+\frac{1}{4}$은

구간 $[0,\ 4]$에서 감소하므로

$f(4)=k(4-2)^3+\frac{1}{4}=8k+\frac{1}{4}\ge0$

즉 $k\ge-\frac{1}{32}$이므로 $-\frac{1}{32}\le k<0$

(ii) $\int_0^4 f(x)dx=1$을 만족시키는 경우

$$\int_0^4 f(x)dx=\int_0^4\left\{k(x-2)^3+\frac{1}{4}\right\}dx$$
$$=\int_0^4\left\{k(x^3-6x^2+12x-8)+\frac{1}{4}\right\}dx$$
$$=k(64-128+96-32)+1=1$$

즉 k는 모든 실수

(i), (ii)에서 $-\frac{1}{32}\le k\le\frac{1}{32}$이므로

$M-m=\frac{1}{32}-\left(-\frac{1}{32}\right)=\frac{1}{16}$ $\quad\therefore p+q=17$

02 답 6

GUIDE

$1\le n\le 4$일 경우, $n>4$일 경우로 나누어 $\int_0^4 f_n(x)dx=1$을 이용해 a_n을 구한다.

(i) $1\le n\le 4$일 경우

$$\int_0^4 f_n(x)dx$$
$$=a_n\int_0^n(-x+n)dx+a_n\int_n^4(x-n)dx$$
$$=a_n\left[-\frac{1}{2}x^2+nx\right]_0^n+a_n\left[\frac{1}{2}x^2-nx\right]_n^4$$
$$=a_n\left(-\frac{1}{2}n^2+n^2\right)+a_n\left(8-4n-\frac{1}{2}n^2+n^2\right)$$
$$=a_n(n^2-4n+8)=1$$
$$\therefore a_n=\frac{1}{n^2-4n+8}\ (\text{단, }1\le n\le 4)$$

(ii) $n>4$일 경우

$$\int_0^4 f_n(x)dx=a_n\int_0^4(-x+n)dx=a_n\left[-\frac{1}{2}x^2+nx\right]_0^4$$
$$=a_n(4n-8)=1$$
$$\therefore a_n=\frac{1}{4n-8}\ (\text{단, }n>4)$$

따라서 $a_3=\frac{1}{5}$, $a_4=\frac{1}{8}$, $a_6=\frac{1}{16}$, $a_7=\frac{1}{20}$이므로

$$\frac{a_4}{a_6}+\frac{a_3}{a_7}=2+4=6$$

03 답 (1) ① (2) 5

GUIDE

점 P가 $\overline{OA}$ 위에 있을 때 $f(x)=\overline{OP}=x$, 호 AB 위에 있을 때 $f(x)=\overline{OP}=r$, $\overline{OB}$ 위에 있을 $f(x)=\overline{OP}=5r-x$임을 이용해 확률밀도함수 $f(x)$를 구한다.

$$f(x)=\begin{cases}x & (0\le x<r)\\ r & (r\le x<4r)\\ 5r-x & (4r\le x\le 5r)\end{cases}$$ 이므로 그래프는 그림과 같다.

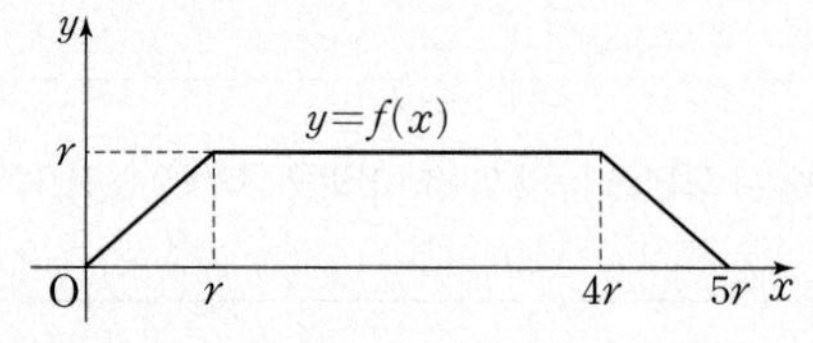

$f(x)$가 확률밀도함수이므로 $\int_0^{5r}f(x)dx=1$

즉 $4r^2=1$에서 $r=\frac{1}{2}$ ($\because r>0$)

(1) $P(0\le X\le a)=\int_0^a f(x)dx$이고, 이 값은 그림에서 색칠한 부분의 넓이와 같다.

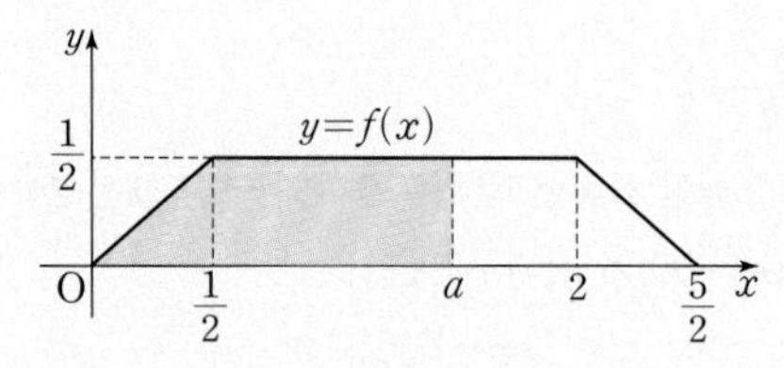

즉 $\frac{5}{8}=\frac{1}{2}\left(\frac{1}{2}\right)^2+\frac{1}{2}\left(a-\frac{1}{2}\right)$에서 $a=\frac{3}{2}$

(2) $E(X)=\int_0^{\frac{5}{2}}xf(x)dx$

$$=\int_0^{\frac{1}{2}}x^2dx+\int_0^{\frac{1}{2}}\frac{1}{2}xdx+\int_0^{\frac{5}{2}}x\left(\frac{5}{2}-x\right)dx$$
$$=\left[\frac{1}{3}x^3\right]_0^{\frac{1}{2}}+\left[\frac{1}{4}x^2\right]_{\frac{1}{2}}^2+\left[\frac{5}{4}x^2-\frac{1}{3}x^3\right]_2^{\frac{5}{2}}$$
$$=\frac{1}{24}+\frac{15}{16}+\left(\frac{45}{16}-\frac{61}{24}\right)=\frac{5}{4}$$

$\therefore E(4X)=4E(X)=5$

참고

(1)에서 $a=\frac{1}{2}$이면 $P\left(0\le X\le\frac{1}{2}\right)=\frac{1}{8}$이므로 $0\le a\le\frac{1}{2}$인 경우는 생각하지 않는다.

04 답 204

GUIDE

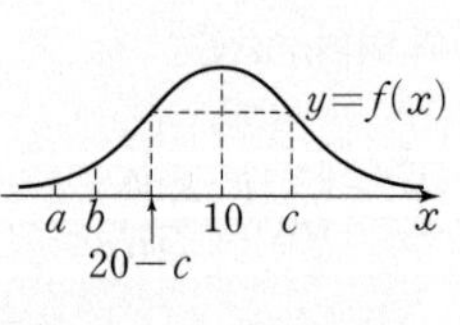

$c\le 10$이면 1에서 10까지의 자연수 중에서 3개를 골라 크기순으로 순서쌍 (a, b, c)를 정하면 된다.
$c>10$이면 그림처럼 $(20-c)$보다 작은 자연수 중 2개를 골라 크기순으로 a, b라 하면 된다.

평균이 10이므로 $c\le 10$, $c>10$인 경우로 나누자.

(i) $c\le 10$인 경우

1에서 10까지의 자연수 중에서 3개를 고르면 되므로 ${}_{10}C_3=120$

(ii) $c>10$인 경우

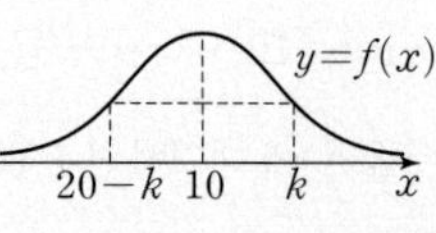

c값의 범위는 $11\le c\le 17$

이때 $x=10$에 대하여 대칭이므로 $c=k(11\le k\le 17)$가 되는 경우의 수는 ${}_{19-k}C_2$

즉 순서쌍의 개수는

$_{8}C_{2}+{}_{7}C_{2}+\cdots+{}_{2}C_{2}={}_{9}C_{3}=84$

(i), (ii)에서 조건에 맞는 모든 순서쌍의 개수는 204

참고

$c=18$이면 $20-18=2$보다 작은 두 자연수를 고를 수 없으므로 $c\le 17$ 이어야 한다.

05 답 ②

GUIDE

그림처럼 생각하면

$m=\dfrac{(11-x)+(13+x)}{2}$

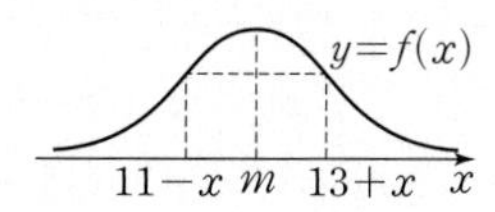

평균은 $m=\dfrac{(11-x)+(13+x)}{2}=12$이다.

표에서 $0.6826=2\times 0.3413=\mathrm{P}(-1\le Z\le 1)$이므로

$$\mathrm{P}(|X-m|\le 2)=\mathrm{P}(m-2\le X\le m+2)$$
$$=\mathrm{P}\left(-\frac{2}{\sigma}\le \frac{X-12}{\sigma}\le \frac{2}{\sigma}\right)$$
$$=\mathrm{P}(-1\le Z\le 1)$$

이때 $\dfrac{2}{\sigma}=1$에서 $\sigma=2$

$$\therefore\ \mathrm{P}(11\le X\le 15)$$
$$=\mathrm{P}(-0.5\le Z\le 1.5)$$
$$=\mathrm{P}(0\le Z\le 0.5)+\mathrm{P}(0\le Z\le 1.5)$$
$$=0.1915+0.4332=0.6247$$

06 답 12

GUIDE

그림처럼 생각하면 $(\alpha>0)$

$\mathrm{P}(-\alpha\le Z\le 0)+\mathrm{P}(Z\le -\alpha)=\dfrac{1}{2}$

임을 이용한다.

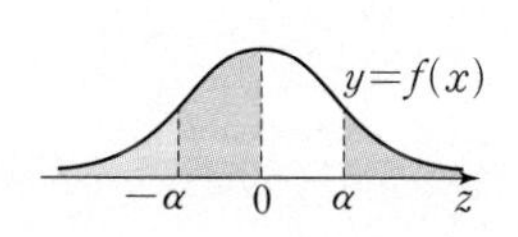

연속확률변수 X는 정규분포 $\mathrm{N}(12,\ 2^2)$을 따른다.

$$\mathrm{P}(|X-12|\le k)$$
$$=\mathrm{P}(12-k\le X\le 12+k)$$
$$=2\mathrm{P}(12-k\le X\le 12)$$
$$=2\mathrm{P}\left(-\frac{k}{2}\le Z\le 0\right)$$

이므로

$$a=\sum_{k=1}^{11}\mathrm{P}(|X-12|\le k)=2\sum_{k=1}^{11}\mathrm{P}\left(-\frac{k}{2}\le Z\le 0\right)$$
$$=2\mathrm{P}\left(-\frac{1}{2}\le Z\le 0\right)+2\mathrm{P}(-1\le Z\le 0)+\cdots$$
$$+2\mathrm{P}\left(-\frac{11}{2}\le Z\le 0\right)$$

$$b=\sum_{l=1}^{12}\mathrm{P}(X\le l)=\sum_{l=1}^{12}\mathrm{P}\left(Z\le \frac{l-12}{2}\right)$$
$$=\mathrm{P}\left(Z\le -\frac{11}{2}\right)+\mathrm{P}\left(Z\le -\frac{10}{2}\right)+\cdots$$
$$+\mathrm{P}\left(Z\le -\frac{1}{2}\right)+\mathrm{P}(Z\le 0)$$

$$\therefore\ a+2b$$
$$=2\left\{\mathrm{P}\left(-\frac{1}{2}\le Z\le 0\right)+\mathrm{P}\left(Z\le -\frac{1}{2}\right)+\cdots\right.$$
$$\left.+\mathrm{P}\left(-\frac{11}{2}\le Z\le 0\right)+\mathrm{P}\left(Z\le -\frac{11}{2}\right)+\mathrm{P}(Z\le 0)\right\}$$
$$=2\{11\mathrm{P}(Z\le 0)+\mathrm{P}(Z\le 0)\}=12$$

07 답 ③

GUIDE

이항분포 ⇨ 정규분포 ⇨ 표준정규분포를 이용한다.

확률변수 X의 확률이 독립시행의 확률로 주어져 있으므로 X는 이항분포 $\mathrm{B}\left(100,\ \dfrac{1}{2}\right)$을 따른다. 이때

$\mathrm{E}(X)=100\times\dfrac{1}{2}=50$, $\mathrm{V}(X)=100\times\dfrac{1}{2}\times\dfrac{1}{2}=25$

시행횟수가 충분히 크므로 X는 정규분포 $\mathrm{N}(50,\ 5^2)$을 따른다.

$$\therefore\ f(x)=\mathrm{P}(X\le 5x+50)$$
$$=\mathrm{P}\left(Z\le \frac{5x+50-50}{5}\right)=\mathrm{P}(Z\le x)$$

ㄱ. $\mathrm{V}(X)=25$ (○)

ㄴ. $f(x)=\mathrm{P}(Z\le x)$이므로 x값이 커질수록 확률은 커지므로 $x_1<x_2$이면 $f(x_1)\le f(x_2)$가 성립한다. (○)

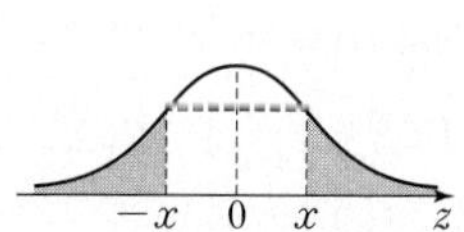

ㄷ. 표준정규분포는 $z=0$에 대하여 대칭이므로

$f(-x)=\mathrm{P}(Z\le -x)$

$=\mathrm{P}(Z\ge x)=1-f(x)$

즉 x값에 관계없이 항상 $f(-x)+f(x)=1$ (×)

08 답 7

GUIDE

$m=0$을 대입해 구한 $f(0)$의 값에서 $f(-1)$의 범위를 정할 수 있다.

모집단이 $\mathrm{N}(m,\ 1^2)$인 정규분포를 따르므로

표본평균 $\overline{X}$는 $\mathrm{N}\left(m,\ \left(\dfrac{1}{\sqrt{n}}\right)^2\right)$인 정규분포를 따른다.

$$\therefore\ F(m)=\mathrm{P}\left(\overline{X}\ge -\frac{2}{\sqrt{n}}\right)=\mathrm{P}\left(Z\ge \frac{-\frac{2}{\sqrt{n}}-m}{\frac{1}{\sqrt{n}}}\right)$$
$$=\mathrm{P}(Z>-2-m\sqrt{n})$$

$F(0)=\mathrm{P}(Z\geq-2)=0.98$이므로

$F(-1)=\mathrm{P}(Z\geq-2+\sqrt{n})\leq0.31$

이때 $-2+\sqrt{n}\geq0.5$에서

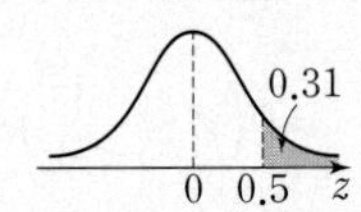

$n\geq(2.5)^2=6.25$

자연수 n의 최솟값은 7

09 답 78

GUIDE

❶ $\mathrm{E}(X)=\sum_{x=1}^{9}\left\{\frac{x}{k+9}-\frac{7}{k+9}+\frac{7(k+1)}{k+9}\right\}$

❷ $\mathrm{P}(\overline{X}<7)$을 구하기 위하여 여사건의 확률 $\mathrm{P}(\overline{X}\geq7)$를 이용한다.

$\mathrm{P}(X=7)=\frac{k+1}{k+9}$이고

$\mathrm{P}(X=x)=\frac{1}{k+9}$ (이때 x는 $1\leq x\leq9$ 중 7을 제외한 자연수)

$$\mathrm{E}(X)=\sum_{x=1}^{9}\left(\frac{x}{k+9}-\frac{7}{k+9}+\frac{7(k+1)}{k+9}\right)$$

$$=\frac{45}{k+9}+\frac{7k}{k+9}=\frac{7k+45}{k+9}=5.2$$

에서 $k=1$

$\overline{X}\geq7$은 $X_1+X_2\geq14$와 같고, 7이 적힌 공은 2개이므로 다음과 같은 경우이다.

X_1	X_2	경우의 수
5	9	1
6	8, 9	2
7	7, 8, 9	8
8	6, 7, 8, 9	5
9	5, 6, 7, 8, 9	6

전체 경우의 수는 100이고, $X_1+X_2\geq14$가 되는 경우의 수는 22이므로

$\mathrm{P}(\overline{X}<7)=1-\mathrm{P}(\overline{X}\geq7)=1-\frac{22}{100}=\frac{78}{100}=p$

$\therefore\ 100p=78$

참고

❶ 다음과 같이 X의 확률분포를 생각할 수 있다.

X	1	2	3	⋯	7	8	9	합계
$\mathrm{P}(X=x)$	$\frac{1}{k+9}$	$\frac{1}{k+9}$	$\frac{1}{k+9}$	⋯	$\frac{k+1}{k+9}$	$\frac{1}{k+9}$	$\frac{1}{k+9}$	1

이때 $\mathrm{E}(X)=\frac{1+2+3+\cdots+7(k+1)+8+9}{k+9}=\frac{7k+45}{k+9}$

❷ 7 두 개를 $7, 7^*$라 하면 $X_1+X_2\geq14$가 되는 경우는 다음과 같다.

$(5, 9)$ ⇦ $X_1=5$일 때

$(6, 8), (6, 9)$ ⇦ $X_1=6$일 때

$(7, 7), (7, 7^*), (7, 8), (7, 9)$ ⇦ $X_1=7$일 때

$(7^*, 7), (7^*, 7^*), (7^*, 8), (7^*, 9)$ ⇦ $X_1=7^*$일 때

$(8, 6), (8, 7), (8, 7^*), (8, 8), (8, 9)$ ⇦ $X_1=8$일 때

$(9, 5), (9, 6), (9, 7), (9, 7^*), (9, 8), (9, 9)$ ⇦ $X_1=9$일 때

최강

TOT

확률과 통계

정답과 풀이

"공부를 넘어 희망을 나눕니다"

몸이 아파서 학교에 갈 수 없는 아이들도
공평하게 배움의 기회를 누려야 합니다.
공부를 하고 싶고
책을 읽고 싶어도
맘껏 할 수 없는 아이들을 위해
병원으로 직접 찾아가는 천재교육의 학습봉사단.

혼자가 아니라는 작은 위안이
미래의 꿈을 꿀 수 있는
큰 용기로 이어지길 바라며
천재교육은 앞으로도 꾸준히 나눔의 뜻을 실천하며
세상과 소통해 나가겠습니다.

천재교육

<꿈이 자라는 천재 수학교실>이 환아들의 꿈을 응원합니다.

가톨릭중앙의료원 산하 서울성모병원 어린이학교에서
주 1회 <꿈이 자라는 천재 수학교실> 수업 진행

착한 기업으로 가기 위한 동행, 천재교육이 함께하겠습니다.

저소득층 자녀를 위한 학습교재 지원 / 장학금 후원 / 시각장애인을 위한
점자책 데이터 지원 / 고도 약시를 위한 교과서 및 학습교재 개발